dtv

Marie ist als ungeliebtes, mißhandeltes und ausgebeutetes Bauernkind in einem oberösterreichischen Dorf aufgewachsen. Es gelingt ihr, diesem Milieu zu entfliehen, indem sie heiratet und mit ihrem Mann in die Stadt zieht. Aber es gelingt ihr nicht, das von Generation zu Generation weitergegebene dumpfe Lebensgefühl abzulegen, das geprägt ist von Haß, Lieblosigkeit und Unfreiheit. Sie will, daß ihre Tochter Vera etwas Besseres wird, ein »anständiges« Leben führt, sie schlägt das Kind, wie sie selbst geschlagen wurde. Die Geschichte, die hier erzählt wird, ist grausam, die Sprache klar und poetisch. »Jede Beschreibung versagt hoffnungslos vor der Stärke, der Intensität, dem Drahtseilakt des Originals. Dieses Buch muß gelesen werden. Mit Heulen und Zähneklappern. Und nicht, weil es ein ›Pflichtbuch‹, eines aus der Kategorie ›das gute Buch‹ ist, sondern weil es eines der wenigen Bücher ist, die in ihren Leser/innen etwas bewirken, etwas bewegen, vielleicht auch etwas verändern«, schrieb Ingrid Strobl in ›Emma‹.

Anna Mitgutsch wurde am 2. Oktober 1948 in Oberösterreich geboren, studierte Germanistik und Anglistik, war nach dem Studium einige Zeit Assistentin am Institut für Amerikanistik in Innsbruck. Danach längere Aufenthalte in Israel, England und Korea. Von 1979 bis 1985 unterrichtete sie in Boston deutsche Sprache und Literatur. Heute lebt die mit mehreren Literaturpreisen ausgezeichnete Schriftstellerin in Linz.

Anna Mitgutsch

Die Züchtigung

Roman

Deutscher Taschenbuch Verlag

Von Anna Mitgutsch
sind im Deutschen Taschenbuch Verlag erschienen:
Das andere Gesicht (10975)
Ausgrenzung (12435)
In fremden Städten (12588)

Die Gestalten dieses Romans sind frei erfunden.
Ähnlichkeiten mit lebenden Personen sind zufällig.

Ungekürzte Ausgabe
Oktober 1987
9. Auflage Oktober 2000
Deutscher Taschenbuch Verlag GmbH & Co. KG,
München
www.dtv.de
Lizenzausgabe mit freundlicher Genehmigung des
Claassen Verlags GmbH, Hildesheim (jetzt München)

Umschlagkonzept: Balk & Brumshagen
Umschlagbild: ›Vertikalgestaltung‹ (1951) von Arnulf Rainer
Gesamtherstellung: C. H. Beck'sche Buchdruckerei,
Nördlingen
Gedruckt auf säurefreiem, chlorfrei gebleichtem Papier
Printed in Germany · ISBN 3-423-10798-7

War deine Mutter so wie du, fragt meine zwölfjährige Tochter, während sie sich an die Badezimmertür lehnt und mich beim Kämmen betrachtet. Die Frage überfällt mich aus vielen Jahren Schweigen heraus. Ich lasse mein gescheiteltes Haar über die Augen fallen. Nein, sage ich, nein, deine Großmutter war ganz anders. Wie anders? Stell dir das Gegenteil vor. Sie zögert, sieht mich fragend an. Wie soll sie sich das Gegenteil vorstellen, wenn ich ihr ein Rätsel bin. Ein Rätsel und eine Selbstverständlichkeit. Wie meine Mutter für mich, bis heute.

Andere Leute mußten sie mir erklären, als sie tot war. Ihr Gesicht, spitz und streng, unnahbar durch das Sargfenster. Mama, sagte ich und dachte, sie müsse die Augen öffnen, zumindest für mich. Sie hatte zu riechen begonnen, sie war drei Tage aufgebahrt. Zu Hause schob ich ein Foto in einen Rahmen, meine Mutter mit ihrer zweijährigen Tochter, aufrecht, mit hochgetürmter Frisur, sitzt sie da, unnahbar. Ihre kräftigen Hände umklammern meine Kinderärmchen wie Vogelkrallen. Schau nicht so streng, ich brauche dich, sagte ich zu dem Foto. Ich hielt ihren Blick nicht lange aus, dann legte ich das Foto wieder zu den anderen zurück. Sie war eine unglückliche Frau, sagten die Trauergäste, enttäuscht vom Leben, sie hatte zu niemandem Vertrauen. Kein Mensch mochte sie, sagte die Frau, die mein Vater ein Jahr später heiratete, verächtlich. Sie kam mit niemandem aus. Ich erinnerte mich, wenn sie zitternd vom Einkaufen zurückkam, Bitt-schön-Frau-Doktor war wieder dort, da muß unsereiner natürlich warten. Die vielen Demütigungen von dreißig Jahren, ich hatte sie miterlebt, als seien sie mir zugefügt worden, mir, der Achtjährigen, die wehrlos auf dem Sofa lag, während sie ihren angesammelten Haß über mich ergoß, wieder und wieder, bis ich weinte vor Schmerz und Wut. Später haßte ich sie dafür, dann vergaß ich sie. Nach zehn Jahren sagte ich, Gott sei Dank, daß sie so früh gestorben ist, ich hätte mich unter ihrem Blick nicht entfalten können.

Wenn ich mit meinem Kind in unserem Sommerhaus die Ferien verbringe, in dem Haus, in dem ich aufwuchs, siebzehn Jahre lang, bis ich fortging und fünf Jahre nicht wiederkam, sitze ich auf ihrem Platz zwischen Küche und Eßtisch. Ich hantiere mit ihrem Geschirr und schlafe in ihrem Bett. Ihre Kleider habe ich hergeschenkt, die Heiligenbilder und den Weihwasserkessel habe ich von der Wand genommen, aber über meinem Bett hängt noch immer die Zeichnung von mir, die ich ihr zu ihren letzten Weihnachten geschenkt habe. Ein junges Mädchen im Profil, das sehnsüchtig aus einem Spitzbogenfenster auf eine weite Landschaft hinausschaut. Auf dem Bücherregal steht das Foto, das sie als Sterbebild wollte, das in ihren Grabstein eingelassen ist, eine Vierundzwanzigjährige mit aufrechtem Rücken und aufgetürmtem schweren Haar, Hochmut und Verletzlichkeit in dem zarten Gesicht. Es ist nicht das Gesicht einer jungen Frau, dieses Gesicht hat endgültig Stellung bezogen zum Leben, für dieses Gesicht gibt es keine Überraschungen mehr, ihr habt mich verletzt, ihr werdet es wieder tun, ich werde euch keine Angriffsflächen bieten. Es war das erste Jahr ihrer Ehe, das erste Jahr nach dem Krieg, zwei Jahre später war sie meine Mutter. Das ist das Bild, das vor mir auftaucht, wenn ich Mutter denke, eine Vierundzwanzigjährige in der Nachkriegsmode mit steifem, unnahbarem Rücken. Später ließ sie sich nicht mehr photographieren.

Erst als ich schwanger war, dachte ich wieder an sie. Damals war sie schon viele Jahre tot. Ich schob meinen Bauch durch Supermärkte und verlangte nach Sulz, hausgemachtem Sulz. Ich wachte mit dem Geruch von Surbraten in der Nase auf, ich konnte ihren herb-süßen gallertigen Schokoladenpudding zwischen Zunge und Gaumen schmecken.

Meine Mutter kam in mein Leben zurück als Nahrung, nach der ich Heimweh hatte. Als ich mit dem Neugeborenen in die fremde, heiße Wohnung zurückkam und der Vater meines Kindes mich verließ, saß ich weinend neben dem schreienden Kind und rief nach ihr. Ich wollte in ihre Arme zurück, ich schrie nach der Liebe, die ich meinem Kind verweigerte, ich wollte gewiegt werden, mich ganz klein machen in ihrem Schoß und nie mehr in die Wirklichkeit zurückmüssen. Eingesperrt in eine kleine Vorstadtwohnung zwischen Windeln, Kindergeschrei und schmutzigem Geschirr und dem Gefühl, das Leben hätte mich abgestellt und vergessen, begann ich sie zu verstehen. Mama, schrie ich, wenn ich mich hinter versperrter Tür auf den Teppich warf, den Spiegel zertrümmerte und meinen Kopf gegen die Wand schlug. Du bist irrenhausreif, du bist verrückt, sagte der Mann, dem ich mein Leben anvertraut hatte, und ich hörte meinen Vater sagen, sie war nicht richtig im Kopf, sie war aus dem Häusl, man hätte sie in eine Anstalt tun sollen. Ich hörte meine Mutter schreien, mit verzerrtem, verquollenem Gesicht, du liebst mich nicht, du Schwein, und ging in die Küche, um schweigend und systematisch Geschirr zu zerschlagen.

Ich fand ihre Spuren, als ich mit meiner zweijährigen Tochter im Arm in das alte Haus an der Donau zurückkehrte, das ich mit neunzehn verlassen hatte. Ich fand den Teppichklopfer am Türrahmen der Waschküche hängen, er hing da wie ihre blaue Drillichschürze unterhalb der Bodenstiege, seit zwölf Jahren unberührt, ein Teil von zu Hause, ein Teil von mir, von meiner Kindheit, ein Teil der Lebensangst, die sie an mich weitergegeben, in mich hineingeprügelt hatte. Ich hielt ihn in der Hand, und die Angst stieg wieder in mir hoch, die Angst vor den Schlägen, die Angst vor der Drohung der hereinbrechenden Züchtigung. Ich hielt ihn in der Hand und sah ihn zum erstenmal in seiner konkreten Beschaffenheit, so wie sie ihn gesehen haben muß, eine dicke, gebogene Gummiwurst mit einer Eisenspirale umwunden, ein Folterwerkzeug. Ich hielt das Kind in einem Arm, den Teppichklopfer im anderen. So klein war ich, als sie begann, mich zu schlagen. Trotzalter hat's bei uns nicht gegeben, sagte sie oft stolz zu Verwandten, das muß man im Keim ersticken, sobald das erste Nein kommt, sobald der Fuß aufstampft. Ich hörte zu und war stolz, ein wohlerzogenes Kind zu sein, ein geschlagenes Kind zu sein. Bitte, bitte, liebe Mama, ich tu alles, nur bitte, bitte, dieses eine Mal nicht, nur dieses eine Mal. Ich lief auf die Straße und bat Fremde, mir zu helfen, ich schrie nach meinem Vater, auf den Knien rutschte ich über den Kiesweg und umfing ihre Beine. Es half nichts, sie schlug mich. Nie das Kind im Affekt schlagen, sagte sie zu ihren jüngeren Schwestern. Wart nur, wenn ich in zwei Stunden heimkomm, kriegst du Treff, dann schlag ich dir die Läufe ab. Bitte, bitte, lieber Gott, flehte ich kniend, gib, daß sie stirbt. Wie oft habe ich ihr den Tod gewünscht, der dann zu früh kam. Ich war das besterzogene Kind in der Verwandtschaft, Mund halten und sitzen bleiben, nicht dreinreden, still und alleine spielen, niemanden belästigen; lehn dich doch nicht an mich an, kannst du nicht allein sitzen, Anlehnungsbedürfnis ist Schwäche. Sie erlaubte sich keine Schwäche. Ich wagte es nicht, sie zu hassen. Ich konnte es mir nicht leisten, sie zu hassen, sie war der einzige Mensch, der mich liebte. Danke, liebe Mama, mußte ich sagen, wenn sie vom Schlagen erschöpft war und sich schwer atmend niedersetzte. Manchmal ließ sie sich der Länge nach auf den Boden fallen, und ich bekam Angst um sie, hoffte, sie sei nicht ohnmächtig geworden von der schweren Arbeit der Züchtigung, ich fühlte mich schuldig, ihr soviel Kummer zu bereiten. Nachher hatte ich rote Wülste auf Beinen und Hüften, die wurden blutunterlaufen, dann grün und blau, und sie schrieb mir eine Entschuldigung fürs Turnen, damit niemand Fragen stellen konnte. Es gab viele Gründe, gezüchtigt zu werden, einen Befehl mit Nein oder Warum zu beantworten, eine halbe Stunde zu spät von der Schule heimzukommen, in der Kirche mit anderen Kindern zu flüstern oder zu kichern, im Schönschreibheft unter die Zeile zu geraten und f mit k zu verwechseln, eine Rüge von der Lehrerin, ein Befriedigend auf die Schularbeit.

Als ich vierzehn war, bekam ich die letzten Schläge. Wir wurden die besten Freundinnen, ich erzählte ihr nichts, sie mir alles. Ich war gut dressiert, meine Antworten waren spontan und entsprachen ihrer Erwartung. Ich brauche kein Fahrrad, es wäre zu gefährlich für mich. Alle in der Klasse gehen auf den Ball, das wäre mir zu kindisch. Meine Freundin Eva hat einen Freund, der sie geküßt hat, wie widerlich. Als sie tot war, wollte ich nicht mehr weiterleben. Ich setzte mich im Hemd ans Fenster, es schneite mir auf die Beine, aber ich bekam keine Lungenentzündung. Ich fühlte mich wie ein Krüppel ohne Krücken, und ich hatte keine Lust, gehen zu lernen. Ich behielt die strenge Frisur, die sie für mich richtig gefunden hatte, trug die wadenlangen Röcke, die sie für mich gekauft hatte, ging ein Jahr lang in Trauer, obwohl mir Schwarz nicht steht, und sah keinen Sinn in meinem Leben mehr. Meine Mutter hat sich für mich aufgeopfert, sagte ich, meine Mutter war mir alles, nur sie verstand mich, nur sie liebte mich, ich konnte über alles mit ihr reden. Und jetzt ist sie tot, und ich stehe allein in der Welt. Ich saß an ihrem Grab und schrieb weinend Briefe an sie. Wenn du von mir fortgehst, werde ich sterben, hatte sie gesagt. Ich ging in eine andere Stadt zur Universität, ein halbes Jahr später war sie tot. Ich bin an ihrem Tod schuld, schrieb ich in mein Tagebuch.

Als ich später als andere die Welt entdeckte, begann ich

sie zu hassen. Als ich nicht mehr ohne Abenteuer leben konnte, begann ich sie zu verachten. Ich wurde alles, worüber sie sich am meisten entsetzt hätte. Ich schlief mit allen Männern, die mich haben wollten, und vielen, die mich nicht wollten. Ich fuhr per Autostopp durch zwei Kontinente und wusch mich in drei Monaten nicht ein einziges Mal. Ich gab meine Karriere auf für einen Mann und gab diesen Mann für einen anderen auf, nur um ihn wieder zu verlassen. Du bist eine Zigeunerin wie deine Großmutter, die alte Hexe, hörte ich meine Mutter sagen, und plötzlich haßte ich sie nicht einmal mehr, ich vergaß sie, sie hatte keinen Platz mehr in meinem Leben. Aber das Schicksal der Mütter setzt sich in den Töchtern fort. Einmal kommt die Mutter und sagt, so, mein Kind, jetzt bist du alt genug, jetzt zeige ich dir mein Leben. Ich schrie, du liebst mich nicht, du Schwein, und sah das verquollene Gesicht meiner Mutter, ich sah mit entsetzten Augen, wie sie meinem Vater ins Gesicht spuckte, aber es war der Mann, mit dem ich lebte, der sich den Speichel abwischte und mir ins Gesicht schlug. Ich bin keine Hausfrau, ich will keine Hausfrau sein, ich bin mir zu gut zum Verblöden, schrie ich und fegte Gläser und Geschirr vom Tisch. Nur ein total verblödetes, gottergebenes Schaf ist eine gute Hausfrau, hatte meine Mutter zu unserer jungen Nachbarin gesagt, die Karriere und Haushalt verbinden wollte. Ich warf das schreiende Kind ins Bett, schloß die Tür und schmiß an die Wand, was mir als erstes in die Hand fiel. Da kam meine erste Erinnerung zurück. Ich liege im Kinderwagen, es ist Nacht, nur eine Nachttischlampe brennt, der Wagen rollt, immer schneller, ein Anprall, noch ein Anprall, ich liege auf dem Boden, brülle noch lauter, eine Hand packt mich, wirft mich zurück in den Wagen, ich halte den Atem an, in Todesangst, der Wagen steht still. Bald werde ich mein Kind schlagen, dachte ich entsetzt. Als ich zu toben begann, als ich mich beobachtet und von allen verachtet fühlte, als ich zu fürchten begann, man wolle mich auf heimtückische Weise ermorden, retteten mich die weitaufgerissenen Augen meiner Mutter, sie holen mich, lauf, Kind, bevor sie dich auch erwischen. Ich lief. Ich packte die zwei Koffer, mit denen ich gekommen war, ich nahm meine Tochter mit. Ihr kriegt mich nicht, sagte ich zu meinem Mann und reichte die Scheidung ein, als ich einen Job und eine Zweizimmerwohnung gefunden hatte.

Meine Tochter steht wie eingerahmt in der Badezimmertür. Sie hat das kastanienrote Haar meiner Mutter, ihre bernsteinfarbenen Augen, ihre hohe Stirn mit dem perfekten Haaransatz. Sie wartet auf eine Antwort. Ich kämme mir das Haar nach hinten, prüfe mein Augenmakeup. Deine Großmutter hatte ein schweres Leben und keine Wahl. Es waren andere Zeiten. Alle Sätze gehen daneben. Schau, ich habe gegen meine Mutter und ihr Leben rebelliert, du wirst einmal gegen mich rebellieren. Und dann werde ich so wie meine Großmutter? Kaum, lache ich. Vielleicht, sage ich dann. Wer gibt Garantien, denke ich, sie wird eine Frau sein, sie wird einen Mann lieben und ihn besitzen wollen, auf ewig, sie wird heiraten, vielleicht Kinder haben, und wird sie die Kraft haben, sich zu retten?

*

Ein kleines Mädchen sitzt auf den breiten, unebenen Steinstufen des Bauernhauses. Schneekrusten liegen auf den Mauern, der Himmel über dem Hofviereck ist hoch und blau. Ein Knecht kommt mit einer Schaufel aus dem Stall, der Kuhmist fällt dampfend und weich auf den gefrorenen Misthaufen. Das Kind hält ein Stück Brot in der Hand und leckt an dem Zucker, der auf die Butter gestreut ist. Hühner scharren in der gefrorenen Erde, trippeln die Steinstufen hinauf, eine Henne streckt den Kopf vor und pickt in das Brot hinein, das Kind läßt das Brot fallen und beginnt zu plärren. Die Hühner raufen um das Butterbrot, zerren es über den Hof. Die Kindsmagd kommt aus dem dunklen Hausflur, ein kleines Mädchen auf dem Arm, das kaum größer ist als das Kind auf den Stufen. Sie packt die Kleine, zerrt sie in den Flur zurück, stellt das andere Kind ab und geht langsam hüftenwiegend über den Hof. Der Stallknecht steht, an die Mistschaufel gelehnt, in der Stalltür und grinst. Das größere Mädchen läuft in die Stube zurück, die Kleine kriecht wieder zu den Stufen und sieht daumenlutschend den Hühnern zu.

Erst am späten Nachmittag, als das neun Monate alte Mariechen vor Hunger zu schreien beginnt, erbarmt sich die Stallmagd und schleppt zwischen Schweinefüttern und Melken die Kleine in die Stube. Kalt wie ein Eiszapfen ist das Kind, sagt sie vorwurfsvoll in Richtung Herd, wo die Kindsmagd hantiert. Ich kann auch nicht überall zugleich sein, mault diese zurück, zwei Kinder, Kochen, Aufbetten, Abwaschen, Stube auskehren, ich renn mir ja eh die Füße aus. Wenigstens bist in der warmen Stube, sagt die Stallmagd und haucht sich auf die roten, geschwollenen Finger, bevor sie die Milchpitschen hinausträgt. Tätst lieber den ganzen Tag Holz hacken? Das Mädchen am Herd, selbst noch keine zwanzig, nimmt das schreiende Bündel, legt es auf den Tisch. Das Windel ist steif gefroren. Wenigstens kein Dreck, denkt sie.

Als zwei Wochen später die Mutter vom Spital heimkam, waren Mariechens Beine gelähmt. Die Mutter war geschwächt, sie hatte die erste Brustoperation hinter sich, die Arbeit häufte sich, Fanni, die größere der beiden Kinder, hing ihr auf Schritt und Tritt am Kittel, der Mann hatte sich über die Abwesenheit der Frau hinweggetröstet und kam auch jetzt nächtelang nicht heim. Mariechen lag in ihrem

Bett, wimmerte vor sich hin, rang keuchend nach Luft, wurde blau im Gesicht. Die Mutter hob sie kurz heraus, löffelte ihr Griesbrei in den Mund, setzte das Kind auf den Boden, aber das Kind fiel zur Seite. Es war hilflos wie ein Säugling. Der Frühling kam, man holte den Arzt, bald würde die Feldarbeit anfallen, und jetzt gab es Scherereien mit dem Kind. Ein Unglückskind, ein Freitagskind, dachte die Mutter und schaute ratlos und bitter auf den roten Haarschopf und das teigige Gesicht hinunter. Ein häßliches Kind. Ein ungewolltes Kind. Es war neun Monate nach dem ersten geboren. Sechs Wochen gibt's jetzt Ruh, hatte die Hebamme zum Bauern gesagt, als sie mit den blutigen Tüchern an ihm vorbei zum Herd ging. Aber in der nächsten Nacht schon fiel er über sie her, sie stöhnte, au, du tust mir weh. Halt's Maul, hatte er gesagt, soll ich zu einer anderen gehen, ich brauch nur mit dem Finger zu schnalzen. Sie schwieg und biß die Zähne zusammen, es würde ja gleich vorbei sein. Er war zwölf Jahre jünger als sie, der schönste Mann im Dorf. Die Frauen kriegten einen wiegenden Gang, wenn sie seinen Blick im Rücken spürten. Du Vieh, stieß sie zwischen den Zähnen hervor, er hörte es nicht mehr, er rollte zur Seite, drehte ihr den Rücken zu. Sie setzte sich auf, der Schmerz raste, stopfte sich noch zwei Windeln zwischen die Beine. Das Kind war groß gewesen, die Risse mußten von selbst verheilen, und er stieß ihr in der Euphorie der Vaterschaft seinen Samen in den zerrissenen Schoß, Nacht für Nacht. Solang man stillt, kann nichts passieren, hieß es. Es passierte etwas. Neun Monate später kam Marie zur Welt. Wieder ein Mädchen. Der Bauer ging enttäuscht hinaus, das zweite Mal hätte sie ihm einen Stammhalter gebären können. Als er dieses Mal über sie kam, stieß sie ihn weg, du Sau, ich bin auch keine Gebärmaschine. Er stand auf, stieß mit dem Fuß verächtlich gegen den Korb, in dem das Kind schlief. Wozu hat man eine Frau? Paß auf, heut nacht mach ich dir einen Buben, sagte er zur Wirtstochter, als er sich in ihrer Kammer das Hemd aufknöpfte und die Hose hinunterließ. Sie zog sich das Nachthemd über den Kopf und kicherte, gar nichts machst mir, du geiler Bock, lachte sie.

Der Arzt verschrieb Salben zum Einmassieren. Zweimal täglich eine halbe Stunde massieren, wer hatte dazu Zeit. Das Kochen, das Melken, Ausmisten, Grasmähen, das mußte zuerst geschehen. Das Vieh will fressen, das Vieh will gemolken werden, das Vieh brüllt lauter als ein hungriges Kind. Die Narbe an der Brust wollte nicht verheilen, schonen, riet der Arzt. Wie denn, fragte die Bäuerin. Er zuckte die Achseln. Kinderlähmung ist es nicht, sagte der Arzt, ich bin am Ende meines Lateins. Da kann nur noch ein Wunder helfen, liebe Frau. Mariechen war sechzehn Monate alt und noch immer gelähmt. Ihre großen Augen fogten dem Schattenspiel der Blätter vor dem Fenster, manchmal griff sie mit den Händen danach. Die Flasche mit dem verdünnten Griesbrei konnte sie sich schon selber halten. Ihr kleiner Popo war rot und wund vom tagelangen Liegen in den schmutzigen, nassen Windeln. Ein Wunder muß geschehen, hat der Arzt gesagt. Andere Leute haben Kinder, damit Arbeitskräfte heranwachsen, daß man's einmal leichter hat in seinen alten Tagen, sagte der Bauer, als die Frau die gelähmten Beinchen in den Holztrog hielt, um den Schorf und den verkrusteten Dreck herunterzuwaschen. Am nächsten Samstag nach dem Melken band sie sich das Kind mit einem großen, wollenen Umhängtuch auf den Rücken, packte Speck und einen halben Laib Brot in ein Sacktuch, als ob sie in die Waldwiesen zum Heuen ginge, aber sie zweigte nicht auf die Feldwege in Richtung Wald ab. Sie blieb auf der asphaltierten Straße, schaute nicht links und rechts, wenn sie durch Dörfer kam, bekreuzigte sie sich an den Marterln am Straßenrand und sagte schnell ein Jesus, Maria, sei uns armen Sündern gnädig. Als die Sonne hoch stand und kein Schatten weit und breit, zog sie dem Kind einen Zipfel des Umhängtuchs über den Kopf, brach ein Stück Brot ab und gab ihm das Brot zum Kauen. Zu Mittag war sie an der Grenze. Wohin, fragte der Zöllner. Pässe waren damals nicht nötig, um über die Grenze zu kommen. Nach Altötting, sagte sie und ging um den Schlagbaum herum. Als sie am späten Nachmittag vor der wundertätigen Madonna kniete, war sie zu erschöpft, um beten zu können. Das Kind auf ihrem Rücken schlief, die wundgegangenen Füße pochten vor Schmerz. Sie nickte ein, riß sich hoch, faßte ihre Bitte in Gebetsformeln, über denen sie einnickte. Bevor sie ging, zündete sie eine Kerze vor dem Altar an. Die Nacht war klar und kühl, sie fror, das Kind weinte. Sie band es sich vor die Brust und legte die Arme um das wimmernde Bündel. Als am Morgen die Farben langsam in die graue, bleierne Landschaft zurückkehrten und sich ein klares, weißes Licht auf die Häuser legte, bevor noch die Sonne über den Rand der Felder stieg, war sie wieder im Dorf. Sie wickelte sich Fetzen um die wunden Füße, zwang sie in die Gummistiefel, und mit Sense und Scheibtruhe ging sie zum Grasmähen.

Als Mariechen achtzehn Monate alt war, begann sie wieder zu kriechen. Mit zwei Jahren stand sie auf den etwas verkümmerten Beinchen und streckte die Arme aus dem Gitterbett. Zu diesem Zeitpunkt war die Mutter wieder schwanger. Als Mariechen das erste Mal in den Hof hinaustorkelte, hinfiel, wieder aufstand und mit großen, erstaunten Augen die Welt betrachtete, die Hühner und die Tauben, die sich um den Kukuruz rauften, die Katzen, die sich schläfrig in der Sonne das Fell leckten, das blaue Himmelsviereck, den dampfenden Misthaufen, war da niemand, der sagte, ein Wunder ist geschehen. Die Mutter lag wieder in den Wehen. Stunden später, als das Stöhnen und die kurzen Schreie verstummt waren und das dünne Klagen eines Neugeborenen einsetzte, steckte der Bauer den Kopf zur Tür herein. Na, was ist es? Ein Sohn, sagte die Hebamme, die Bäuerin strahlte. Das muß gefeiert werden, sagte der Bauer und ging ins Wirtshaus. Eine Runde, Herr Wirt, rief er, als er die rauchige Stube betrat, ich habe einen Stammhalter. Die Bauern schlugen ihm auf den Rücken, Bierschaum um den Mund, ein fescher Kerl wie du muß ja Glück in der Liebe haben. Die Wirtstochter lachte und rieb ihren Busen an seiner Schulter.

*

Und das ist die Leidensgeschichte ihrer Jugend, die ich so oft gehört habe, auf dem Sofa nach dem Mittagessen, zur besseren Verdauung, daß mir seither nach jeder Mahlzeit speiübel ist. Diese Geschichten sollten mich für sie gewinnen, sie sollten mich lehren, sie zu lieben, weil sie von niemandem geliebt worden war, und weil sich nie jemand die Mühe genommen hatte, sie zu verstehen oder ihr überhaupt zuzuhören. Wer sollte sie denn verstehen, wenn nicht die Tochter, die ihr und ihren Geschichten ausgeliefert war, wehrlos, eine fortgesetzte Vergewaltigung, die auf sie niederging wie die körperlichen Züchtigungen, täglich, in den Alltag gemengt, die sie lehren sollten, den Menschen zu mißtrauen, die Menschen zu hassen, alle, bis auf die einzige, die den Schmerz zufügte, die ihn weiterreichen mußte, damit der Haß fortlebe. Und ich habe nie jemanden, der dabeigewesen war, damals gefragt, ist es wahr, war es wirklich so? So schrecklich, so freudlos, so grausam? Ich glaubte ihr alles, und ich weinte um sie, um ihre betrogene Kindheit, um ihre verlorene Jugend, und sie sah mir zu und sagte, da siehst du, wieviel besser du es hast, wie glücklich du sein kannst. Ich war empört über ihren Vater, der sie geschlagen hatte. Es wäre mir nie in den Sinn gekommen, eine Verbindung herzustellen zwischen seinen Leibgurten und ihrem Teppichklopfer, zwischen den brutalen, ungerechten Schlägen, die sie ertragen hatte, und den gerechten Züchtigungen, die sie mir erteilen mußte, auf daß ein ordentlicher Mensch aus mir werde.

*

Flascherl wärmen, den Franzl trockenlegen, auskehren, Geschirrwaschen, das Mittagessen steht im Ofenrohr. Knappe Arbeitsanweisungen, bevor die Mutter wieder aufs Feld ging. Der Leiterwagen stand schon vor der Haustür, hü, schnalzte der Bauer, und die Ochsen zogen an, die Bäuerin sprang auf den fahrenden Wagen. Sie würde vor Abend nicht mehr in die Stube kommen. Die sechsjährige Marie warf den Ranzen auf die Bank, die rund um den Tisch fast von einer Wand zur anderen lief, und öffnete das Ofenrohr. Fettes Bauchfleisch und Mehlknödel schwammen im Fett, Rüben und Erdäpfel standen in zwei Häfen auf der Herdplatte, alles schon kalt. Der Säugling im Gitterbett plärrte, sie tauchte den Fetzen in die Zuckerlösung am Herd und steckte ihn dem schreienden Kind in den Mund. Im Schiff über dem Herd war das Wasser noch warm. Sie mußte auf einen Sessel steigen, um die Babyflasche hineinzustellen. Heini, der Stammhalter, saß mit verschmiertem Mund auf dem Boden, schob den Schemel vor sich her und rief hü, hott, hü, hott. Wo ist die Fanni, fragte Marie den Vierjährigen. Er antwortete nicht. Sie nahm den Besen, scheuchte den Bruder vom Boden, die Katze unter dem Tisch hervor, geht's weg, daß ich auskehren kann. Der Bruder zwickte sie in die Waden und lachte, als er ihr entwischte. Das Baby begann wieder zu brüllen, sie holte das Flascherl aus dem Wasser, die gierigen kleinen Hände warteten schon. Eine große, dunkelschillernde Fleischfliege prallte summend gegen das Fensterglas. Die Tür ging auf, und Fanni kam hereingetänzelt, sie warf den Ranzen neben die Tür, in der Hand hielt sie eine Semmel. Wo warst denn so lang, fragte Marie und raffte das schmutzige Tischtuch zusammen. Geht dich einen Dreck an, mampfte die Ältere. Marie fuhr herum. Woher hast du die Semmel, laß mich abbeißen. Fanni grinste, hielt die Semmel hoch über beide Köpfe. Kauf dir selber eine. Mit was denn? Mit einem halben Kreuzer. Woher hast ihn denn du? Von der Mutter, fürs Holztragen. Ich krieg die Arbeit angeschafft, und du kriegst das Geld. Die Augen blind vor Wut, fiel Marie über die ältere Schwester her, du Luder, du hinterfotziges, sie kratzte, Fanni biß, bald wälzten sie sich auf dem Boden, die Semmel rollte unter die Ofenbank. Heini steckte sie sich mit einem schnellen Griff vorne in seine Hose. Die Mädchen ließen voneinander ab. Sie suchten vergeblich nach der Semmel, während sich Heini verstohlen zur Tür hinausdrückte.

Nach dem Baden am Samstag, vor dem Melken und Viehfüttern, kommt die Entlausung, jede Woche, im Sommer neben dem Misthaufen. Die Mutter hat einen dünnzahnigen eisernen Kamm, der sich in die Kopfhaut gräbt und erbarmungslos an den verfilzten Haaren reißt, ganze Büschel gehen mit. Die Läuse werden zwischen Zeigefinger- und Daumennagel zerdrückt, daß es knackt. Fanni hat dunkelbraunes, seidiges Haar, das ihr in großen Wellen auf den Rücken fällt. Maries Kopf ist wie eine verrostete Kappe aus Blumendraht. Rotschädel, Rotschädel, schreien ihr die Buben auf der Dorfstraße nach. Au, schreit Marie, als die Mutter mit dem Kamm dreinfährt. Die Haarbüschel fallen mitsamt den Läusen auf den Misthaufen. Hast eh so viel Haar, sagt die Mutter, da gehn die paar Büschel nicht ab.

In den Betten hausen die Wanzen und in den Kleidern die Flöhe. Daß ihr euch ja nicht kratzt in der Kirche, droht die Mutter, schämen müßt man sich. Während der Wandlung, bevor die Kirchenglocken zu läuten beginnen, spürt Marie, wie langsam eine Laus über ihren frischgewaschenen Hals kriecht. Ein schneller Griff, sie betrachtet das Insekt, das zwischen Daumen und Zeigefinger zappelt, mit Genuß. Es ist so still, daß man das Knacken hört, als sie der Laus den Panzer bricht. Die Mädchen in ihrer Reihe beginnen zu kichern, prusten laut heraus, in der Reihe dahinter kichern sie auch schon. Agnus Dei, sagt der Priester und hebt die Hostie in die Höhe, sein strafender Blick fällt auf die kichernden Mädchen. Maries Kopf ist so rot wie ihre Haare. Nach der Messe packt die Mutter sie am Arm und schleift sie mit, über den Marktplatz, die lange Straße entlang bis zum Dorf, ohne ein Wort. Wart nur, wenn der Vater kommt, sagt sie, als sie Marie beim Hoftor hineinstößt. Marie versteckt sich auf dem Heuboden. Als sie zu Mittag der Hunger in die Stube treibt, sitzt der Vater beim Tisch. Bevor sie wieder hinaus kann, hat er schon den Gürtel abgeschnallt. Es ist kein Wort gefallen. Alle lassen die Gabeln sinken und schauen zu mit einer Mischung aus Schadenfreude und Entsetzen, wie der Lederriemen auf ihre nackten Schenkel, Waden, Arme heruntersaust, wieder und wieder, bis sie mit dem Kopf auf die Herdkante aufschlägt und hinfällt. Dann packt die Mutter sie am Arm und schleift sie in die Kammer ins Bett. Die anderen essen schweigend weiter. Es ist nicht das erste Mal, daß sie dem Vater zur Züchtigung übergeben wird. Er schlägt selten mit der bloßen Hand zu, seine Schläge hinterlassen immer Spuren, Nasenbluten, blutunterlaufene Flecken, geschwollene blaue Augen, manchmal einen wackelnden Zahn. Die Strafe ist immer gerecht und wohlverdient. Wer sein Kind liebt, der züchtigt es.

Alle Kinder in der Schule haben zumindest zwei Paar Schuhe. Halbschuhe für den Sommer, hohe Schnürschuhe für den Winter. Fanni und Marie haben gemeinsam drei Paar Schuhe, zwei Paar hohe Schuhe und ein Paar Lackschuhe mit einer glänzenden Spange. Fanni trägt die Lackschuhe, sie ist die Hübschere, die Leute bleiben stehen und sagen, so ein sauberes Mensch. Als sie noch im Kinderwagen saß, waren die Leute schon stehengeblieben, ganz der Vater, und das war ein Kompliment. Fanni hat eine hellblaue Seidenschleife im dunklen Haar und lachende dunkelgraue Augen. Dazu gehören schwarze Lackschuhe. Sie paßt auf die Sachen auf, sie macht sich nie schmutzig, Unterwäsche bleibt bei ihr länger weiß und Schürzen länger gebügelt. Marie läuft herum wie ein Bub, verlaust und verdreckt, mit aufgeschundenen Knien, kein bißchen Eitelkeit, nichts Gewinnendes an diesem Kind, immer ernst, ein sommersprossiges, spitzes Gesicht mit vorwurfsvollen, mißtrauischen Augen unter einer unbändigen roten Mähne. Selbst der Versuch, diese Mähne unter Schleifen und Maschen zu zähmen, muß scheitern. Marie kann auch Fannis abgetragene Kleider nicht anziehen, obwohl sie jünger ist. Sie ist größer, knochiger, breitschultriger als ihre zierliche Schwester. Seit Fanni in der zweiten Klasse sitzengeblieben ist, gehen sie in dieselbe Klasse. Marie ist Klassenbeste und sitzt vorn, Fanni liest die Zettel unter der Bank, die ihr die Buben schreiben, und kichert. Marie zeigt nie auf, aber wenn sie eine Antwort weiß, strahlt sie, und im Winter weiß sie immer alle Antworten richtig. Im Sommer, während der Erntezeit, muß sie oft daheimbleiben und mithelfen. Für die Hausaufgaben ist dann keine Zeit. Sie muß Heu umkehren, zusammenrechen, Steine von den Feldern aufklauben und die Kleinen versorgen. Es gibt immer noch Kleine im Haus. Als sie neun wird, ist das Kleinste fünf Monate alt, und die Mutter muß wieder ins Spital. Diesmal wird ihr die zweite Brust wegoperiert und die Gebärmutter herausgenommen. Ein Tumor war's, heißt es, die Ärzte reden nicht aus, sagt der Vater. Sieben Kinder, es ist Zeit, daß ein Ende wird. Er geniert sich, wenn er mit seiner Familie in die Kirche geht; wie die Orgelpfeifen, und er ist erst zweiunddreißig und noch immer der schönste Mann im Dorf. Es gibt wenig unverheiratete und sogar einige verheiratete Frauen in der Gemeinde, mit denen er nicht schon einmal im Bett gelegen ist, und Bankerte gibt's auch von ihm, manche sehen ihm sogar ähnlich, aber er streitet alles ab, und bei einem Vaterschaftsprozeß macht sich nur das Mädchen lächerlich.

Es ist Erntezeit, und die Mutter ist im Spital. Sie wollte noch bis zum Herbst aushalten, aber die Schmerzen waren schon unerträglich, und dann kam der Blutsturz. Der Arzt fuhr sofort mit ihr zum Kreisspital. Der Bauer fluchte, Hurnsweiber, verdammte, nix wie Scherereien. Fanni und Marie wuschen die blutigen Leintücher und wischten das Blut vom Boden auf. Sie waren beide verstört und überzeugt, die Mutter würde noch auf dem Weg ins Spital sterben. Soviel Blut kann ein Mensch ja gar nicht haben. Die Kleineren standen herum und weinten, nur die zweijährige Angela saß auf dem Fensterbrett und staunte dem Auto des Doktors mit offenem Mund nach. Es gab nicht viele Autos auf der Dorfstraße. Wenn eins vorbeifuhr, rannten alle zu den Fenstern und schauten ihm nach, bis es um die Biegung verschwunden war. Der Bauer heuerte noch einen Knecht für die Erntearbeit, aber die Hausarbeit und die Kinder fielen auf die beiden Ältesten. Fanni kochte und versorgte die Kinder, Marie mußte die groben Arbeiten machen. Melken, Schweinefüttern und Grasmähen ist Weiberarbeit, kein Mann würde sich mit dieser Arbeit die Hände dreckig machen. Die Neunjährige mußte jetzt jeden Tag um vier Uhr in der Früh aufstehen. Raus, ihr Faulenzer, rief der Vater vor der Tür der Mädchenkammer und gab ihr einen Tritt mit dem Holzschuh. Fünf Minuten später mußte sie im Stall sein, sonst gab es Flüche, Tritte und Watschen. Da sitz her, sagte der Vater beim ersten Mal und schob einen Schemel unter den Kuhbauch, so geht's, und die Milch floß in einem dünnen gleichmäßigen Strahl in den Eimer. Elf Kühe melken, jeden Morgen, Schlaf in den Gliedern und mit leerem Magen. Aber ihre Hände waren noch zu klein, sie hatten nicht genug Kraft, das Euter ganz auszupressen. Die Finger verkrampften sich, versagten den Dienst. Wenn eine Kuh gemolken war, setzte sich der Bauer dran und fluchte, siehst denn nicht, daß die noch ganz voll ist? Er gab ihr einen Fußtritt, daß sie in den Kuhmist taumelte. Sie schwieg, verbiß sich die Tränen. Wenn sie den Mund aufmachte, gab es nur noch mehr Tritte. Einmal, als sie hemmungslos aufheulte und ins Haus zurücklief, zerrte er sie an den Zöpfen in den Stall zurück und prügelte sie mit der Wagendeichsel, bis sie sich nicht mehr rührte. Die Kühe schlugen mit den Hinterbeinen nach ihr, sie waren ihre Hände nicht gewohnt. Sitzt noch immer da, brüllte der Vater eine halbe Stunde später. Er stieß sie bei der Stalltür hinaus, Gras mähen, du faules Luder, aus dir wird nie eine Bäuerin.

Bettelleut, alle werdet's einmal Bettelleut, sagte der Großvater, der eine meist unsichtbare Gegenwart im Auszugsstüberl war. Die Mutter trug ihm das Essen hinüber. Am Sonntag schritt er wie ein Patriarch zur Kommunion, und die Leute traten ehrfürchtig zurück. Er war noch immer groß, aufrecht und majestätisch, eine Hoheit von einem Bauern. Der reichste Bauer im Kreis, er schaute niemanden an, blieb bei niemandem stehen, die jungen Bauern näherten sich ihm mit dem Hut in der Hand. Er blickte kurz von seiner Höhe auf sie herab, pressiert net, sagte er und schritt davon. Sein Schwiegersohn haßte ihn und versuchte, ihn nachzuahmen. Mit der Tochter hatte er in vierzig Jahren kaum ein Wort gewechselt. Ich hab Euch das Essen auf den Tisch gestellt, Vater, sagte sie schüchtern, bevor sie, die Klinke fest in der Hand, unhörbar die Tür zuzog. Er drehte sich meist gar nicht um. Bei den Taufen war er dabei und bei den Hochzeiten, und seine schweigende, hochmütige Gegenwart war eine Ehre. Er hatte nie mit den Kindern gespielt, sie durften sich nur kurze Zeit in seiner niedrigen, verrauchten Stube sehen lassen, stehend, schüchtern, ehrerbietig. Alle werdet's Bettelleut, er haßte ihre großäugige, devote Schüchternheit, nicht eins, das seinem Blick mit derselben Anmaßung und Selbstsicherheit begegnen konnte. Aber weil er eines Morgens aus der Tür getreten war, als der Bauer seine Tochter mit einem Fußtritt aus der Stalltür stieß, und mit seiner überlegenen Nasalstimme über den Hof gerufen hatte, das Leuteschinden macht auch keinen Bauern aus dir, du Erbschleicher, deshalb bewunderte sie ihn. Er war der einzige, der sich traute, gegen den Bauern aufzutreten, und der ihn mit einem Blick zum Schweigen bringen konnte. Von da an schlug der Vater sie nicht mehr auf dem Hof, er lauerte ihr vor dem Heustadel in der Hofwiese auf, er prügelte sie in der Stube von einem Eck ins andere, aber das Viereck zwischen Saustall, Rinderstall und Hausstufen, auf das das Fenster des Auszugshäusls hinausging, wurde zu einem Unterschlupf für sie.

Nach vier Wochen kam die Mutter aus dem Spital zurück, bleich und abgemagert. Um die Brust trug sie noch einen Verband, den mußte sie jede Woche vom Arzt wechseln lassen, am schönsten Wochentag die Arbeit liegen und stehen lassen und eine halbe Stunde zum nächsten Marktfleck gehen, wo der Doktor ordinierte. Extrawürschte, sagte der Bauer verächtlich, die ganze Arbeit muß man sich selber machen. Marie brauchte nur mehr sechs Kühe zu melken, aber die blieben ihr und das Aufstehen um vier Uhr in der Früh auch. Beim Grasmähen waren sie jetzt zu zweit, sie und die Mutter, aber wenn sie manchmal stehenblieb, die nackten Zehen im nassen Gras und das Gesicht der aufgehenden Sonne zugewandt, nörgelte die Mutter, vergaff dich nicht, pack zu, oder ich sag's dem Vater.

Nach vier Wochen saß Marie wieder in der Schule, müde zum Umfallen, froh, endlich sitzen zu können und von niemandem angeschrien, von niemandem mit Schlägen bedroht zu werden, aber sie verstand nicht mehr, was an der Tafel vorn geschah, sie kam nicht mehr mit, und sie war zu müde, sich zu konzentrieren. Wenn sie gerufen wurde, stand sie auf, mußte zur Strafe für ihre Unwissenheit stehenbleiben, mit hochrotem Kopf, während alles um sie herum immer unwirklicher wurde. Die Aufgaben mußte sie heimlich machen, am Abend beim letzten Tageslicht auf einem Fensterbrett, nachdem sie ihre sechs Kühe gemolken und die Milchpitschen zur Abholstelle für das Molkereiauto geschleppt hatte. Der Vater durfte sie beim Aufgabenmachen nicht erwischen, sonst schlug er ihr das Heft um den Kopf. Zeitverschwendung, wer braucht eine studierte Bäuerin. Er rühmte sich, daß er in der zweiten Klasse sitzengeblieben war bis zur Schulentlassung. Er konnte gerade seinen Namen schreiben, aber beim Kuhhandel, beim Grundstücktausch und beim Kartenspielen legte ihn niemand herein.

Die Lieblosigkeit und die Demütigungen ihrer Kindheit verwandelten sich in Einsamkeit und abgrundtiefe Selbstverachtung ihrer Jugend. Sie wuchs schnell, und ihre starken Knochen ließen sie kräftig erscheinen. Bald brauchte sie keine neuen Kleider mehr, sie bekam die abgetragenen Jacken und Röcke der Mutter, die die Dorfschneiderin mit ein paar Nähten enger gemacht hatte. Die schwarzen Lackschuhe bekam die nächste in der Reihe der fünf Schwestern, und Fanni bekam neue. Als die Mutter ihrer hübschen, ältesten Tochter neue Halbschuhe und ein blaues Taftkleid kaufte, schnitt Marie ihre schweren Schnürschuhe auf Knöchellänge ab. Sie saß auf dem Fensterbrett, einen abgeschnittenen Schuh am linken Fuß, den sie stolz über die Mauer baumeln ließ. Unter den bewundernden Augen der jüngeren Geschwister fuhrwerkte sie mit dem Brotmesser am zweiten Schuh herum. Da kam die Mutter herein, unbemerkt von der atemlosen Gruppe, sah Maries Bein, den Schuh mit dem unebenen, ausgezackten Rand und stieß einen Schrei aus, na wart', wann das der Vater erfährt. Sie fand ihn auch bald, verpetzte ihre Tochter, als sei sie ihre rivalisierende Schwester, und rieb sich die Hände an der Schürze, als er Marie an den dicken, roten Zöpfen vom Fenster herunterzerrte und mit Fäusten und Füßen so lange auf sie einschlug, bis ihr das Blut aus Nase und Mund rann. Dann ging er wieder zu seiner Arbeit. Wasch dir das Gesicht, wie du ausschaust, sagte die Mutter. Von da an war der Haß zwischen Mutter und Tochter unversöhnlich. Undankbares Luder nannte die Mutter sie, wenn Marie mit Verachtung in den Augen ihr mit jedem Handgriff ihre grenzenlose Abneigung zeigte, mit kleinen unscheinbaren Gesten, wenn Marie den Tisch deckte und den Teller der Mutter vergaß, wenn sie ihr die Tür vor der Nase zuknallte, wenn sie pfeifend an ihr vorbeiging und die Arme schlenkerte, während der Mutter das Saufutter über die randvollen Eimer auf die Füße schwabbte. Dankbarkeit wofür, fragte Marie herausfordernd. Für das, daß man euch auf die Welt gesetzt hat. Ich bin nicht gefragt worden, konterte Marie, hättest mich auch in den Abort scheißen können. Dann kamen die Tränen und das endlose Schluchzen und dazwischen stoßweise die Erzählung von der Lähmung und der Wallfahrt nach Altötting, und wie die Tochter ihr die geraden Glieder verdanke und mehr zu Dank verpflichtet sei als alle anderen Kinder, und Marie schlich hinaus und haßte sich dafür, daß sie die Mutter trotz allem haßte.

Als sich Marie eines Morgens mit entsetzten Augen und Butflecken im Nachthemd vor sie hinstellte, weil etwas Furchtbares passiert sein mußte, eine unverdiente, beschämende Heimsuchung, lachte die Mutter und wandte sich ab. Marie mußte allein damit fertig werden, sich alte Fetzen zwischen die Beine stopfen und auf den Knien die Heilige Jungfrau anflehen, sie möge dieses schreckliche Übel von ihr wenden. Erst Fanni, die mit allen Wassern gewaschen war und längst über das Kinderkriegen und das Kindermachen Bescheid wußte, klärte sie auf, und als Fanni ein halbes Jahr später die Regel bekam, gab es plötzlich auch Binden. Aber als Marie an einem heißen Augustabend, verstaubt von der Feldarbeit, sich am Brunnen neben der Haustür die Bluse vom Leib riß und sich das kalte Wasser über den Körper rinnen ließ, zerrte die Mutter sie schreiend ins Haus, ohrfeigte sie und nannte sie eine ausg'schamte, gottverdammte Hure. Scham war das einzige Gefühl, das die Dreizehnjährige über ihren Körper empfand, und je weiblicher dieser Körper wurde, desto mehr Scham empfand sie. Wenn Fanni sie in ihre Schmusereien im Hofgarten und ihre Entdeckungen hinter abendlichen Kornmandeln einweihen wollte, sagte sie, daß dich net schamst, und verzog das Gesicht vor Ekel. Mit dem sechsten Gebot hatte sie nie ein Problem beim Beichten.

Als Marie vierzehn war, schickte der Bauer den Großknecht weg. Marie konnte ihn ersetzen, sie hatte Kraft wie ein Mann, und sie wurde aus der Volksschule entlassen. Dem Tag der Schulentlassung sah sie wie einem Todesurteil entgegen. Klosterlehrerin hatte sie werden wollen, wollte sie noch immer werden. Mit diesem Traumziel vor Augen hatte sie heimlich ihre Schulaufgaben gemacht und sich Hefte ausgeborgt, damit ihr kein Unterrichtstag entging. Sie hatte lauter Einser im Schulentlassungszeugnis. Am Sonntag strich sie um die achtklassige Volksschule herum und kam sich ausgestoßen vor. Von jetzt an gab es keinen Ort mehr, wo sie beweisen konnte, daß sie auch etwas wert war, mehr sogar als die anderen Bauernkinder, fast soviel wie die Bürgerkinder, die immer Zeit zum Lernen hatten. Es gab nun kein Entkommen mehr nach dem Melken und dem Grasmähen, bis zum Abend, wenn sie todmüde ins Bett fiel. Melken, Grasmähen, Rahmsuppe mit Brotbröckeln zum Frühstück, Heu umkehren, Ausmisten, Mistführen, Bauchfleisch mit Mehlknödeln und Rüben zu Mittag, Vieh füttern, Holz tragen, Heu auf Leiterwagen schupfen und in der stickig heißen Scheune abladen, Melken, Milch abtreiben und Milchpitschen zum Dorfstand schleppen, Speck, Topfen und Brot mit Rahmsuppe zum Abendessen, das würde jetzt ihr Leben sein, Tag für Tag, bis ein Mann sie wegholte und auf einem anderen Hof unter der Fuchtel der Schwiegermutter dasselbe von vorne beginnen würde. Sie wollte aber gar nicht heiraten, ihr ekelte vor Männern, ihr ekelte vor dem, was die Erwachsenen heimlich auf Heuböden, zwischen Erdäpfelzeilen und in den Betten trieben, sie wollte gar nichts davon wissen, nie etwas damit zu tun haben. An Sonntagen, wenn Fanni in ihren besten Kleidern ausflog und erst nach Mitternacht lautlos ins Mädchenzimmer schlich und doch bemerkt wurde, weil sie ihre Betthälfte neben der jüngeren Schwester in Anspruch nahm und Heidi davon aufwachte, an solchen Sonntagen ging Marie schon nach dem Mittagessen ins Bett, starrte eine Zeitlang durchs Fensterkreuz in den Himmel, beobachtete die Tauben, die kurz auf dem Fenstersims landeten und schnäbelten, und fiel dann in einen schweren, traumlosen Schlaf, aus dem sie mit Übelkeit im Magen aufwachte, wenn der Himmel schon zu dunkeln begann. Der Brechreiz stieg ihr so schnell in den Mund, daß sie es oft nicht schaffte, quer über den Hof zum Abort zu laufen und sich dort in die Knie fallen zu lassen, weil sie zu schwach zum Stehen war. Nachher tanzten ihr bunte Kreise vor den Augen, aber wenn das Vieh zu brüllen und an den Ketten zu rasseln begann, saß sie schon unter einem Kuhbauch, und mit dem kreisenden Kopf an der warmen Flanke drückte sie mit kräftigen, mechanischen Handbewegungen die Euter leer.

Gemeinsamkeiten mit den Geschwistern hatte es für Marie nie gegeben. Als sie jünger war, hatte sie das jeweils Kleinste trockenlegen, füttern und herumtragen müssen. Schmutzige Windeln und der süßliche Geruch von Säuglingen erregten ihr Widerwillen und Wut. Wenn die Geschwister aus den Windeln waren und sich selbst das Essen holen konnten, nahm sie von ihnen keine Notiz mehr, auch nicht, wenn sie sich brüllend mit aufgeschundenen Knien und eingeschlagenen Zähnen an ihren Rock hängten. Geht's zur Mutter, sagte sie. Die Buben, zwei und drei Jahre jünger als sie, haßte sie am meisten, denn die hatten schnell herausgefunden, daß sie die ältere Schwester quälen durften und dann noch des Beifalls der Mutter sicher sein konnten. Der Marie was zu Fleiß tun, die Marie sekieren, wurde bald zum ergiebigsten Vergnügen, und man brauchte sich nicht einmal vor der Strafe zu fürchten. Wenn Marie einmal einen ihrer Brüder verdrosch, bekam sie anschließend selbst Prügel, und die Buben schauten mit besonderer Genugtuung zu. Wie kam sie auch dazu, die kleineren, schwächeren Geschwister zu schlagen. Je älter sie wurden, um so ausgesuchter wurden die Quälereien. Eine Bande Zehn- bis Fünfzehnjähriger band die Dreizehnjährige an einen Baum und folterte vor ihren Augen langsam ihre Lieblingskatze Schorsch zu Tode. Schorsch riß sich los. Mit leeren, blutenden Augenhöhlen und abgehacktem Schwanz kam er zurück, als sie wieder losgebunden war und weinend in der nächtlichen Hofwiese saß. Sie traute sich mit der Katze nicht ins Haus, sie trug Schorsch in die Scheune und legte sich neben ihn, aber in der Früh war er tot. Damals verfluchte sie ihren Bruder Heini. Daß es dir einmal genauso geht, das wünsch ich dir, daß du im Dreck liegst und krepierst, und kein Mensch hilft dir. Neun Jahre später erinnerte sie sich an diesen Fluch, als sie die Todesnachricht von der russischen Front bekamen, daß er im Feldlazarett Worsk an der Ostfront an Ruhr und Typhus den Heldentod gestorben war.

Ihr Neid auf Fanni war nicht weniger wild als ihr Haß auf die Brüder. Fanni, die sie als gleichaltrig empfand und die von klein auf bevorzugt worden war, und nicht nur von den Eltern, auch vom Schicksal. Überall war sie beliebt. Sie saß in derselben Klasse wie Marie, sie lernte zu Hause keinen Strich, nahm sich nicht einmal die Mühe, die Aufgaben abzuschreiben, und war trotzdem der Liebling des Lehrers. Er nahm sie sogar auf dem Motorrad auf Ausflüge mit. Was sie niemandem erzählte, war, daß sie auf einem dieser Ausflüge mit dem Lehrer ihre Jungfernschaft verlor. Mit sechzehn wurde Fanni auf dem Kirtag zur Schönheitskönigin gewählt. Gibt's das auch, sagten die Leute, daß die zwei Schwestern sind, wie Tag und Nacht, und Marie wurde so rot wie ihre Haare und rannte mit geballten Fäusten davon. Jeder Sonntag war für Fanni Anlaß, ihre Schönheit auf dem Kirchplatz zu zeigen, für Marie war es ein Spießrutenlauf, und bald ging sie nur mehr in die Frühmesse, wo es noch dunkel war und kein Mensch sie sah, außer ein paar alten, halbblinden Weibern und ausgeschundenen Bäuerinnen, die das Kirchengehen als lästige Pflicht schnell hinter sich bringen wollten. Fanni, die schöne Schwester, die neue, figurbetonte Kleider bekam, die in der Früh Zeit zum Frisieren hatte und mit frischgewelltem Haarschopf unter dem blütenweißen Kopftuch für ein oder zwei Stunden im Lauf des Vormittags aufs Feld hinauskam, um dem Vater oder dem Knecht schöne Augen zu machen, diese Schwester, für die sie dreißig Jahre lang die dunkle, häßliche Folie abgab, damit die andere noch heller strahlte, prägte Maries Selbstverständnis als Frau mehr als die Grausamkeit der Brüder und des Vaters. Die andere der höhnende Spiegel, tu, was du willst, du schaffst es nie, mich erreichst du nie. Und der Entschluß, dann zerstöre ich dich und alle Frauen und alles, was weiblich in mir ist.

Von den jüngeren Schwestern erweckte nur Rosi ihren Neid und ihren Zorn, Rosi, die Zarte, die zu schwächlich für die Arbeit war, und der Schwäche nicht als Mangel angerechnet wurde. Rosi, der Schnitzelfresser, für die die Mutter immer was Besonderes kochte und nur für sie. Wenn Marie von der Schule heimkam, riß sie zuerst das Ofenrohr auf und spuckte auf die Schnitzel für Rosi, bevor sie aß, was vom Mittagessen übrig und für sie und die anderen bestimmt war. Nur einmal hatte sie ihren Löffel in Rosis Reisauflauf mit den vielen Rosinen getaucht. Während sie mit gierigen Augen den Löffel zum Mund führte, flog der Löffel über den Tisch, und ihre Wange brannte. Wirst dem armen Kind das Essen wegfressen, Luder, freches, sagte die Mutter. Als Rosi aus der Schule entlassen wurde, war Marie siebzehn. Rosi war die einzige, die in die Lehre zu einer Schneiderin gehen durfte. Die Rosi wär für die Bauernarbeit sowieso zu schwach, hieß es. Rosi war ein wohlgenährtes, zur Fülle neigendes Mädchen mit rotblondem Haar und einem hochmütigen Lächeln, und als sie in selbstgeschneiderten, neuen Kleidern heimkam, und alle bewundernd um sie herumstanden, befühlte Marie den

Stoff und fragte, machst mir auch eine Bluse, wenn ich dir das Geld für den Stoff gebe? Das wär ja noch schöner, wenn ich euch alle einkleiden müßt, entrüstete sich Rosi. Am Abend fand sie ihr neues Kleid in Streifen zerschnitten auf ihrem Bett liegen. Sie ging zum Vater, und der schlug Marie mit einer Schaufel, daß sie eine Woche nicht gehen konnte, und alle glaubten, der Fuß sei gebrochen. Diesmal hat er ihr die Läufe abgeschlagen, dem Teufel, frohlockte Rosi, aber Marie stand wieder auf, das Bein geschwollen und blutunterlaufen. Sie schaute niemanden an, während sie mit den anderen aus der großen Schüssel Rahmsuppe aß, sie schaute den Vater nicht an, der ihr im barschen Ton Befehle gab, ihre Augen starrten trotzig und hochmütig in eine Ferne, wo sie keine spöttischen, zornigen oder beleidigten Blicke kreuzen konnten.

Die einzige unter den Schwestern, mit der sie Kameradschaft verband, war Angela, ein unscheinbares Kind mit einem verhärmten schmalen Mund und dünnen blonden Zöpfen. Marie und Angela teilten das Bett, bis Marie heiratete. Im anderen Bett, das in der Mädchenkammer stand, schliefen Fanni und Heidi. Rosi, das Zarterl, hatte ein Bett für sich allein, bis sie in die Lehre kam und Fanni und Heidi jede für sich ein Bett bekamen. Wenn in der Nacht die Dorfburschen fensterln kamen, und meist kamen sie zu Fanni, mußten sie sich Maries böser Zunge aussetzen und sich ihre Lästerreden gefallen lassen, und oft ging das flinke Geplänkel zwischen Marie und Fannis Verehrern die halbe Nacht hin und her, und Marie amüsierte sich. Aber am Tag drehte sich keiner nach ihr um, redete sie keiner an, und sie schaute stur vor sich hin und bekam einen strengen, bitteren Zug um den Mund. Mit achtzehn war sie eine alte Jungfer.

*

Später habe ich sie kennengelernt, diese Geschwister. Ja, ich kannte sie, als ich diese Geschichten erzählt bekam, und es fiel mir nicht immer leicht, den befohlenen Haß, die ständig geschürte Rachsucht aufrechtzuerhalten. Da war Tante Fanni, die sich ständig demütig für dumm erklärte und mit kindlichem Neid meine Mutter bewunderte. Schon wieder ein neuer Schal, laß angreifen, sagte sie ehrfürchtig und befühlte den Stoff mit ihren derben Arbeitshänden. Hübsch war sie schon, als wir noch klein waren, aber keine Schönheitskönigin, eigentlich meiner Mutter sehr ähnlich in Aussehen und Gesten, bloß weniger gut gekleidet und weniger arrogant. Manchmal wünschte ich mir Tante Fanni als Mutter. Sie war die erste und einzige, der ich mit sechzehn meine große, unerwiderte Liebe gestand. Wir saßen nebeneinander im Nachthemd auf dem erkaltenden Ofen, nur über dem Stubentisch brannte ein trübes Licht, und sie fröstelte, aber sie hörte mir zu, als ich mit heißem Gesicht beschrieb, wie er aussah, und wie er mich manchmal beinahe beachtete, und ich wußte genau, daß sie mich verstand. Und als ich in den schwarzen Trauerkleidern die Stube betrat und keinen Schritt mehr weitergehen konnte, wußte sie wieder genau, was zu tun war, und wie sie meine Starre und die sprachlose Trauer lösen konnte. In dieser Nacht lief ich verstört und schreiend in die Stube, denn meine Mutter war ans Bett gekommen, an das große Doppelbett ihrer Brautnacht, genau vierundzwanzig Stunden nach ihrem Tod. Fanni legte mich in ihr Bett und stellte keine Fragen, sie hielt mich, bis ich im Morgengrauen einschlief.

Später, wenn ich die Geschichten meiner Mutter mit kleinen Fragezeichen hinter den Sätzen weitererzählte, lachten sie, ach ja, Rosi, der Schnitzelfresser, den Ausdruck hat natürlich Marie erfunden, ja, unsere Mutter war gut zu uns. Marie? Na ja, die zwei haben sich nicht besonders mögen, Marie war immer frech und aufmüpfig, und das hat der Mutter weh getan, wo Marie ihr doch die geraden Glieder verdankte. Viel Gaudi haben wir gehabt in unserer Jugend, kannst dir ja vorstellen, bei fünf fast gleichaltrigen Mädchen, aber besonders, wenn die Marie dabei war, da mußte man sich immer totlachen, die hatte ein Mundwerk, ja, gescheit war sie, das hast du von ihr und das Mundwerk auch. Witze fielen der ein, und auf Ideen kam sie wie niemand sonst; die Erntehelfer wollten immer nur sie dabeihaben, wenn die Marie dabei ist, da gibt es eine Gaudi, hieß es, da vergeht die Arbeitszeit doppelt so schnell. Geschlagen? Kann schon sein, daß der Vater sie manchmal geschlagen hat, er hat uns alle manchmal hergenommen, aber die Marie war stark, der hat nichts ankönnen, die war immer obenauf und voll Spaß. Eine freudlose Jugend? Aber woher, wie kommst denn darauf, schön war's, und immer war was los, und wenn was angestellt worden ist, dann war immer die Marie dabei, die ließ sich keinen Unfug entgehen. Hast du schon die Geschichte vom Schuhabschneiden gehört und wie sie sich mit Schuhcreme die Haare schwarz gefärbt hat? Jaja, und dann hat sie der Vater halbtot geschlagen. Na, ich bitt dich, das waren doch auch Lausbubenstreiche, und halbtot ist eine Übertreibung. Die Erinnerungen sind dieselben, alles stimmt und alles ist falsch, falsch erlebt, falsch erinnert. Meine Tanten haben ihre Kinder nicht geschlagen, hie und da eine Ohrfeige, wenn ich besonders frech war, erzählt meine Kusine, dann habe ich gebrüllt wie am Spieß, aber im Grund war es mir ziemlich egal, und ich hab nie das Gefühl gehabt, daß sie mich weniger mag, wenn ihr einmal die Hand ausrutscht. Weißt du, sagte ich laut in die versammelte Verwandtschaft hinein, daß mich meine Mutter geschlagen hat, bis ich blutige Striemen hatte? Sei doch still, deine Mutter war eine hochanständige Frau, die nur das Beste für dich wollte, die intelligenteste und ehrgeizigste war sie von uns allen, so was kannst du nicht sagen, laß doch die Toten ruhen, und wenn schon, dann hast du's halt verdient, warst immer ein schwieriges Kind und hast ihr viel Kummer gemacht. Ich halte den Mund und höre auf, verstehen zu wollen.

*

Als Hitler einmarschierte, war sie sechzehn. Radio gab es im ganzen Dorf nur eines, beim Nachbarn, aber der saß mit verklärtem Gesicht ganz nahe an dem grünen Auge in der Mitte und flüsterte ehrfürchtig, der Führer spricht. Man hörte seine Rede, man hörte das Gebrüll der wild gewordenen Menge auf dem Heldenplatz, aber lauter als alles hörte man das Zischen, Knacken und Schnalzen im Radio. Trotzdem holte die Gestapo den alten Hermann noch ein Jahr vor Kriegsende. Jemand, der einen verjährten Streit um ein Stück Grund mit ihm hatte, mußte ihn denunziert haben, er habe Feindsendungen gehört, hieß es. Man trieb die Bauern zur Wahl ins Gemeindehaus. Niemand durfte fehlen, es stand Strafe drauf. Die Wahl war weder geheim noch frei, jeder kannte jeden, und ein Uniformierter im braunen Hemd stand hinter einem und hielt den Finger genau auf die Stelle, wo das Kreuzl zu machen war. Einige Sonntage später flatterte die Hakenkreuzfahne vom Giebel des Gemeindehauses, und der alte Binderprofessor mußte öffentlich Abbitte leisten, weil er den Hoheneder Ernst, der jetzt mit dem Totenkopf auf der Mütze in schwarzen Stiefeln vor ihm stand, einen braunen Halunken genannt hatte. Der Pfarrer, der gesagt haben soll, Hitler sei der größte Verbrecher des Jahrhunderts, war schon vor Tagen abgeholt worden, aber der hatte auch den Finger vom Wahlzettel weggeschoben und Nein draufgeschrieben. Er und der Professor waren die einzigen in der Gemeinde, die ein Bewußtsein von dem hatten, was vorging, die anderen erlebten die Machtergreifung wie einen spannenden Film. Marie wußte von Politik nur, daß sie Männersache war. Der Terror und die Angst, die bis in die entlegenen Dörfer kamen, zunächst als beklemmendes Prickeln, dann immer konkreter als Verbot und Drohung, später als Entsetzen und Verzweiflung, diese Angst war für sie ein wollüstiger Kitzel, denn diesmal war es nicht sie, die den Kopf hinhalten mußte, diesmal waren andere dran, vielleicht waren sie alle dran, aber wenn man sich klein machte und nicht auffiel, kamen die anderen zur Abwechslung einmal zuerst dran. Mit sechzehn ging sie auch ein paarmal tanzen, denn Fanni hatte einen festen Freund, der einzige Sohn von einem reichen Bauernhof, und der genügte, damit auch Marie anstandshalber Begleitung hatte. Marie hatte neue Spangenschuhe und ein Dirndlkleid, und sie tanzte gern, auch wenn sie selten Partner hatte und oft Fannis Freund einspringen mußte. Aber der saß sowieso sonst an dem Ausschank und betrachtete seine zukünftige Bäuerin, wie sie lachend von Arm zu Arm flog. Und auf Marie brauchte Fanni nicht eifersüchtig zu sein. Eines Tages brachte er seinen Freund Lois mit, der aus demselben Dorf war. Er war groß, breitschultrig und blond, schneidig und schlagfertig, und er tanzte fast einen ganzen Abend lang mit Marie. Nach dem Tanzen begleitete er sie bis zum Hoftor, aber zwischen den beiden Dörfern auf der mondhellen Straße hatte er seinen Arm um sie gelegt, und vor dem Hoftor küßte er sie. Marie schwebte die nächsten Tage wie auf Wolken. Sie schaute öfter in den Spiegel und fand Zeit, sich am Morgen zu frisieren, sie hörte nicht die Mutter schelten und nicht den Vater fluchen, denn sie sang den ganzen Tag lang und war das erste Mal in ihrem Leben glücklich. Am nächsten Samstag kam Lois fensterln, und er kam zu ihr und nicht zu Fanni. Magst nächste Woche wieder tanzen gehen, fragte er, und sie beeilte sich schüchtern, ja schon, zu sagen. Aber am nächsten Freitag wartete sie umsonst in ihrem Dirndlkleid, frisch gebadet und die Haare zu einer kunstvollen Frisur gebändigt. Er kam nicht. Als Fanni abgeholt wurde, wollte sie nicht mitgehen, er könnte ja noch kommen. Sie saß auf den Hausstufen und wartete mit zunehmender Verzweiflung und zunehmendem Groll. Um zehn Uhr riß sie sich die Haarnadeln aus der Frisur und ging ins Bett. Angela streichelte ihren zuckenden Rükken, bis sie auf dem durchnäßten Polster einschlief. Am Sonntag darauf sah sie ihn vor dem Wirtshaus bei einem anderen Mädchen stehen und lachen. Sie ging dicht an den beiden vorbei, aber er sah sie nicht oder wollte sie nicht sehen, denn er flüsterte seiner neuen Flamme etwas ins Ohr, worauf das Mädchen rot wurde und verwirrt kicherte. Er kam nie wieder. Sie sah ihn nur mehr von weitem, und jedesmal gab es ihr einen Stich, und sie hatte das Gefühl, ihr Herz müsse aussetzen.

Im Lauf dieses Frühlings bemühten sich noch zwei Burschen um sie, aber es berührte sie kaum. Der eine, ein siebzehnjähriger Bauerssohn aus der Nachbarschaft, amüsierte sie mit seiner scheuen Verehrung, den Lebkuchenherzen zum Kirtag und den Jasminsträußerln, die er ihr beim Fensterln durch Fensterkreuz schob. Sie hatte ihn gekannt, seit sie Kinder waren, und es verband sie die Kameradschaft, fast gleichaltrig und aus demselben Dorf zu sein. Der andere war ihr lästig, ein Häuslersohn aus einem Waldhäusl in der Einschicht an der tschechischen Grenze, sein Bruder hatte einmal auf dem Hof als Knecht gedient, aber er war mit dem Vater aneinandergeraten und noch vor Lichtmeß, der Zeit, wo Dienstboten kündigten und Dienststellen wechselten, auf und davon gegangen. Aufbrausende Dickschädel, diese Kovacs, lauter ausländisches Gesindel, wo soll's denn herkommen, hatte es damals geheißen. Drei Brüder waren es, ein eleganter Dandy, der schon im ersten

Weltkrieg mitgekämpft hatte und bei jedem Besuch aus der Stadt ein neues, elegantes Frauenzimmer mitbrachte, Ludwig, der jähzornige Knecht mit dem wilden Blick, und Friedl, der jüngste, still, scheu, linkisch, selbst wenn sich alle vor Lachen bogen, lächelte er nur verlegen im Hintergrund. Er war anders als alle anderen Burschen, er sah auch anders aus als die anderen, schwarzhaarig, mit einem schmalen, olivfarbenen Gesicht und großen Augen, die auch dann nicht lachten, wenn sein breiter Mund mit den etwas zu vollen Lippen die Zähne bloßlegte. Er war eine komische Figur, die einen peinlich und fremd berührte, so als gehöre er nicht dazu, wo immer er auftauchte, so, als sei er schon ein alter Mann, obwohl er erst sechsundzwanzig war. Er sah sie beim Himbeerpflücken im Himbeerschlag, der an die Äcker des Einschichthofs seiner Eltern angrenzte, und er ging hin und redete über das Wetter und die Ernte in den Dörfern drunten und ließ sich nicht davon beirren, daß Marie ihm nach einem flüchtigen Gruß den Rücken zudrehte und Fanni ihm Erdklumpen aufs Hosentürl warf. Von da an tauchte er überall auf, wo er Marie vermutete, nach der Achtuhrmesse auf dem Kirchplatz, auf den Feldern, die in Richtung Waldhäusl lagen, und schließlich wagte er sich sogar ins Dorf zum Fensterln. Marie wußte nicht, ob sie sich von seiner sturen Aufmerksamkeit geschmeichelt oder verärgert fühlen sollte. Seine Werbung entbehrte des spielerischen, kameradschaftlichen Elements der Nachbarburschen, sie war ernst, bedeutungsvoll, fast feierlich. Und eines Tages bestand er darauf, am hellichten Tag in die Stube zu kommen, um sich als offizieller Bewerber um Marie einzuführen. Was will der denn, der Häusler, der tut mir ja keine Ehre an, sagte die Mutter verächtlich. Die Brüder ahmten jede seiner linkischen, umständlichen Gesten nach, wie er vor Verlegenheit zuerst seine Armbanduhr und dann seine Taschenuhr aufzog, wie er von einem

Fuß auf den anderen trat und die Hände knetete. Der Vater warf ihm einen verächtlichen Blick zu, der sowohl der Erscheinung als auch dem sozialen Stand galt, und beachtete ihn nicht weiter, nur Marie wäre am liebsten in den Erdboden versunken. Aber als er wieder weg war und der Sturm losbrach, bist ja narrisch, so ein Lebzelten und ein Häusler noch dazu, ich sag ja noch nichts, wenn er wenigstens ein Bauernsohn wär, ertappte sich Marie plötzlich dabei, ihn zu verteidigen, ja, sie behauptete sogar, sie hätte ihn gern. Als sie ihn in der Stube hatte stehen sehen, hatte sie trotz aller Scham und aller Demütigung, die ihr seine bloße Gegenwart zufügte, erkannt, daß er eines mit ihr gemeinsam hatte, sein Einzelgängertum, seine Außenseiterstellung. Von da an ließ sie sich herab, sich von ihm heimbegleiten zu lassen, sie hörte schweigend zu, wenn er beteuerte, daß sie ganz anders sei als andere Mädchen und er das an ihr schätze, und als er auf der Hofwiese ungeschickt den Arm um ihr Taille legte und sie küßte, ließ sie es geschehen. Was dachte sie sich denn eigentlich dabei, fragte sie sich, als sie am Abend im Bett lag, ein Häusler, einer, der so tief unter ihr stand, wie sie unter einem Bürgerlichen, einer, der als Holzfäller für das Stift arbeitete und dessen Geschwister Dienstboten waren, einer, der zehn Jahre älter war als sie und neben ihr herging und nichts zu sagen wußte, was sollte sie denn mit dem? Abschütteln, dachte sie ärgerlich. Aber wenn seine großen Augen in ihrem Gesicht suchten, als wollten sie die Zulassung zur Glückseligkeit erflehen, zuckte sie die Achseln und erlaubte ihm, sie anzubeten. Sie konnte sich ja noch immer entscheiden.

Die Gemeinde bekam einen neuen Pfarrer, die Hakenkreuzfahne hing aus der Dachluke des Gemeindehauses, es gab Aufmärsche, bei denen viel Sieg Heil geschrien wurde, man lernte den deutschen Gruß, und eines Morgens waren die zwei Dorfdeppen, die Pfleger Muhme und ihr Sohn, verschwunden. Die Gestapo hatte sie in der Nacht geholt, sagten die Leute und machten sich weiter keine Gedanken, als daß das halt der Lauf der Welt sei und die beiden Idioten allen sowieso zur Last gefallen waren. Einige Wochen später, mitten in der Erntezeit, kamen die Einberufungsbefehle. Auf dem Heimweg von der Kirche, auf dem er sie seit Wochen wie selbstverständlich abfing und begleitete, blieb Friedl stehen und zog eine Postkarte aus seinem Steireranzug, auf der alles vorgedruckt war außer dem Namen und der Adresse. Was ist denn das, fragte sie und ärgerte sich über seine feierliche Umständlichkeit. Ein Stellungsbefehl. Gibt's leicht Krieg? Das kann man noch nicht sagen, antwortete er mysteriös, weil das harte Politik war, Männersache und die Einberufung ihm eine Aura von Männlichkeit gab. Er war erfaßt worden, jemand hatte ihn für wichtig genug gehalten, eine Postkarte an ihn zu adressieren. Wirst auf micht warten? fragte er, als er sie am Abend vor der Abreise hinter der Scheune küßte. Sie wußte es nicht, sie wird wohl ja gesagt oder geschwiegen haben. Aber in Freistadt, im Ausbildungslager, besuchte sie ihn doch. Es war ihre erste Reise. Das erste Mal in ihrem Leben, daß sie in einen Zug einstieg und wegfuhr und noch dazu allein. Weil sie ohne ihn nicht sein konnte? Weil sie ihn doch liebte? Das behauptete sie zumindest ihrer zeternden Mutter und ihren spottenden Geschwistern gegenüber. Wirst halt zurückkommen mit einem kleinen Souvenir im Bauch, stichelte Angela und bekam eine Watsche. Wenn du mir mit einem Bankert daherkommst, hau ich dich durch alle Türen aus, und herein kommst mir nimmer, sagte die Mutter. Sie fuhr trotzdem. Friedl hatte für eine Nacht ein Zimmer für sie gemietet. Aber er hat das Zimmer nie betreten. Sie saßen am Waldrand und schwiegen, sie saßen am Feldrain und schwiegen, Freistadt war nicht viel anders als der Marktfleck zu Hause, und Geld zum Einkehren hatten sie keins. Er war in Uniform. Sie im Dirndl, beide frisch gewaschen und geschniegelt, beide verlegen und stumm. Am Abend mußte er wieder in die Kaserne zurück, sie fuhr am nächsten Morgen wieder heim, gelangweilt und verärgert, das Geld hätte sie sich sparen können. Die ersten Liebesbriefe kamen, Ansichtskarten von Freistadt, Blumenkörbchen mit kitschigen Rosen, ein vergißmeinnichtumwachsenes Herz, liebes Schatzerl, stand darauf, ich sehne mich nach dir, ich wollte, ich könnte in deiner Nähe sein, auf ewig, dein Friedl.

Immer weniger Burschen gab es, auch Fannis Verlobter war eingezogen worden. Der Vater wurde auf dem Hof gebraucht und konnte bleiben. Der BDM warb. An Sonntagen gab es Reigentänze auf der Turnwiese hinter der Volksschule und Volkstanzabende im Pfarrsaal, wo Mädchen gelangweilt miteinander tanzten. Marie hatte aufgehört, dazugehören zu wollen, sie mißtraute der kameradschaftlichen Fröhlichkeit, sie mochte nicht in Reih und Glied marschieren, Fahnen schwenken und laut auf dem Kirchplatz singen. Es interessierte sie einfach nicht, sie legte sich lieber am Sonntagnachmittag ins Bett und saß hinter dem Haus in der taufeuchten Wiese, um der Sonne beim Untergehen und dem Mond beim Aufgehen zuzuschauen. Und wenn sie da draußen saß, und die Wiesen dufteten, der Abendstern verloren flimmerte, und die letzte Abendröte hinter den abgeernteten Stoppelfeldern verblaßte, las sie die Liebesbeteuerungen auf den Kitschpostkarten, die ihr ein vages Gefühl von Schicksal gaben und eine warme, dankbare Gewißheit, von einem Menschen, dem ersten in ihrem Leben, geliebt zu werden.

Der Krieg brach aus. In dem kleinen Dorf an der tschechischen Grenze änderte sich nichts, als daß jetzt Feldpostkarten kamen, aus Polen, aus Frankreich, aus Griechenland. Friedl hatte jetzt endlich etwas zu berichten, außer daß er sie liebte, wir sind den ganzen Tag marschiert, wir liegen vor irgendeiner Stadt mit polnischem Namen, morgen marschieren wir weiter. Wir werden weitermarschieren, sang auch die Hitlerjugend. Das Feuer, die Begeisterung, den Fanatismus, Marie erlebte sie nicht mit. Sie lebte weiterhin zwischen Kühemelken, Grasmähen und dem abendlichen Summen der handgetriebenen Maschine, die die Milch vom Rahm sonderte. Die Bäuerin wurde bettlägerig, und Marie verbrachte wenig Zeit in der Stube, wo die Mutter in den aufgeschichteten Polstern lag. Die meiste Zeit verbrachte sie in der Hofwiese hinter dem Haus und im Stall. Ihre ganze nur kurz und unbestimmt geweckte Liebesfähigkeit gab sie ihren Lieblingstieren, einem Widder mit schneeweißem Fell, von dem sie sich die gebogenen Hörner in den Leib rennen ließ, weil er so herzig aussah, wenn er auf sie losging, einem Schaf, dem sie die fettesten Blätter auf den Feldrainen zusammensuchte und das sie jeden Sonntag badete, Katzen, Kleinvieh. Auch im Winter verbrachte sie die Tage am liebsten im Stall. Im Winter mußte sie sich heiße Ziegel und Katzenfelle um den Leib binden, weil sie sich vor Kreuzschmerzen kaum bewegen konnte. Um vierzig herum könne es sein, sagte der Arzt, daß die Lähmung aus der Kindheit wiederkomme. An den langen Winterabenden saß sie mit dem Rücken an den langsam erkaltenden Kachelofen gepreßt und spann. Dutzende von Leinenhandtüchern, hart wie Bretter, Tischtücher, in die sie Monogramme stickte, Bettüberzüge, Schicht auf Schicht, Kante auf Kante, gelblichweiße, grobfaserig gewebte Wäscheberge für die Ausstattung.

Auch Fanni und Rosi hatten sich in ihrer Gier nach

Abenteuern, Tanz und Männern beruhigt. Es gab keine jungen Männer mehr im Dorf. Hie und da kam einer auf Fronturlaub heim, in Uniform, frisch gebügelt, forsch und fesch. Er wurde bestaunt, betastet, fand sicher irgendwo ein warmes Bett für einige Nächte und war wieder fort. Es gab Trauungen, auch Ferntrauungen, wenn es schnell gehen mußte, es gab Kindstaufen und Sterbefälle, und die endlose Kette von Todesnachrichten von der Front begann. Bet für mich, schrieb Friedl von der russischen Front. Die Todesgefahr lockerte ihm die Feder, er schrieb tausend verzweifelte Treueschwüre und Liebesbeteuerungen. Wie konnte sie ihn jetzt abweisen, wenn er schrieb, daß nur der Gedanke an sie ihn am Leben erhielt, daß er freudig in den Tod ginge, wenn sie ihm die Treue bräche? Seinen Briefen wuchsen Flügel, er begann, ihr holprige Gedichte zu schreiben. Zu Weihnachten kam er auf Urlaub heim, und seine Mutter hatte für ihn gekocht und aufgedeckt, für ihren liebsten, ihren jüngsten Sohn, den Gott verschonen mußte, weil sie jede Nacht auf den Hausstufen saß und für ihn betete, die Sterne flehte sie an, dieselben Sterne, die auch in Rußland am Himmel stehen mußten, Herr, schick mir meinen Friedl wieder heim. Und jetzt war er da, hohlwangig und bleicher als sonst, aber er blieb nicht bei seiner Mutter, nicht am Heiligen Abend, er wichste sich die Stiefel, wusch sich, bügelte sich eine scharfe Falte in die Hose seiner Gefreitenuniform und ging ins Bauerndorf, wo ihn keiner erwartete, wo ihn keiner wollte. Was will denn der schon wieder, fragte die Mutter unwillig. Wann er nicht bald von selber geht, mach ich ihm Füß', stieß der Bauer zwischen den Zähnen hervor. Friedl war selig, er saß in einer warmen Stube, in einer Bauernstube und langte schüchtern nach den Zimtsternen, und da saß Marie, an die er Tag und Nacht in den Fußmärschen und in den Schützengräben gedacht hatte, da saß sie leibhaftig, und als sie ihn endlich bei der Tür hinausdrängte, weil sie Angst hatte, der Vater würde ihn beim Uniformkragen packen und ihm einen Tritt geben, konnte er sie schnell im finsteren Hausflur küssen.

Nein, den will ich nicht, dachte sie, als sie am Christtag in der klirrenden Kälte mitsammen heimgingen. Beide zitterten vor Kälte, er ohne Mantel in der Uniform, sie in einer ungefütterten Überjacke und in löcherigen, steifgefrorenen Schuhen. Sie hatte sich in seiner Abwesenheit in seine Briefe verliebt, sie hatte vergessen, daß er linkisch, ungeschickt und wortkarg war und ihr auf die Nerven ging. Es war nicht er gewesen, in den sie sich verliebt hatte, sie hatte sich in seine Liebe zu ihr verliebt. Und jetzt war er ihr so zuwider, daß sie sich nicht einmal küssen lassen wollte. Er wollte wiederkommen am Abend, aber sie sagte, nein, komm nicht, komm überhaupt nie wieder, es wird ja sowieso nichts mit uns zwei. Er ging davon, wortlos. Als er einen Sonntag später schon wieder auf dem Weg zur Front war, kam seine Mutter auf Marie zu und packte sie beim Arm. Was hast ihm denn angetan, meinem Buben, dagesessen ist er beim Tisch und hat geflennt, die ganze Nacht, und jetzt hat's Leben keinen Sinn mehr, hat er gesagt, und so ist er wieder zur Front, wenn er nur nicht sein Leben wegschmeißt wegen dir. Sie drehte sich brüsk um und ließ Marie stehen, und Marie fühlte sich wie eine Mörderin.

Es war Winter 42, und die Sterbeglocke hörte nicht mehr auf zu läuten. Jeden Tag kamen jetzt die Todesnachrichten, die Vermißtenanzeigen. Die Feldpostbriefe wurden weniger, blieben aus. Der Nachbarssohn, der mit dem Lebkuchenherz und den Jasminsträußchen, war gefallen. An Fannis Geburtstag im Jänner kam eine Feldpostkarte mit tausend Geburtstagsküssen, eine Woche drauf kam seine Mutter in die Stube mit der Nachricht, an der Ostfront gefallen. Zwei Monate vergingen, und keine Zeile von Friedl.

Marie hielt es nicht mehr aus. Das erste Mal in ihrem Leben klopfte die Bauerstochter an eine Häuslertür. Wißt's was vom Friedl, fragte sie die Mutter. Die holte eine gedruckte Nachricht von der Kredenz, und Marie wurde schwarz vor den Augen, sie hatte sein Leben auf dem Gewissen. Schwer verwundet im Raum von Orel, hörte sie die Mutter lesen, übernahm das Geschütz, nachdem zwei Panzer ausgefallen waren, und kämpfte todesmutig bis zu seiner schweren Verwundung, er wurde mit dem Eisernen Kreuz erster Klasse ausgezeichnet. Die alte Frau wischte sich mit dem Ärmel über die Augen, er lebt und braucht jetzt eine Zeitlang nicht zur Front. Todesmutig, dachte Marie, wegen mir hat er jetzt das Eiserne Kreuz, weil er sterben wollte. Bald darauf kam die Feldpostkarte aus dem Riesengebirge, traurig sitz ich hier im Zimmer, schau hinab ins grüne Tal, ohne Dich gefällt's mir nimmer, Dein gedenk ich überall. Sie schrieb ihm einen langen Brief. Er war überglücklich und fragte sie im nächsten Brief, ob sie ihn heiraten wolle, wenn er vom Krieg lebend zurückkäme. Ja, antwortete sie, sie würde ihn heiraten. Weiß Gott, ob er überhaupt vom Krieg zurückkäme, weiß Gott, wie lang der Krieg noch dauern würde.

Der Krieg ist verloren, sagten die Leute nach Stalingrad, aber sie flüsterten es hinter verschlossenen Türen und hinter vorgehaltener Hand, während sie Fäustlinge fürs Winterhilfswerk strickten. Halt's Maul, sonst kommst ins KZ, hieß es, diese Angst hatte auch die Dörfer erreicht. Auch vom KZ redete man nur hinter vorgehaltener Hand und davon, daß die Gestapo jetzt wieder Leute holte, mitten in der Nacht, der hatte den angezeigt, keiner konnte sicher sein, jeder hatte Feinde, die ihn denunzieren konnten, jeder wußte etwas, was er nicht wissen sollte. Die Gestapo kam in der Nacht und der Briefträger am Vormittag, und beide brachten sie den Tod ins Haus, spurlos. Zigeunerin,

Hure, schrie eine Bauerstochter, die beim BDM war, Friedls Schwester nach, mitten auf dem Kirchplatz schrie sie es, weiß eh ein jeder, daß ihr Zigeuner seid, Kovacs, ist denn das ein deutscher Name, und dein Onkel, der hat's auch noch nie lang auf einem Arbeitsplatz ausgehalten, der sauft und stiehlt dem Herrgott den Tag und den Leuten ihr Geld, schaut sie's an mit ihre schwarzen Haar und ihre falschen Augen, KZler seid's alle miteinander. Is' wahr, fragten die Leute auf dem Kirchplatz, neugierig und lüstern. Die Mutter war fassungslos, drei Söhne bei der Wehrmacht, ist das noch immer nicht genug? Sie hatte die Ariernachweise in die Gemeindekanzlei mitgebracht. Franziska Kovacs, geb. Leitner, Tochter des Zölestin Leitner und der Aloisia, geb. Löffler, alle römisch-katholisch. Diese Seite der Familie interessiert uns nicht, sagte der Beamte und hielt ihr unleserliche, braune Papierfetzen hin, was ist denn mit dem Josef Kovacs, Sohn des Jakov Kovacs und der Marya, geb. was? Und mit dem Jakov Kovacs, Sohn des Gabriel Kovacs und der was? Geboren wo? Getauft wann? Kathi, die Älteste, brachte die Papiere zustande, niemand weiß wie, niemand hat je darüber geredet, die Söhne durften an der Front bleiben, weil Kathi beweisen konnte, daß Gabriel aus Ungarn kam und Marya auch, aus dem letzten Zipfel der alten Monarchie, wo man es mit Papieren nicht so genau nahm, wo Großmütter und Urgroßmütter verlorengehen, irgendwo in der Puszta. Die Beamten auf der Gemeinde waren zufrieden, die Leute nicht. Zigeunerbrut, zischten die BDM-Mädchen hinter dem Rücken der schwarzhaarigen Lydia mit dem dunklen Flaum auf Oberlippe und Beinen. Rassig nannten die Burschen das, rassig schon, aber nicht reinrassig. Es ging um die wenigen Männer, die noch auf Heimaturlaub heimkamen, und es hieß, Lydia legte sich mit ihnen zwischen die Erdäpfelzeilen und ins Heu, auch wenn es nur für eine Nacht war, auch wenn es der Verlobte einer anderen war. Nackt mußt dich zu einem Mann legen, da ist es viel besser, hat sie zu mir gesagt, berichtete Fanni. Da siehst es wieder, ereiferte sich Rosi, alle Zigeunerinnen sind Huren. Sie hat den bösen Blick, mutmaßte Fanni, und sie sieht's einem an, wenn einer das letzte Mal auf Fronturlaub da ist, dann legt sie sich mit ihm ins Heu und verhext ihn. Kein Wunder, daß von denen noch keiner gefallen ist, Fanni warf einen giftigen Blick auf Marie, die sich tief über die Erdäpfelschüssel beugte, dabei ginge diese Brut gar niemandem ab, aber mein Hans wär der Stammhalter gewesen, und jetzt ist keiner da auf's Haus. Auch das noch, dachte Marie, ist es denn nicht Strafe genug, daß es ein Häusler sein muß?

Im Sommer 42 mußte auch Heini einrücken, bald darauf Franz, der jüngere. Es wurde stiller im Haus, eine gedrückte Stille, ein kurzes, vorsichtiges Aufatmen, wenn ein Feldpostbrief kam. Die Mutter kam nicht mehr aus dem Bett. Man hatte sie noch einmal operiert, aber ohne Hoffnung auf Besserung war sie wieder heimgeschickt worden und wartete mit zerfallendem, gelblichem Gesicht, von den Polstern gestützt, auf den langsamen Tod. In der Stube versammelte sich die Stille der Angst, der Unsicherheit und des Wartens, die damals über dem ganzen Dorf ausgebreitet lag, zu einer fast greifbaren Intensität. Man roch sie, man spürte sie auf der Haut, es war der Tod, aber es war nicht nur der Tod der knapp Fünfzigjährigen, die da in der dunklen Stube bei lebendigem Leib verfaulte. Die Töchter betteten sie schweigend um, legten neue Verbände um ihre unförmigen, offenen Beine, wechselten ihr die Leibschüssel. Die Mahlzeiten wurden schnell und verstohlen eingenommen, der Teller, der immer der erste war, den Fanni auf das Nachtkastl neben das Bett stellte, war auch der letzte, den sie, unberührt wie er war, in den Sautrog leerte.

Aber als Maries Verlobter, der Bräutigam, wie ihn die Schwestern mit boshaftem Grinsen nannten, als Friedl vom Lazarett heimkam, mit dem EK I auf der Unteroffiziersuniform, drehte sie noch immer den Kopf zur Wand und murmelte, was will er denn, der Häusler. Seine Anteilnahme verstummte angesichts des feindselig abgewendeten Kopfes, und später beklagte sie sich bitter, daß er ihr immer noch keine Ehre antäte.

Auch Friedl schaute aus wie der leibhaftige Tod, spitz hervorstehende Backenknochen, bläuliche Schatten unter den Augen und die Hände so schmal und fleischlos, daß es Marie vor seiner Berührung graute. Aber alle schauten auf die neue Uniform und das Eiserne Kreuz, und er ging nach der Kirche zum Dorfphotographen und ließ sich vor schwärzlich geballten Kulissenwolken photographieren, der heimgekehrte Held, auch wenn man im fünften Kriegsjahr schon langsam genug hatte von den Helden und den weinenden Heldenmüttern. Daß der Krieg bald zu Ende sein würde, war kein Geheimnis mehr, nur die Fronturlauber wußten es noch nicht, die glaubten noch immer an den Endsieg, während sich die alten Männer auf dem Kirchplatz auf die Schenkel schlugen und lachten, wo hast ihn denn, den Endsieg, in der Hosentasche? Ich hab mir genug Geld gespart, daß ich einen Hof mit sechs Stück Vieh kaufen kann, erzählte er Marie eifrig auf dem Heimweg. Eigentlich wäre er der Erbe des Waldhäusls gewesen, aber sein Bruder hatte mitten im Krieg geheiratet, und Friedl hatte ihm das Erbe abgetreten, weil er Angst vor dem jähzornigen Bruder hatte, und weil er dachte, wer weiß, ob ich überhaupt zurückkomme. Er würde für sich und Marie einen kleinen Bauernhof kaufen, Höfe ohne Erben gab es ja jetzt genug. Oder vielleicht sollten wir als Siedler in die Ukraine gehen, sagte er, nach dem Endsieg. Marie war es gleichgültig, nur weg von daheim. Er hatte ihr einen Verlobungsring mitgebracht, Silber mit einem unechten blauen Stein. Sie mußte ihn auf den kleinen Finger stecken, ihre Finger waren von der Arbeit immer geschwollen. Und Ohrringe hatte er auch mitgebracht und versuchte, ihr mit der Nähnadel Löcher in die Ohrläppchen zu stechen. Sie biß die Zähne zusammen und haßte ihn und seine Ohrringerl. Auf der Bank hinter dem eingezäunten Gemüsegarten ließ sie sich zur ersten öffentlichen Zärtlichkeit hinreißen, verschämt und mit einem Auge auf dem Photographen, dessen Schatten breit und indiskret auf das Rasenstück zwischen sich und das verlegen grinsende Liebespaar fällt.

Im Herbst 44 starb die Mutter. Alle atmeten auf. Die Fenster wurden weit geöffnet, damit sich der Leichengeruch verflüchtigte. Die fünf Töchter bekamen schwarze Kleider und genossen ihre Freiheit. Der Vater hatte sich wegen seiner Frau noch nie in seiner Freiheit eingeschränkt gefühlt, aber jetzt konnte er ganz offiziell auf Freiersfüßen gehen.

Er war fünfundvierzig und noch immer der fescheste Mann im Dorf. Es gab nicht mehr viele junge Männer im Dorf, zwanzigjährige Invaliden kamen heim, mit einem abgeschossenen Bein oder zwei, sie waren müde wie die alten Männer auf den Hausbänken, müder noch, und hatten keine Hoffnung mehr und keine Erinnerung als fünf Jahre Entsetzen. Man hörte die Bomber am Himmel, aber sie waren im Anflug auf Wien oder Salzburg. Die Verdunkelungsvorschriften wurden nachlässig befolgt. Bis Kriegsende fiel nur eine Bombe, ein Blindgänger, in die Wiesen, weitab von den Dörfern. Während die Menschen in den Städten ausgebombt durch brennende Ruinen flohen und um Lebensmittel Schlange standen, litten die Bauern keine Not. Das Vieh wurde schwarz geschlachtet, es ging lautlos und schnell, das Fleisch verschwand in dem doppelten Boden zwischen Kornkammer und Geräteschuppen, am Morgen war keine Spur von der nächtlichen Schlachtung zu erkennen. Die Flüchtlinge aus dem Sudetenland wurden immer zahlreicher, mit Handwagen und Plachenwagen kamen sie durchs Dorf, zerlumpt, verhungert, abgerissen. Wenn der Vater nicht zu Hause war, durften die Frauen in die Stube kommen, die Kinder bekamen Milch, und man gab ihnen Brot und Topfen mit auf die Reise. Aber wenn der Vater daheim war, wurde das Hoftor verriegelt. Nichtsda, schrie er, hinaus, Betteleut brauchen wir nicht, schaut, daß ihr weiterkommt. Wirst es schon noch sehen, für dich kommt auch noch einmal die Zeit, wenn du's Nachdenken lernst, sagte Marie, bevor sie durch die Stubentür entwischte.

Die Zeit kam schneller, als sie es hätte ahnen können. Im Februar kam die Todesnachricht von Franzl, dem jüngeren Bruder, der in Frankreich gefallen war, und bevor die Porzellantafel für das Grab und der Partezettel fertig waren, kam die zweite Nachricht, die den Vater über Nacht aus den schönsten Jahren in die Wirklichkeit riß, Heini, der Stammhalter, der zukünftige Bauer, war tot. Der Grabhügel war noch frisch vom Herbst, es hatte sich noch kein Rasen ansetzen können. Es war, als lägen drei Tote in dem frischen Grab, als die Porzellantafel mit den Fotos der beiden Brüder unter dem der Mutter befestigt wurde, im dreiundfünfzigsten Lebensjahr, im neunzehnten Lebensjahr, im zwanzigsten Lebensjahr. Jetzt waren auch die Vierzehnjährigen und die Sechzigjährigen eingerückt, sogar dem Bauern wurde noch eine Panzerfaust in die Hand gedrückt. Die Russen kommen, hieß es, und die Flüchtlinge kamen jetzt von Wien her. Während sich der Volkssturm in Schützengräben entlang der Hauptstraße nach Bayern eingrub und die herannahende Rote Armee beschoß, rannte Marie eine halbe Stunde auf eingesehener nächtlicher Straße zum Gemeindefriedhof, um die neue Porzellantafel zu retten.

Das war das einzige, was sie vom Krieg miterlebte, zwischen den Fronten hin und her laufen und sich am Abenteuer berauschen, am Feuer der Flammenwerfer am Himmel und der Maschinengewehre im Rücken, den Tod nasführen und zu Hause grinsend die Trophäe schwenken, die in keinem Verhältnis zum Einsatz stand. Und dann war eines schönen Frühlingstags der Krieg aus, die Deserteure krochen aus dem Heu, und die Heimkehrer ließen Glokkenläuten und Umarmungen über sich ergehen. Die alten Männer auf den Hausbänken hatten es schon von Anfang an gewußt, der Krieg war verloren, und in den guten Stuben quartierten sich die Russen ein. Sonst änderte sich nichts, außer daß das Vieh nicht mehr schwarz geschlachtet werden mußte, und die Russen soffen und vergewaltigten. Friedl kam in durchlöchertem, abgerissenem Zivil. Die Unteroffiziersuniform und das EK I hatte er vor Wiener Neustadt mit seinem Glauben an den Endsieg begraben. Er war bleich und müde und zweiunddreißig und wußte nicht, wie es weitergehen sollte. Seinen zusammengesparten Sold schluckte die Entwertung, und er wußte nicht, wo er Unterschlupf finden sollte, denn seine Eltern lebten im Auszugsstüberl. Er wußte nur, daß er das Mädchen heiraten wollte, um das er sieben Jahre lang geworben hatte.

*

Wie war das damals, als du jung warst, fragte ich meine Mutter. Vielleicht würde sie mich verstehen, alle Fragen erraten, wenn sie sich nur erinnern wollte, an die Sehnsucht und die Einsamkeit und die verschwiegenen Liebesqualen. Als ich jung war, war Krieg, und als der Krieg aus war, war die Jugend schon vorbei, und im übrigen gab es Schläge und Arbeit, wer redet da von Jugend, ich hab nichts zu lachen gehabt. Warst du denn nie glücklich, warst du denn nie verliebt? Verliebt, in den? Nein, geliebt habe ich ihn und treu war ich ihm, aber du siehst ja, wie er mir es gedankt hat. Die Lücken wollte ich füllen, die sie menschlicher machen sollten, einen jungen Körper wollte ich mir vorstellen, der sich nach Liebe sehnt. Das gab's damals nicht, sagte sie streng, unser Vater hätte uns erschlagen, und überhaupt, wie konnte ich an so was nur denken, nein, ihr Körper war gegen meine Phantasie mit Jungfräulichkeit gepanzert, nein, meine Mutter, denke ich, war niemals jung.

Eine Liebesheirat war das, sagten meine Tanten, die große Liebe, die es nur im Roman gibt. Sie ging nicht tanzen, sie schaute keinen anderen an, sie ohrfeigte jeden, der sich über ihn lustig machte, sie saß nächtelang in der Stube und schrieb Briefe an ihn. Und wenn sie beisammen waren? Wie die Turteltauben, schauten verliebt drein und verdrückten sich und haben sicher was miteinander gehabt, bevor sie geheiratet haben. Eine schöne Zeit war das, zwischen 39 unf 45, sagte Tante Rosi, die als Luftwaffenhelferin bei der Wehrmacht gewesen war, jung waren wir und frei, und Soldaten gab's genug, nur am Ende ging es uns fast an den Kragen, da wurden wir in die letzte Maschine gepackt wie Sardinen und überall schon die Rote Armee, und als wir in Ebensee landeten, hatten sie gerade die KZler und Zuchthäusler ausgelassen. Die jüngeren Schwestern, berichtete meine Mutter, ja, die sind ausgeflogen, die hatten keinen Anstand und keine Moral, die kamen nächtelang nicht heim, und wenn sie tanzen gingen, verdeckten ihnen die Röcke kaum den Arsch. Aber mitgekriegt haben sie alle nichts vom Krieg, meine Mutter, die sich nicht an ihre freudlose Jugend erinnern wollte, nicht, und Tante Rosi nicht, die nicht verstehen konnte, warum auf einmal die KZler frei herumliefen. War es wirklich so, eine unglückliche Jugend, erdrückt von Arbeit und Schlägen und jungfräulicher Weltabkehr? Aber wo, sagten meine Tanten und wollten sich an nichts erinnern als an das unglaubliche Liebespaar, das ich mir nicht vorstellen kann, nicht, wenn ich die Fotos anschaue, auf denen er sie ungeschickt um die Taille faßt und sie leicht weggeneigt, prüfend und mißtrauisch an ihm hinunterschaut.

Und der Krieg selbst, die Katastrophe, das große historische Ereignis, das man so sorgfältig von uns fernhielt? Der Krieg, das waren die Todesnachrichten, die Abschiede, die Feldpostbriefe. Aber die Nazizeit, über die uns niemand aufklärte? Die Blicke wurden abweisend, wir haben nichts gewußt. Habt ihr nicht gesagt, halt's Maul, sonst kommst ins KZ, wenn einer sagte, der Krieg ist verloren, habt ihr nicht ständig in Angst vor der Denunziation gelebt? Wer nicht dabei war, soll überhaupt den Mund halten, sagt ihr und schaut uns streng und abweisend an. Ich habe sie doch gesehen, die Fotos von den BDM-Mädchen, ich habe meine Tanten darauf wiedererkannt, Fotos, versteht ihr, Beweise, die dreieckigen Schultertücher, die Aufstellung in Reih und Glied, die erhobene Rechte, die Heimabende, an denen Deutschlandlieder gesungen wurden, auch davon gibt es Fotos. Und alle Lieder, die ich auswendig kann, weil meine Mutter sie in der Küche sang wie Frühlingslieder, wie Weihnachtslieder, Und wir fahren, und wir fahren gegen Engelland, Denn heute gehört uns Deutschland und morgen die ganze Welt. Aber als ich ahnungslos Gott erhalte, Gott beschütze auf dem Klavier spielte, riß mir meine Mutter die Hände von den Tasten, um Gottes willen, wenn das jemand hört, die glauben, wir sind Nazis. Sonst habe ich von ihr nichts erfahren, als daß sie auch während des Krieges von ihrem Vater regelmäßig verprügelt wurde und aus Mangel an Gelegenheit diesem Sonderling, meinem Vater, die Treue hielt.

Was war also, fragte ich meinen Vater und hatte das Gefühl, ihn zu quälen. Hast du auch nichts gesehen und nichts gehört? Doch, den ersten Toten in Polen, ein Mensch, der auf der Straße liegt und sich nicht mehr rührt, der erste Tote, das ist wie der Verlust der Jungfräulichkeit, später gewöhnt man sich daran. Und die russischen Bauernhäuser, die zu Brennholz zerhackt wurden, und die uferlosen Flüsse in Rußland. Aber welchen Anteil hattest du? Seine Hoffnung auf den Endsieg, mit dem ihn sein Schwiegervater hänselte, das Eiserne Kreuz und den Zeitungsausschnitt, den er zusammen mit seinen Dokumenten aufhob, im Raum von Orel bis zu seiner schweren Verwundung, in derselben Mappe wie die gefälschten Ahnenpässe, und wieder Fotos, Panzer, brennende Flugzeuge, Infanterieformationen, ein Kriegstagebuch in unleserlicher Kurrentschrift. Der Krieg war seine einzige Karriere, er hat sich nie wieder hinaufgearbeitet, nie wieder ausgezeichnet. Was willst du denn wissen, fragt er mich gequält. Was ich deinem Enkelkind einmal sagen soll, will ich wissen. Ich hab kein Menschenleben auf dem Gewissen, ist das nicht genug? Was hast du gewußt? Was hast du gesehen? Die Massengräber und die Gehenkten, die Propagandafilme und die Vergewaltigungen. Und hast trotzdem noch den Zeitungsausschnitt und die stolze Erinnerung an das Eiserne Kreuz? Und wolltest trotzdem ein Stück Land in der Ukraine besiedeln mit deiner Frau nach dem Endsieg? Wie, glaubst du, soll ich das meiner Tochter erklären, die dich liebt? Als ich klein war und das Interesse eines mir recht fremden Vaters fesseln wollte, fragte ich ihn nach Waffengattungen aus und hörte geduldig weg, wenn er sie mir aufmerksam erklärte. Ich hätte mit sechs Jahren alles über Panzerspähwagen, Geschützrohre und Panzerraupen erfahren können, wenn ich zugehört hätte, aber daß es Juden gab, erfuhr ich erst mit zwölf, als meine Schulfreundin bedauerte, daß Liz Taylor einen Judensauhund geheiratet habe. Aber 39, da habt ihr nichts gewußt und keine Ahnung gehabt, und 45, da habt ihr es schon immer gesagt und nichts dafür gekonnt und wurdet trotzdem bestraft mit Hunger, Geldentwertung, zerbombten Städten und Besatzungssoldaten.

Wie schön sie erzählen konnten, an Silvesterabenden bei Bowle und Hering, von den Bombennächten. Kaum waren wir zurück aus dem Bunker und hatten gerade die Kinder ins Bett gelegt, da kam schon der nächste Alarm, und diesmal zogen wir nur die Mäntel über die Nachthemden und rannten zurück in den Bunker, zum Umfallen müde, nur wegen der Kinder liefen wir zurück zum Bunker, die Nachbarn blieben in den Betten, die hatten für eine Nacht genug. Und als wir rauskamen, da sahen wir schon von weitem, daß unser Haus einen Volltreffer bekommen hatte, und, na ja, da hatten wir halt alles verloren. Wir schauten sie bewundernd an, diese Überlebenden und die Kinder, kaum älter als wir, die im Kinderwagen geschlafen hatten, während die Städte zerbombt wurden. Wie habt ihr das überstehen können, ohne eine andere Gattung Mensch zu werden, wie könnt ihr jetzt dasitzen und so gelassen erzählen, wenn wir, die wir nicht dabei waren, vor Angst zittern? Beim Abendessen sagte ich zu Fanni, dem Rudi ist was passiert. Wir ließen den Ehering über seinem Foto pendeln, und der Ring rührte sich nicht. In der Nacht fiel das Foto von der Wand, und Fanni sagte, das hast du schlecht aufgehängt gestern nach dem Pendeln, schade ums Glas, aber ich hatte auch das Klopfen hinter meinem Bett gehört und wartete schon auf den Briefträger, der mit der Todesnachricht kam. Uns lief die Gänsehaut über den Rücken, und ihnen, den Heldenmüttern und -bräuten, liefen die Tränen über die Wangen, wenn die Dorfkappelle zu Allerheiligen Ich hatt' einen Kameraden anstimmte. So viele

Tote, die wir gern gekannt hätten, weil wir ihnen angeblich ähnlich sahen, und weil sie gesehen und getan hatten, was wir verantworten mußten.

Was habt ihr gelernt an den Fronten des Reichs? Daß man am besten in den Trichter hineinspringt, denn die Stalinorgel schlägt in Halbkreisen ein, und es gibt keinen Treffer zweimal an derselben Stelle, erzählte mein Vater, und daß man auch im Gehen schlafen kann, und daß es nichts gibt, was man nicht aushält, und im übrigen steht alles in Konsaliks *Arzt von Stalingrad*. Dem internationalen Fremdenverkehr seid ihr verlorengegangen, denn auf dem Balkan waren die Partisanen gefürchteter als die ganze Ostfront, Griechenland war schmutzig, und auf dem Isthmus seid ihr alle seekrank geworden, und wer weiß, ob euch in Frankreich nicht einer wiedererkennen würde. Gesehen habt ihr genug, und wenn ihr unter euch seid, werdet ihr für den Rest eures Lebens am Biertisch eure letzte, eure einzige Karriere dramatisieren, noch ein Russe, schon ist er im Visier, peng, peng, schon ist er nicht mehr, was wissen die Jungen, die immer nach den Gründen fragen, vom Leben. Und wie wir damals gelebt haben, so haben wir später nie wieder gelebt, wie die Hunde, was ist so ein Menschenleben dagegen. Warum habe ich nur damals nicht zugehört, als sie sich noch gehenließen, weil ich zu klein war, sie mit ihren Kriegsgeschichten zu überführen. Später, als ich zu fragen begann, kniffen sie die Lippen zusammen und schauten weg, wir haben von nichts gewußt, wir haben nichts getan, wir konnten nichts dagegen tun, wir haben nur Befehle befolgt, weil wir keine Helden waren, keine Spinner wie ihr, keine Idealisten, keine Ideologen, nur einfache Menschen aus Fleisch und Blut.

*

Und auf einmal war es aus, und man war wieder ein Habenichts in Zivil, der in einem zerbombten, ausgehungerten Land zu einem lächerlich durchschnittlichen Menschenleben zurückgekehrt war. Nichts war auf einmal so schön wie die Träume in den Schützengräben, die rauschenden Heimatwälder nicht und auch nicht das nicht mehr ganz taufrische Mädchen, das nun geheiratet werden mußte, weil sonst nichts mehr zu tun blieb, als irgendwo, irgendwie ganz von vorn anzufangen. Es mußte also weitergehen, als sei nichts geschehen. Friedl bekam einen Posten in der Stadt als Straßenbahnschaffner, und schlafen konnte er auf der Couch seiner Schwester, die inzwischen auch geheiratet hatte und schwanger war und mit ihrem Mann in einer finsteren Zweizimmerwohnung hauste. Er lebte von Lebensmittelkarten, denn das bißchen Butter, Speck und Brot, das ihm die Mutter zum Dreinbessern mitgab, holte ihm die Schwester aus der Tasche, ohne ihn zu fragen, und er sagte nichts, denn schließlich war sie schwanger und erlaubte ihm, auf ihrer Couch zu schlafen.

An seinen freien Tagen hätte er heimfahren können, aber er wollte sparen für die neue Existenz, nachdem er seine Ersparnisse und die Hoffnung auf einen eigenen Hof verloren hatte.

Was sollte er denn auch an einem freien Wochentag im Dorf, einen Tagedieb würden sie ihn nennen, Wochentage waren nicht für die Liebe, dafür gab es den Sonntag, nach der Kirche bis zum Stallgehen. Die fünfzig Kilometer, die ihn jetzt von Marie trennten, schienen unüberwindlicher als die Tausende von Kilometern, als er im Krieg war. Die Stadt war ihm so fremd wie das Dorf, er fühlte sich deplaziert, aus dem Leben gewiesen nach sechs Jahren Front. Zu den Kollegen fand er keinen Anschluß, und der Schwester war er im Weg. Er ging auf Wohungssuche, er drängte auf Heirat, sie waren ja schon seit Jahren so gut wie verlobt. Er hatte mit seinen zweiunddreißig Jahren noch mit keiner Frau geschlafen, immer nur geträumt von ihr, die er als Sechzehnjährige das erste Mal im Beerenschlag gesehen hatte. Sie war die große Liebe, sie konnte sein Leben ändern. Marie träumte noch immer ihren jungfräulichen Traum von der Klosterlehrerin; aber seit die Mutter tot war, schlug sie der Vater noch öfter, er hatte auch zu trinken angefangen, und wenn er einen Rausch hatte, war ihm alles zuzutrauen. Im Haus gingen die Russen aus und ein, denen der Bauer Schnaps verkaufte. Warum Fräulein so böse, fragten sie und hoben ihr das Kinn hoch, griffen ihr an den Busen. Aus Angst versteckte sie sich nächtelang in leeren Pferdeboxen im Stall. Die Schwestern gingen auf Bälle. Sie war dreiundzwanzig und fühlte sich schon alt, übriggeblieben. Die Konkurrenz um die wenigen Burschen, die zurückgekommen waren, wollte sie nicht mitmachen. Der Vater brachte seine Bräute ins Haus, kaum älter als sie selbst, die herrschten dann in der Stube, bis die Töchter sie hinausekelten. Lange hielt sie es zu Hause nicht mehr aus, wenn sie noch einige Jahre länger blieb, würde sie als alte Jungfer zum Hausinventar gehören. Die Ehe, das sagten alle, war bloß ein neues Joch, eine neue Sklaverei, aber konnte es noch schlimmer kommen, und gab es nicht immerhin die Möglichkeit von Liebe oder gar Glück? Im Mai wurde das Aufgebot in der Kirche verlesen. Es lief ihr kalt über den Rücken, als sie ihren Namen von der Kanzel hörte. Jetzt wußten es also alle, jetzt gab es kein Zurück mehr. Zu Hause nahm sie den Kalender von der Wand und zählte die Tage, an denen sie zum Melken aufstehen würde, an denen sie mit der Sense in die tauigen Wiesen hinausgehen würde. Aber es verschaffte ihr nicht den erwarteten Triumph. Plötzlich, nach den vielen Jahren, in denen sie glaubte, den Tag nicht durchzustehen, in denen sie wünschte, die Nacht würde keinen neuen Morgen zulassen, plötzlich hatte sie Heimweh, noch bevor sie den Hof verlassen hatte. Sie stand am Abend wieder oft draußen auf der Hofwiese, sie lief auf die Felder hinaus, die noch vom Winter brachlagen, sie sog die klare Luft und die Sonnenuntergänge und das Vogelgezwitscher ein und dachte, nie mehr. Sie hatte Angst und Sehnsucht nach der Geborgenheit der Felder und der Tiere, die sie großgefüttert hatte. Wenn sie in der Nacht neben der schlafenden Angela im Bett lag, hatte sie Angst davor, von nun an neben einem Mann liegen zu müssen, den sie eigentlich kaum kannte und der das Recht haben würde, sich auf sie draufzulegen, wann er wollte. Ihr Fanatismus für jungfräuliche Reinheit steigerte sich in diesen Wochen zur Verbissenheit, sie wich vor den Berührungen ihres Verlobten fast mit Abscheu zurück, und er respektierte ihre Angst, schätzte sie, weil sie ihm garantierte, daß sie noch unberührt war, daß sich das Warten ausgezahlt hatte. Frei sein, dachte sie sehnsüchtig, und legte sich mit ausgebreiteten Armen in die Frühlingswiesen. Freiheit wurde ein Wort für sie wie Jungfräulichkeit, etwas, woran sie sich erbittert klammerte, während sie das Gefühl hatte, wie eine Pflanze ausgerissen zu werden. Die anderen ließen sie spüren, daß sie hier nur mehr zu Gast war und eigentlich gar nicht mehr hergehörte. Sie hatte die Bäume fällen geholfen, aus denen jetzt ihre Ausstattung beim Tischler gemacht wurde. Am Sonntag nachmittag holte sie die Stöße Leinen aus der Truhe, Bettwäsche, Handtücher, Taschentücher, Unterhemden, ein Fläschchen Parfüm, das ihr vor sieben Jahren der Nachbarssohn geschenkt hatte, und das sie sich aufgehoben hatte für die Hochzeit, ein Stück Duftseife, ein seidenes Taschentuch. Um die Federbetten gab es Streit. Tuchenten braucht ein Häusler nicht, sagte Fanni, die jetzt die Haushaltsführung übernommen hatte, und riß ihrer Schwester das Federbett aus der Hand. Ich hab die Gänse gehütet und gerupft, schrie Marie, ich hab mich in diesem Haus geschunden wie keine von euch. Sie bekam ihren Tuchent, aber den mit den schlechtesten Federn, die wie Klumpen zusammenfielen. Ein Tisch, eine Kredenz, zwei schmale Betten, vier Sessel, zwei engbrüstige Kleiderkästen, ein Waschtisch und der Tuchent, das war die Mitgift, die Auszahlung für zehn Jahre Feldarbeit, das Erbe, mit dem der reichste Bauer der Gegend seine Tochter abspeiste. Ihre Schwester Rosi nähte ihr das Brautkleid, ein langes, weißes Batistkleid mit Biesen über der Brust, hochgeschlossenem Halsausschnitt und langen Ärmeln. Der Schleier war aus Tüll und reichte bis zum Boden.

Der Mai kam. Friedl hatte eine Wohnung gefunden, draußen in einem Vorort weit außerhalb der Stadt, in Untermiete bei Bauern, damit ihr die Umstellung nicht so schwer fallen sollte. Eine schöne Zweizimmerwohnung, schwärmte er, nur das Wasser mußte man sich vom Brunnen holen, und der Abort war auch draußen, wie es eben war in Bauernhäusern. Sie ging einige Male zur künftigen Schwiegermutter auf Besuch und wunderte sich, daß es einer Häuslerin auf dem Altenteil so gut ging. Guglhupf wartete sie ihr auf und Kaffee und noch einen Streuselkuchen und Krapfen zum Mitnachhausenehmen. Marie wußte nicht, daß sie danach wieder wochenlang Schweineschmalz aufs Brot aß, um vor der Bauerstochter nicht schlecht dazustehen. Marie wunderte sich und genoß es, das erste Mal in ihrem Leben für etwas Besonderes gehalten zu werden, für jemanden, den man beeindrucken wollte, und sie dachte, es wird schon stimmen, die müssen glücklich sein, daß ich den Friedl nehm, die müssen froh sein, daß sich jemand aus dem Bauernstand zu ihnen herabläßt. Und sie fühlte sich, wie sich ihr Großvater auf dem Kirchplatz gefühlt hatte. Ich bin wer, dachte sie auf dem Weg zurück ins Dorf, ich bin eine reiche Bauerstochter. Sie dachte es zum ersten

Mal, als sie es schon nicht mehr war, als ihre Mitgift schon in der Tischlerwerkstatt stand und ihr Name in der Kirche neben dem ihres zukünftigen Mannes angeschlagen war. Die letzten Wochen, als der Druck nachließ, als sie schon nicht mehr hingehörte, begann sie, das Elternhaus, das Dorf, ihre Herkunft mit sturer Inbrunst zu lieben und sich restlos damit zu identifizieren. Da sind die Fotos aus dieser Zeit. Hoch aufgerichtet, die Haare in hohen Wellen aufgetürmt, die Ellbogen vom Körper abgewinkelt und die Hände nur andeutungsweise, mit den Fingerspitzen ineinandergelegt, Kopf hoch und Mund leicht geöffnet, die Lippen geschürzt, ein leeres, eitles Gesicht, ganz Landadel. Sogar Handschuhe trug sie am Sonntag und Seidenstrümpfe, aber unter den neuen Kleidern kratzte das grobe Leinen am Körper, und in der aufgesteckten Haarflut tummelten sich noch immer die Läuse. Friedl fischte ihr manchmal liebevoll eine Laus vom Hals herunter, sie haßte ihn dafür, sie hatte gelernt, stillzuhalten, wenn in der Kirche die Flöhe in ihren Kleidern warm wurden und die Läuse über ihren Ohren abrutschten. Sie schämte sich, wenn Friedl auf dem Kirchplatz aus dem Postauto sprang und mit leerem, schlenkerndem Rucksack auf sie zulief, mitten unter die Kirchgänger, mitten auf die Bühne, auf der sie gerade »Reiche Bauerstochter heiratet in die Stadt« spielte. Ihre Schwiegermutter kam vor der Kirche ehrfurchtsvoll auf sie zu, aber Marie war großgewachsen und sprach auf sie herab mit wenigen, knappen Sätzen, ganz die Enkelin des großen Kajetan. Ihre Schwestern kicherten, wenn der Bettelmann aufs hohe Roß steigt, kann ihn der Teufel nicht mehr reiten. Zu Hause schuftete sie nach wie vor für zwei Dienstboten und ohne Lohn, aber jetzt tat sie es mit einer Art Familienstolz.

Der Hochzeitstag kam. Das Schaf, das sie mit der Milchflasche aufgezogen und jeden Samstag im Trog gebadet hatte, war geschlachtet worden. Das Fell hing an der Stallwand zum Trocknen, als Bettvorleger für die Stadtwohnung. Die Möbel standen in der Scheune, grüngestrichenes weichfasriges Fichtenholz, die Tischplatte hatte schon jetzt zwei Sprünge. Es sollte eine kleine Hochzeit werden, keine Bauernhochzeit, eine Häuslerhochzeit. Ein strahlender Morgen soll es gewesen sein, die Braut bis zu den Zehenspitzen in Weiß, Myrten im Haar, ernst, bleich und ungeduldig. Die Hochzeitsgäste standen verlegen in der Stube, das Fuhrwerk stand angespannt im Hof, ein Leiterwagen mit Querbrettern als Sitze, und der Gaul, ein Mischling zwischen einem Ackergaul und einem russischen Reithengst, scharrte in der aufgeweichten Erde. Alle waren da, nur der Bräutigam fehlte, denn der Bräutigam kam aus der Stadt, aus der Nachtschicht und hatte das Brautbouquet vergessen. Als er kam, auf dem Fahrrad im schwarzen Anzug seines ältesten Bruders, sah er abgehetzt, geistesabwesend und müde aus. Das Schwarz des Anzugs ließ ihn noch leichenhafter und düsterer erscheinen. Marie sah ihren Bräutigam an und fühlte eine Welle von Haß und Scham in sich hochsteigen. Kein Brautbouquet, keine Begeisterung in diesem Leichenbittergesicht, am liebsten hätte sie das Brautkleid ausgezogen und ihm gesagt, er solle doch zum Teufel gehen und sich dort ausschlafen. Sie lief mit Angela in den Garten und pflückte ihr eigenes Bouquet, was halt gerade blühte und ein bißchen Grünzeug drein. Unwillig stand sie neben ihm, im Sitzen größer als er, im Stehen größer als er, größer und breitschultriger. Die Glocken läuteten. Sie kämpfte mit den Tränen. Das sollte der schönste Tag ihres Lebens sein? Sie gingen in die Kirche. Nie wieder würden die Leute Spalier stehen, während sie im langen Kleid mit Myrten im Haar zum Altar schritt. Und sie empfand nichts so stark wie das Gefühl, betrogen worden und zu kurz gekommen zu sein. Es war eine stille

Messe, kein Chor, keine Musik, trotzdem hörte man die Gäste schluchzen, die Gäste weinen immer bei Hochzeiten und Begräbnissen. Die Ringe, die er aus der Hosentasche zog, paßten nicht ganz. Er hatte sie von einem Kollegen gekauft, der von der russischen Gefangenschaft heimgekommen war und seine Frau mit einem anderen im Bett gefunden hatte. Die Initialen und die Zahlen, die in die Innenseite eingraviert waren, hatten nichts mit ihnen und ihrer Hochzeit zu tun. Man sah es ihnen an, es waren getragene Ringe. Ihr Vater und sein Bruder waren die Trauzeugen. Ihr Vater, der sie zwanzig Jahre lang geschlagen hatte, sein Bruder, der ihn um das Erbe betrogen hatte. Fanni trug ein dunkelblaues, enganliegendes Kleid mit weißem Spitzenkragen und war wieder die Schönste. Danach kamen Standesamt und Photograph. Als das Brautpaar dem Ausgang zuschritt, hatte Marie ihre erste und einzige Liebe, den Lois, erblickt. Er grinste und drehte sich um, ihr schoß die Röte ins Gesicht. Aus dem Brautbild, das die ersten fünf Jahre ihrer Ehe in ihrem Schlafzimmer hing, starren zwei ernste, verschreckte Gesichter. Da ist keine Verliebtheit, kein Glück, nicht einmal ein wenig Freude, nur Angst und ein wenig Hochmut in ihrem, ein wenig Trauer in seinem. Auf allen Hochzeitsfotos habe ich vergeblich nach einem Lächeln, nach einem Hochgefühl gesucht. Auch die Gäste stehen auf dem Gruppenbild wie Trauergäste beisammen. Die Kovacs-Geschwister haben große, schwarze, hungrige Augen. Ein Ziehharmonikaspieler versuchte, ein wenig Stimmung zu machen, es wurde sogar ein wenig getanzt, und einer flüsterte Marie ins Ohr, heut nacht möcht ich als Floh im Schlüsselloch sitzen. Und dann gingen sie die gewundene Holztreppe hinauf in die gute Stube, wo nur die Familienreliquien, die Sonntagskleider und die Heiratsausstattungen aufbewahrt wurden, und auf der Fensterseite mitten im Raum stand wie ein Altar das große Doppelbett. Von dieser Nacht sprach sie später als einer der größten Demütigungen ihres Lebens, als einer mit körperlichem und seelischem Schmerz ertragenen Einsamkeit. In diesem Bett begann der langsame Tod ihrer zwanzigjährigen Ehe.

*

Der Großvater, das ist für meine Tochter der kleine, weißhaarige Mann, der immer Zeit hat, stehenzubleiben und zuzuhören, seine Geduld hat keine Grenzen, laß sie doch, sagt er. Er strahlt vor Stolz und breitet die Arme aus, damit sie hineinlaufen kann wie in einen Hafen. Er hat feine, braune Hände, die sie behutsam von Straßenrand zu Straßenrand führen. So einen Vater hätte ich gern gehabt oder zumindest so einen Großvater. Sein Glaube an sie ist unerschütterlich, sein Glaube an ihre Einzigartigkeit, an ihre Schönheit, an ihre Richtigkeit. Sie belohnt ihn mit unbegrenztem Vertrauen. Manchmal denke ich, ich sollte sie warnen.

Dieser alte Mann war einmal, vor vielen Jahren, mit der jungen Frau verheiratet, die vom Bücherbord aus das kleine Wohnzimmer beobachtet, und die sie mit der Vorstellung Großmutter verbindet. Warum ist die Großmutter soviel jünger als der Großvater? Weil die Toten jung bleiben, weil die Erinnerungen an sie einfrieren, man kann sie anschauen unter der Eisschicht, da liegen sie unverändert, und man wird doch nie klug aus ihnen. Meine Tochter darf Fragen stellen. Großvater, wie war das, als meine Mama so klein war wie ich? Ja, wie war das, denke ich und warte gespannt, war er denn überhaupt dabei, warum erinnere ich mich nicht an ihn? Ich war ein stilles, braves Kind, weiß er zu erzählen, ich hätte stundenlang schweigend an der Hauswand gespielt, wo mich niemand sehen konnte, man hat gar nicht gemerkt, daß ich da war, so still war ich. Wer ist das, fragte sie früher und zeigte auf das Foto meiner Mutter. Eine Frau, sagte er, und sein Gesicht verschloß alle Zugänge. Trauer überfiel mich dann und das Bedürfnis, allein zu sein mit meinen Erinnerungen, ich ging hinters Haus, wo mich niemand sehen konnte, um still zu spielen mit meinen Mutmaßungen, meinen tiefgefrorenen Schatten.

Zurückgehen, vorbei an den endlosen Nächten, in denen er an ihrem Bett stand und müde in die Finsternis hinausstarrte, während sie ihn beschimpfte und ihm verbot, das Zimmer zu verlassen, vorbei an meiner nächtelangen Verzweiflung im Bett daneben und meinen stummen Gebeten, er möge sie verlassen, nur damit ich einschlafen konnte, vorbei an ihrem üppigen Körper unter dem dünnen Schlafrock, den sie sekundenlang mit herausforderndem Blick entblößte, aber sie schob seine Hand weg, wenn er nach ihr griff. Sie küßten sich flüchtig mit geschlossenen, spitzen Lippen, Küsse, mit denen man Kinder auf den Weg zur Schule schickt. Vorbeigehen an den Verbotstafeln, auf denen steht, du sollst nicht Unkeuschheit treiben, bis zu dem breiten Bett an der Fensterseite der guten Stube. Der zwei Meter lange Tüllschleier und das weiße Batistkleid liegen auf dem Boden, am Fuß des Bettes neben dem Nachttopf. Hat sie darauf bestanden, das grobe Leinenhemd anzubehalten? Nur Zigeunerinnen legen sich nackt zu einem Mann ins Bett. Die Scham eines Körpers, der nie seiner selbst gewahr wurde, die abgrundtiefe Jungfräulichkeit der Selbstverachtung. Wie kann ein Körper begehren, der sich selbst ein Ärgernis ist? Du kannst mich nicht fesseln, sagte er später, und sie schluchzte auf und schlug die Hände vors Gesicht. Ich hätte gerne gefragt, wie war das damals in dem breiten Bett und später, bis sie den Mut faßte, nein zu sagen und darauf zu beharren für den Rest ihrer Ehe, und mich dazwischenzuschieben in das Bett neben dem ihren, in seine Hälfte des Ehebetts. Sex ist nicht so wichtig in der Ehe, dozierte sie, wichtig ist, ob eine Frau wirtschaften kann. Und da saßen sie dann nebeneinander und starrten vor sich hin, auf den Fotos von Betriebsausflügen, auf den Rastplätzen unserer Wanderungen und am Abend auf der Bank an der Hauswand, und die Luft war kaum zu atmen, so vergiftet war sie von unausgesprochenen Vorwürfen und brückenloser Einsamkeit. So sind sie wohl nebeneinander gelegen, in der schlaflosen Hochzeitsnacht, und jeder hat in seine eigene Dunkelheit gestarrt, und ihre Hände haben sich nicht getroffen, damals nicht und später nicht. Sieben Jahre lang hat er auf diese Nacht gewartet, und ich werde nie den Mut aufbringen, zu fragen, wie ihm war, als er in seine Einsamkeit zurücksank und erkannte, daß er nichts gewonnen hatte, daß hier nichts zu gewinnen war.

Wer war also die Frau, die Großmutter hieß und gleichgültig auf ihren ehemaligen Mann herunterlächelt? Hast du sie gern gehabt, fragt das Kind und legt das Gesicht in mitleidige Falten, wie bei einem Spitalsbesuch. Da steht er auf und sagt, ich muß gehen. Er glaubt daran, daß Kinder vor allen schädlichen Einflüssen beschützt werden müssen. Er verbirgt den Haß auf seinem undurchdringlichen Gesicht, das bei der Nennung ihres Namens wieder zu der steinernen Maske wird, die ich aus meiner Kindheit kenne. Du liebst die Neue mehr als meine Mutter, sagte ich böse nach seiner zweiten Hochzeit. Nein, erwiderte er, so kann man nur einmal lieben, bloß, jetzt bin ich auch glücklich. Aber so kann man auch nur einmal hassen. Sie hat dich geschlagen, sagt er, wenn ich sie verteidige, und du bist dabeigesessen und hast es zugelassen, dann schweigt er, dann schreie ich, und dann sagt er, du bist genauso wie sie, und steht auf, und wie er sich umdreht und sein Rücken abweisend wird, tritt der tödliche Frost der Verlassenheit ein.

Aber ich habe gelernt, daß dann das Schreien nichts mehr hilft, auch das Bitten nicht, denn er ist schon ungreifbar geworden, während er langsam die Straße hinuntergeht, als sei es das letzte Mal und ohne Abschied. Dann verstehe ich sie wieder und ihre Raserei gegen seine Gleichgültigkeit, und so werde ich zwischen ihnen hin und her geschüttelt seit dreißig Jahren.

*

Am Tag nach der Hochzeit zogen sie in die Stadt. Mit einem Fuhrwerk, auf dem Marie mit ihrer Geiß inmitten der Möbel saß. An der Geiß hing sie, mehr noch als an dem Schaf, das als Bettvorleger mitgenommen wurde, sie hieß Julie und sollte die Lebensmittelrationen Milch aufbessern. Am Morgen war Marie noch einmal durch den Stall gegangen und hatte geweint. Als das Dorf immer kleiner wurde und der Kirchturm des Marktfleckens hinter den Hügeln verschwand, weinte sie auch. Die neue Wohnung war feucht. Sie war so feucht, daß in den Ecken der Schwamm wuchs und die Bilder an der Wand Flecken bekamen. Im Winter lief das Wasser die Steinwände hinunter. Das Schlafzimmer war immer dunkel. Es hatte ein großes, vergittertes Fenster, das ebenerdig auf den Hof hinausging. In den Nächten stand der Bauer vor diesem Fenster und horchte, manchmal huschte er als schwarzer Schatten vorüber. Ein jungverheiratetes Paar, aber es gab nicht viel zu behorchen. Über den Ehebetten hing die heilige Familie, ein mit Brettern und Säge beschäftigter Josef im Hintergrund, Maria und ein verkleinerter Erwachsener, der sich obenhin mit Brettern beschäftigte und mit der anderen Hand Tauben fütterte, im Vordergrund. Familienidylle vor einem notdürftigen Unterstand, Schnee auf den Alpengipfeln am Horizont. Vor diesem Bild mußte ich sechzehn Jahre lang mein Morgengebet verrichten und mir den kleinen Erwachsenen im knielangen, weißen Hemd zum Vorbild nehmen. Ich habe ihn jahrelang studiert und mit Inbrunst gehaßt. Am meisten interessierten mich später die unregelmäßig ausgefransten roten Flecken, die die Feuchtigkeit in das Öl gefressen hatte. Der andere Raum war Küche, Wohnzimmer, Eßzimmer und Badezimmer in einem. Ein grünüberzogenes Sofa, die Kredenz, ein alter Herd, der immer rauchte und im Winter der einzige Wärmespender der Wohnung war. Das Schlafzimmer wurde nie geheizt. Über dem Waschtisch ein Handtuchhalter und ein erblindeter Spiegel. Es gab kein Fließwasser in der Wohnung, keine Badewanne, keinen Abfluß und natürlich auch kein Klosett.

Die Wohnung hätte Marie noch ertragen, auch wenn es ihr nicht in den Kopf gehen wollte, daß die Ställe und die Scheune, der ganze Hof jemandem anderen gehörte und ihr nur zwei feuchte Räume blieben, und die waren gemietet. Aber was sie nicht ertragen konnte und dann doch viereinhalb Jahre ertrug, waren die Hausbewohner, die Bäuerin, die anderen Untermieter, die Nachbarn. Es schien ihr vom ersten Tag an, als hätte sich die ganze Umgebung gegen sie verschworen, und sie zog sich schüchtern und trotzig zurück, holte das Wasser vom Brunnen in der Nacht, wenn alle schliefen, benutzte den Nachttopf, statt auf den Abort zu gehen, wenn sie jemanden im Flur hörte, horchte auf jeden Schritt außerhalb der Wohnung, als sollte sie abgeholt werden, atmete auf, wenn sich die Schritte entfernten, bekam einen Klumpen im Magen, wenn sich Schritte näherten oder gar stehenblieben. Die Bäuerin zerrte sie an den dicken roten Zöpfen durch den Flur, erzählte sie, der Grund war fünfzehn Jahre später vergessen, aber die Demütigung blieb, verschmolz mit allen früheren und späteren Demütigungen und überfiel sie selbst in Augenblicken, wo sie beinahe glücklich war. Marie ging die Feldraine entlang, pflückte Laub von den Bäumen und Klee und Bärentatzen von den Wiesenrändern, aber wenn sie mit dem vollen Sack heimkam, riß ihr der Bauer das spärliche Ziegenfutter aus der Hand und leerte es in die Graslaube. Einmal wollte sie das Futter für Julie nicht hergeben, sie stolperte und hielt den Sack fest, und die Bäuerin schleifte sie durch den ganzen Hof. Hat es sich genauso zugetragen? So hatte es sich in ihrer Erinnerung zugetragen, die sie quälte bis zu ihrem Tod, was zählte da die Wirklichkeit. Ich stellte sie mir Hunderte Male vor, an den Haaren durch den Hof geschleift, und ich schämte mich für ihre Ohnmacht. Immer wieder die Geschichten von der Tinte auf der frischgewaschenen Wäsche, von der Bäuerin, die ihr die Bettwäsche von der Leine riß und in die Wasserlachen schmiß, vom Bauern, der neben ihrer Weißwäsche den Ofen kehrte. Warum nur war sie immer von Unmenschen umgeben? Wäschewaschen bedeutete, sich auf der Rumpel die Finger wund scheuern, sich die Hände in der heißen Lauge verbrühen und anschließend im eiskalten Schwemmwasser blau frieren. Der Hohn von allen Seiten, wenn sie am Sonntag in die Kirche ging, schaut sie's an, die Betschwester. Waren die Bauern am Stadtrand die einzigen Bauern im Land, die nicht zumindest aus Neugier in die Kirche gingen? Oder war die Neugier bereits Hohn? Ich habe damals nicht gefragt. Aber sie lernte in langsamen Lektionen, wie man den Haß kultiviert, ausspinnt, verfeinert, sublimiert. Sie ging durch die Siedlungen der Vororte, die ersten neuen Einfamilienhäuser wurden gebaut, ein kleines Stück Grund herum, hoch eingezäunt, der lebende Zaun begann schon, mit den Ziegelmauern zu wachsen. Bettelleut, dachte sie verächtlich, alles Bettelleut, Grund, den man in Quadratmetern mißt statt in Joch, Stadtgesindel. Aber am Abend träumte sie von einem Häuschen am

Stadtrand, wo ihr niemand Tinte auf die Wäsche schütten konnte, weil das Grundstück klein, aber eingezäunt war.

Sie lebten nebeneinander her. Er war immer müde, schlief oft im Sitzen ein. Sie forderte Liebe, was immer sie sich darunter vorstellte, jedenfalls war es etwas, das er ihr vorenthielt. Er liebte sie ja, war das nicht genug, was sollte er denn tun, welche übermenschlichen Anstrengungen verlangte sie denn noch von ihm? Im Bett liebte er sie, wie er eben konnte, sie haßte ihn dafür. Sie fühlte sich mißbraucht und mißhandelt. Ihr Rücken wurde steifer, ihr Gesicht härter, unnahbarer, seine Annäherungen empörten sie. Er zuckte die Achseln, setzte sich aufs Sofa und nickte ein. Was gibt's Neues, fragte sie, wenn er vom Dienst heimkam. Nichts, antwortete er. Sie fühlte sich von der Welt abgeschnitten auf dem Bauernhof am Stadtrand. Mit den Frauen aus der Nachbarschaft zu reden, bedeutete Demütigung und verborgene Bosheit, über die sie dann tagelang grübelte, sie hatte Angst, ihnen zu begegnen. Fahr doch in die Stadt, hast ja eine Freifahrtskarte, schlug er vor. Was sollte sie in der Stadt, kaufen konnte sie ja sowieso nichts, sollte sie vielleicht Häuser anschauen gehen? Lauter Bettelleut, sagte sie, sind ja alles Bettelleut, was soll ich denn dort? Er schwieg, fühlte sich betroffen.

Sie hungerten. Die Lebensmittelkarten reichten nie aus, ihren Hunger zu stillen. Beim Essen hatte Marie nie zu sparen gebraucht, zu Hause war immer etwas in der Speisekammer gewesen, wenn es auch nur Speck, Topfen und Brot war. Einmal sich wieder satt essen können. Einmal wieder etwas anderes als Polenta. Essen wurde zur fixen Idee. Der Hunger war manchmal so unerträglich, daß sie gierig davon träumte, heimlich einen Schweinetrog leer zu essen, die Abfälle einer Bauernmahlzeit, Kartoffelschalen, Brotrinden, Knödelreste, Suppe, Milch. Julie hatte Tuberkulose, sie tranken trotzdem das bißchen Milch, das die Geiß hergab. Einmal in der Woche ging sie mit dem Rucksack Lebensmittelkarten einlösen. Auf dem Heimweg nahm sie das Brot aus dem Rucksack, schweres, wäßriges Brot, und brach ein Stück davon ab, nur das Scherzl, dann noch ein Stück und noch eins, bis es sich nicht mehr auszahlte, das Brot wegzustecken. Als sie zu Hause war, hatte sie die Wochenration für beide aufgegessen.

Sie hielt es nicht mehr aus vor Heimweh und Hunger. Sie fuhr heim. Der Zug war mit Hamsterern überfüllt, Städtern, die für Schmuck, Kleider, Geschirr, was man eben entbehren konnte, bei den Bauern Lebensmittel eintauschten. Marie schämte sich, lauter unterernährte, hohlwangige Gestalten, die apathisch vor sich hin dösten, in deren Augen Hunger stand, wenn sie die Kraft aufbrachten, sie zu öffnen. Unter die Hamsterer war sie gekommen, unter die Habenichtse, die zu den Bauern betteln fuhren, sie, die Bauerstochter aus reichem Haus. Sie fuhr betteln heim und hatte nicht einmal etwas zum Eintauschen. Zu Hause saßen sie bei Tisch, Essen in Hülle und Fülle, eine große Schüssel mit Rahmsuppe, richtiges Brot, das nicht in den Händen zerfiel. Sie saß da, eingehüllt in einen weichen Nebel, nickte ein, schwankte, die anderen redeten auf sie ein, was ist, was habt's gesagt, sie konnte sich nicht konzentrieren, ihr Hirn ging in Kreisen, essen, essen, die Außenwelt taumelte als Schemen vorüber. Wie du ausschaust, sagten sie, Haut und Knochen. Gibst mir was mit? fragte sie gequält vor Scham ihre Schwester. Sie hatte nie gedacht, daß sie so tief fallen konnte, um Essen zu bitten. Wär ja noch schöner, dich und deinen Bettelmann verköstigen, sagte der Vater, was du kriegst, ißt du bei uns in der Stube, mitgenommen wird nichts. Fanni war der Sonntagskuchen mißraten, sie trug ihn auf den Hof für die Hühner. Gib ihn mir, bat Marie. Den Dreck kann doch kein Mensch essen, sagte Fanni, und der Kuchen platschte in eine Wasserlache.

Selten fuhren sie zu zweit heim. Friedl sah noch verhungerter aus als sie, seine Augen waren groß und glasig, seine Lippen zu voll in dem ausgezehrten Gesicht. Daß du uns mit dem Häusler nicht daherkommst, sagten sie zu Haus. Sie gingen zur Schwiegermutter ins Waldhäusl. Aber die Schwiegermutter tat ihr keine Ehre mehr an seit der Hochzeit. Ihr Sohn war unglücklich, er sah aus, als sei er am Verhungern, so ausgezehrt und apathisch war er nicht einmal von der Front zurückgekommen. Aß ihm die Bauerstochter, die nicht ans Sparen gewohnt war, seine Rationen auch noch weg? Wozu hatte er eine von einem reichen Haus geheiratet, wenn ihre Leute jetzt in der Not nicht zubessern halfen, wo sie es doch selbst im Überfluß hatten? Du laßt ja meinen Buben ganz verkommen, sagte sie. Marie schwieg und haßte die Alte. Da, sagte die Schwiegermutter, kannst kochen. Marie zögerte, sie hatte erwartet, als Gast behandelt zu werden. Geh nur her, sagte Friedls Mutter, und auch in ihrer Stimme war Haß und Bitterkeit, geh nur her und brat dich einmal in der Ofenhitze, bist schließlich eine Hausfrau. Im Unterschied zu Maries Verwandtschaft gab ihnen die Schwiegermutter Lebensmittel mit, Zusammengespartes, vom Mund Abgespartes. Das ist aber jetzt für den Friedl, das mußt dem Friedl lassen, schärfte sie Marie ein. Da, sagte Marie zu Hause und warf ihm die Butter auf den Teller, das ist für dich, nur für dich. Er teilte mit ihr, aber sie haßte ihn trotzdem, dafür, daß sie niemanden hatte, den es kümmerte, ob sie hungerte. Sie haßte ihn für den Geiz ihrer Leute und die Feindseligkeit seiner Mutter.

Zur Erntezeit fuhr sie wieder heim. Wenn Kräfte auf dem Feld gebraucht wurden, war sie zumindest geduldet. Sie arbeitete härter als früher, um sich das Essen zu verdienen und für ein paar Eier zum Mitnehmen, einen halben Laib Brot und Speck. Wenn sie sich eine Woche lang bei der schwersten Feldarbeit geschunden hatte, konnte ihr niemand einen Rucksack voll Lebensmittel verweigern. Einmal, als sie als letzte von den Waldwiesen heimkam, saß eine junge Frau am Straßenrand. Sie faßte nach ihrem Arm und las ihr ungefragt die Zukunft aus der Hand, bevor Marie sie ihr noch entziehen konnte. Du wirst bald schwanger werden, sagte die Fremde, du wirst eine Tochter haben, später einen Sohn. Du wirst in einem kleinen Häuschen auf einem Berg wohnen, da wird es dir dann besser gehen als jetzt. Und dann kommt der Tod, du wirst nicht alt werden. Marie entzog ihr die Hand. He, was gibst du mir dafür, rief die Frau. Ich hab nichts, sagte Marie und hob die Hände. Da, was ist das, gib mir diesen Ring, die Fremde faßte nach ihrer rechten Hand. Um Gottes willen, das ist mein Ehering. Dann den anderen. Aber den Verlobungsring mit dem unechten Stein wollte sie auch nicht hergeben für eine Auskunft, auf die sie nichts hielt und um die sie nicht gebeten hatte. Dann sollst du verflucht sein, schrie die Unbekannte, und Marie lief es eiskalt über den Rücken.

Friedl und Marie gingen selten mitsammen fort. Für Wanderungen und Spaziergänge hatte sie nichts übrig. Natur war etwas, was man bearbeitet, nichts zum Anschauen und Genießen. Für diese Städtervorstellung hatte sie nur Verachtung. Er hatte in den zwei Jahren, die er beim Betrieb war, keine Freunde gewonnen, die man einladen oder mit denen man sich treffen hätte können. Niemand hatte genug zu essen, wie sollte man da noch Leute bewirten. Während der Zeit, die er als Reserveschaffner im Mannschaftsraum saß, spielte er mit einigen Kollegen Schach, sonst schwieg er und döste vor sich hin. Er mußte oft zur Fahrdienstleitung, um schweigend einen Anschiß hinzunehmen, die Fahrgäste beklagten sich, daß er Stationen zu spät ausrief oder dieselbe Haltestelle gleich mehrere Male, er gab Geld falsch heraus, er rief, fertig, und der Wagen fuhr los, während noch jemand auf dem Trittbrett stand. Dann saß er zu Hause und brütete düster vor sich hin. Wenn Marie fragte, was ist denn los mit dir, murmelte er, nichts, gar nichts ist los. Sollte er sich von ihr auch noch seine Dienstversager vorwerfen lassen, wenn sie ihm ohnehin schon seine Herkunft nicht verzieh, seine Unfähigkeit, Gefühle auszudrücken und das Elend, in das sie ihm gefolgt war. Aus Liebe habe ich dich geheiratet, weinte sie, aus Liebe bin ich mit dir aus dem Vollen in dieses Loch gezogen, in diese Verfolgung, in diesen Hunger. Du Hungerleider, schrie sie ihn an, dir tut doch das Hungern gar nicht weh, du bist es ja gewohnt. Die Kluft zwischen ihnen wurde immer größer, und sie waren erst ein Jahr verheiratet. Wenn du glaubst, daß du mich als Frau fesseln kannst, bist du im Irrtum, sagte er eisig. Das werde ich dir nie verzeihen, weinte sie und hielt ihr Wort.

Im Fasching gingen sie auf ein paar Kränzchen. Marie kam jedesmal unzufrieden und unglücklich heim. Sie hatte die anderen Frauen neidvoll beobachtet und gedacht, warum sind die lustig, warum werden die von Männern umschwärmt. Die anderen waren herausgeputzt und geschminkt, sie sahen glücklich aus in ihren fadenscheinigen Nachkriegsfähnchen, und Marie war wieder rachsüchtiges Mauerblümchen, nach dem sich keiner umdrehte. Neben ihr saß ihr Mann, er tanzte mit keiner als nur mit ihr, aber seine Blicke folgten auch den anderen Frauen, die lachend und mädchenhaft über die Tanzfläche schwirrten. Er war seiner Frau treu, aber er fragte sich, wie wohl diese feschen, fröhlichen Frauen im Bett waren. Der Alkohol stieg ihnen schnell zu Kopf, denn sie hatten sonst nichts im Magen. Auf dem mitternächtlichen Heimweg lag Feindseligkeit und Bitterkeit zwischen ihnen, aber zu Hause im Bett hatte ihm der Alkohol Mut gemacht. Wenn sie nicht mittun wollte, es ging auch so, er konnte auch ohne sie auf seine Rechnung kommen. Sie spürte, das hat nichts mit mir zu tun, der ist ja weit weg, mußt aufpassen, flüsterte sie ängstlich, aber da war es schon zu spät. Er rollte sich auf seine Betthälfte hinüber und schlief sofort ein, während sie mit offenen Augen dalag und Tage nachzählte. Nur jetzt kein Kind, nur in diese Not und diesen Hunger hinein kein Kind.

Aber es war doch passiert. Sie hatte sich eine Binde untergelegt, weil sie in die Stadt mußte und anschließend die Schwägerin besuchen wollte. Nach ein paar Tagen warf sie die unbenutzte Binde in die Schmutzwäsche, und ihre Angst verdichtete sich zur Gewißheit. Sie war schwanger. Wut, daß er sich nicht hatte beherrschen können, Angst, wie sollten sie ein Kind durchbringen in dieser schlechten Zeit, vielleicht auch ein wenig verstohlene Freude, die heimliche Erregung des ganz Neuen, ein neues Körpergefühl, etwas, das in ihr wachsen und ganz ihr gehören würde. Ein Bub mußte es werden, sie spürte es ganz sicher, es war ein Bub, Erich sollte er heißen. Er würde ein ruhiges, sensibles Kind sein, das sie ganz verstand und von dem sie die Liebe bekommen würde, die sie nur aus ihren Träumen kannte. Sie nahm kaum zu, niemand merkte es, sie hielt es lange geheim. Allmählich wurden sie glücklich darüber und fühlten sich als Eltern vereinter als früher, liebevoller zueinander und zu dem dritten, das ohne Liebe gezeugt nun doch wieder etwas wie Liebe in ihnen erzeugte. Ihr Vater erfuhr es als erster. Ob er sich vorstellen könne, Großvater zu werden, fragte sie ihn geheimnisvoll. Er war siebenundvierzig und würde selbst in Kürze Vater werden. Diesmal würde er das Kind sogar anerkennen, er spielte auch mit dem Gedanken, die Frau zu heiraten, sie war jünger als Marie und eine Kusine von Friedl, die Schwester von Kovacs, dem Zigeuner, der Arbeitsplatz, Wohnstätte und Frauen öfter wechselte als das Hemd und nur dem Wein treu blieb. Die vier Töchter sabotierten den Plan mit derselben Mischung aus Bosheit, Durchtriebenheit und Sturheit, mit der Madga versuchte, Bäuerin zu werden, aber die Töchter gewannen. Das Kind wurde zwei Monate früher geboren als sein erstes Enkelkind, es war ein Sohn, ein Ersatz für die beiden gefallenen Söhne, aber obwohl es den Vornamen seines Vaters bekam, blieb sein Nachname Kovacs.

Je weiter die Schwangerschaft fortschritt, desto depressiver wurde Marie. Sie saß tagelang im Schlafzimmer und weinte. Dann riß sie sich heraus aus der brütenden Lethargie und fuhr heim, damit sie frische Luft und vollwertiges Essen bekam, aber auch dort saß sie hinter dem Gemüsegarten und weinte. Es war Mai, und dieselben Blumenstauden blühten, von denen sie sich vor zwei Jahren das Brautbouquet abgeschnitten hatte, und dieser Rückblick machte sie noch unglücklicher. Die Schwestern, sogar der Vater gingen behutsamer mit ihr um, der Vater machte sogar hie und da einen Witz, der sich auf ihren Zustand bezog, aber sie sah nur Verhängnis und Unglück über sich hereinbrechen, unterbrochen von wilden Hoffnungsphantasien. Sie würde noch mehr abhängig sein mit einem Kind, dem Mann noch mehr ausgeliefert. Es war, als müßte sie ein zweites Mal die Trauung mit ihrer ganzen Unabänderlichkeit über sich ergehen lassen, ein zweites Mal ja sagen, jetzt, wo es keine Illusion von Glück und Liebe mehr gab. Sie klammerte sich an die Vorstellung des Kindes. Das Kind mußte ihr heraushelfen aus dem Elend ihrer Ehe und ihres ganzen Lebens, das Kind, der Sohn, würde ihr nicht nur Trost und Stütze sein, er würde ihr nicht nur die Liebe geben, nach der sie schon fünfundzwanzig Jahre hungerte, er würde sie auch schließlich ganz herausholen in ein Leben voll Reichtum und Ansehen. Er würde alles erreichen, was sie sich nicht einmal erträumen konnte, dafür würde sie ihre ganzen Kräfte einsetzen, sie würde ihm ihr Leben opfern, und er würde sie königlich belohnen. Durch dieses Kind würde sie es doch noch schaffen.

Und wenn es ein Sohn geworden wäre? Hätte sie es dann geschafft? War es die Enttäuschung, die sie von Anfang an gegen die Tochter einnahm? Die Frage aller Töchter, hättest du mich mehr geliebt, wenn ich ein Sohn geworden wäre? Hätte sie Erich auch geschlagen mit ihrer kalkulierten Gründlichkeit, die sich am Schmerzgebrüll des wehrlosen Kindes berauschte? Und wenn sie einen Weg gefunden hätte, ihre Liebe auszudrücken, wäre diese Liebe weniger zerstörend gewesen als ihr Haß, ihr Haß auf das, was ihr ähnelte und ihr Schicksal nachvollziehen würde, ihr Selbsthaß? Später, als Fanni Söhne hatte, auch das hatte sie ihr voraus, und sie Maries Obhut überließ, konnte sie versuchen, sich vorzustellen, wie es gewesen wäre, einen Sohn zu haben. Von allen Menschen hasse ich die Tante Marie am meisten, sagte Burkhardt, Fannis Sohn, später einmal. Warum, fragten wir bestürzt, sie hat dich doch sozusagen großgezogen. Ja, und sie wollte mich kastrieren, rief er. Zuviel unverdaute Psychoanalyse? Burkhardt war ein Bauernkind, er wußte nichts von kastrierenden Müttern, er meinte es wörtlich, und ich erinnerte mich wieder, wie sie das Messer in der Hand gehabt und gelacht hatte, jetzt schneiden wir's weg, schnell, hol ein großes Häfen für das Blut, und der Dreijährige stand zitternd und entblößt in der Ecke. Ich weiß, er hatte mir leid getan damals, obwohl ich es mit keiner möglichen Erfahrung vergleichen konnte. Ich wollte sagen, hör doch auf, ihn zu quälen, aber ich hatte selbst Angst, ich war damals elf.

Der Herbst kam, das Warten wurde ihr unerträglich, ihr Körper wurde immer unbeweglicher, der Rücken schmerzte. Wenn das Kind nicht bald kam, brauchte sie für die kühle Jahreszeit neue Umstandskleider. Am ersten strahlenden Oktobertag, als die Wehen begannen, packte sie ihr Nachthemd in einen Pappkoffer und wartete auf den Mann. Es war eine kühle Nacht, leichter Reif lag auf den Wiesen, sie trug seinen Hubertusmantel über dem Umstandskleid. Mit der Sturmlampe statt der Straßenbeleuchtung, die es so weit draußen am Stadtrand noch nicht gab, gingen sie dann die eineinhalb Stunden ins Entbindungsheim. Wenn die Wehen kamen, setzte sie sich an den Straßenrand und hatte Angst, das Kind könnte jetzt schon, auf der menschenleeren Straße, kommen. Aber es dauerte noch einundzwanzig Stunden. Friedl ging wieder heim, um vor der Frühschicht noch ein paar Stunden zu schlafen. Als um drei Uhr nachmittags das Kind da war, kam er gerade vom Dienst zurück. Ihre langen dicken Zöpfe waren bis in die Spitzen naß vom Schweiß, seien Sie nicht so wehleidig, sagte die Schwester beim Nähen der Risse, alle rothaarigen Frauen sind wehleidig. Die Hebamme hielt das schreiende Baby an den Beinen hoch, ein Mädchen. Oje, ein Mädchen, sagte Marie, und ihr Kopf sank enttäuscht und erschöpft zurück. Das Kind wog fast viereinhalb Kilo. Im Saal richteten sich die Frauen neugierig auf, um die Neue zu begutachten. Ich hab mir ja gleich gedacht, daß Sie vom Land sein müssen, sagte ihre Bettnachbarin später, als man Sie hereingebracht hat, die langen, roten Zöpfe. Sie sprach ein affektiertes Hochdeutsch, und Marie wollte sich am liebsten unter die Decke verkriechen mit ihren Zöpfen und ihrem Bauerndialekt. Stunden später brachte man ihr das Kind zum Stillen. Es hatte große braune Augen und starrte sie unverwandt an. Du Geißlein du, sagte Marie, und die Situation war ihr fast peinlich. Da lag dieser Säugling und starrte sie an und war ihre Tochter. Ich bin deine Mutter, dachte sie, und alles wurde noch unwirklicher. Einen Namen mußte man jetzt finden, sie hatte ja nicht an die Möglichkeit einer Tochter gedacht. Erika? Nein, im Nachbardorf gab es eine Erika, und die ging mit den Russen ins Bett. Brigitte, schlug sie vor, nein, Friedl hatte eine Brigitte gekannt, und die hatte ihn sitzenlassen, das war, bevor er Marie kennengelernt hatte. Vera, sagte Marie plötzlich, und erinnerte sich an das schwarzhaarige Flüchtlingsmädchen, das zart wie ein Porzellanpüppchen im Hof gestanden war und sie angestarrt hatte, mit genauso großen braunen Augen wie dieses Neugeborene. Kann ich dir helfen, hatte das Mädchen gefragt, als Marie die Zehnliterkannen voll Milch aufhob und beim Hoftor hinausgehen wollte. Marie hatte nicht gewußt, was sie sagen sollte, denn es hatte sie noch nie jemand gefragt, ob sie Hilfe brauchte, und das Mädchen hatte ihr eine Kanne aus der Hand genommen und war hinter ihr zum Dorfstand gegangen. Sie hatte die Kanne alle paar Schritte abstellen müssen, und die letzten Meter hatte sie dann überhaupt nicht mehr geschafft, aber Marie war überglücklich gewesen, gerade weil es für die Fremde eine so große Anstrengung gewesen war. Ich heiße Vera, hatte sie gesagt und ihr die Hand hingehalten, als sie beide an die Milchbank gelehnt verschnauften. Für einen Augenblick war Marie von einem warmen Gefühl der Dankbarkeit, Zuneigung und des Beschützenwollens erfüllt gewesen. Hätte sie gewußt, was Freundschaft war, wäre ihr dieses Gefühl nicht so unheimlich gewesen, aber da sie nie eine Freundin gehabt hatte, blieb sie sprachlos und hilflos dieser Verehrung gegenüber, die sie für dieses fremde Mädchen empfand. Vera wird sie heißen, sagte Marie mit Bestimmtheit, und der Vater füllte am Abend die Formulare aus. Er hatte den Namen noch nie gehört, aber wenn sie eine Vera wollte, von ihm aus.

Marie bekam eine Brustentzündung und hohes Fieber. Die Schmerzen der harten, eiternden Brüste, die vor Milch zu platzen schienen, ohne daß sich auch nur ein Tropfen Milch herauspressen ließ, empfand sie als unerträglicher als die Geburt. Ihre ältere Schwester Fanni war gekommen, um für den Anfang auszuhelfen, kochen, das Kind versorgen, Windeln waschen. Sie sollte auch die Taufpatin sein. Aber Fanni genoß ihren Urlaub von zu Hause und hatte auch bald einen Verehrer gefunden, mit dem sie jeden Abend tanzen ging. Die übrige Zeit verbrachte sie in der Stadt, und wenn sie nach Mitternacht zurückkam, war sie so müde, daß sie auch vom Schreien des Kindes nicht aufwachte. Marie lag schwach und mit hohem Fieber im Bett und empfand nur Irritation und Wut auf das schreiende Kind, das sie zu jeder Tages- und Nachtzeit aus dem Schlaf riß. Beim Stillen hätte sie schreien können vor Schmerz, und wenn sie fertig war, schrie das Kind schon wieder, schrie, schrie, schrie. Die Nachbarn klopften an die Wände, da kann ja kein Mensch schlafen, die Bäuerin kam ohne Anklopfen herein und drohte mit fristlosem Hinausschmiß, wenn das Kindergeschrei nicht sofort aufhörte. Marie und Friedl wechselten einander ab, sie trugen das Kind Nacht für Nacht, jeder zwei Stunden lang. Wenn es sich beruhigte, legten sie es in den Wagen, aber kaum stand der Wagen, setzte das Schreien wieder ein. Sie schoben den Wagen hin und her, von Wand zu Wand, und manchmal, wenn Erschöpfung und Wut sie übermannten, stieß Marie ihn gegen die Wand, bis das Kind durch den Anprall herausfiel.

*

Kindheitserinnerungen. Das düstere, feuchtkalte Schlafzimmer. Die Gitterstäbe, die den Hof draußen in lange

Streifen zerschneiden. Die Wände sind sehr hoch und grau. Die Betten der Eltern noch nicht gemacht. Ich liege in einem grüngestrichenen Gitterbett und warte auf den Tag, der nie ins Schlafzimmer kommt. Der Tag ist draußen in der Küche.

Der Handtuchhalter ist weiß gestrichen und hoch oben an der Wand befestigt. Meine Mutter hebt mich hinauf. Ich sitze auf dem Kaisersitz. Mama und ich lachen.

Ich sitze in der Kredenz. Es ist mein Haus. Ich mache die Tür zu, und es ist finster. Das Geschirr habe ich ausgeräumt.

Wo ist der Schlüssel, fragt Mama, wo hast du den Schlüssel versteckt? Schlüssel weg, sage ich und will weiterspielen. Sie hält mich am Arm, daß es weh tut, wo ist der Schlüssel, bring sofort den Schlüssel her, sagt sie drohend. Ich habe Angst, aber keine Erinnerung an den Schlüssel. Schlüssel weg, sage ich weinend, während sie mich hin und her schüttelt. Ich möchte ihr ja helfen, aber ich weiß auch nicht, wo der Schlüssel ist, und ich weiß nur diese zwei Worte dafür, Schlüssel weg. Beim Kochen findet sie den Schlüssel im Mehltopf vergraben.

Die Sonne scheint auf den Hof. Mama hängt die Wäsche auf, riesige weiße Tücher mit Löchern drin. Durch diese Löcher hindurch spiele ich mit dem Nachbarmädchen Verstecken.

Ich habe ein Schaukelpferd aus einem weißen, glänzenden Stoff. Es steht in der Ecke neben dem Küchentisch. Die Aggerl Lini vom Nachbarn, die um einige Jahre älter ist als ich, ist auf Besuch da. Ich führe ihr meine Reitkunst vor, ich reite auf dem weißen Pferd und bin die Prinzessin. Da wirft mich das Pferd ab, aber ich weine nicht, denn Prinzessinnen weinen nicht.

Schnee, nichts als Schnee, in weiten Hügelwellen zum Dorf hinunter. Es ist Abend, und der Schnee ist ganz unwirklich blau, christkindblau, am letzten Hügelband haftet noch ein verwaschenes Rot. Ich sitze dick eingepackt in einem Schlitten, er fährt, und Papa zieht ihn, eine endlose Fahrt in den blauen Abend hinein. Nie habe ich mich geborgener gefühlt.

Abendliche Zugfahrten. Ein vernebeltes Coupé mit Gasbeleuchtung, der Zug bleibt mit einem Ruck stehen, oft mitten auf der Strecke, fährt mit einem Ruck wieder an. Die beleuchteten Fenster sind für mich weiße Leintücher, die während der Fahrt auf dem Bahndamm flattern. Landschaften, die ich später auf derselben Strecke vergeblich suche, magische Landschaften. Mama darf man während dieser Fahrten nicht belästigen, ihr ist schlecht. Gegen Ende der Fahrt, meist wenn die Donau in Sicht kommt und die Lichter am anderen Ufer ins Wasser züngeln, reißt sie plötzlich das Fenster auf und übergibt sich auf den vorbeifahrenden Bahndamm. Ihr wird immer nur auf der Heimfahrt in die Stadt schlecht.

Zugfahrten bei Tag von der Stadt nach S. Die panische Angst vor dem Zug. Das zischende Ungeheuer, das vor die Waggons gespannt ist, weißer Dampf kräuselt sich um die Räder und die Stangen an seiner Unterseite, ich brülle jedesmal, wenn wir in den Zug einsteigen. Unterwegs ziehen dunkles Unterholz und hellgrüne Wiesen vorbei, ich stehe am Fenster und singe. Aber wenn es dunkel geworden ist und man aus der dampfenden Wärme des Coupes herausmuß, ist der Zug wieder ein böses Tier und die Panik in der Dunkelheit noch größer. Im überfüllten Postauto sitze ich auf Mamas Schoß, die Deckenbeleuchtung macht den Bus gemütlich, die Laute sind anders als in der Stadt, breiter, guttural. Es riecht nach Stall. Mama ist glücklich, ich fühle es, wie ich auf ihrem Schoß sitze, und ich werde auch glücklich, wenn das Licht im Postauto ausgeht und es ganz finster und warm in Mamas Armen wird.

Der Bauernhof, der sich heimatlicher anfühlt als die Wohnung in der Stadt. Die abendliche Stube, warm wie ein Kuhbauch, wenn es draußen schon dunkel wird und die Vorhänge noch nicht zugezogen sind. Nur das Feuer im Herd, das durch die Ritzen der Ofentür flackert, die huschenden Katzen und die schattenhaften Heiligenbilder über dem Tisch. Draußen das dumpfe Muhen des Viehs, das Kettenrasseln und das schwere Klampfen der Holzschuhe auf den Steinstufen. Später das schweigende Hantieren der Bäuerin am Herd und das Summen der Milchmaschine mit dem süßlichen Geruch frischer Milch. Die Erwachsenen sind große, klobige Schemen, denen man nicht unter die Füße kommen darf. Sie schlurfen schweigend zum Fensterbrett, wo die Mostgläser stehen, und lassen sich schwer am Tisch nieder. Das Tischtuch ist eine schmutzige Gebirgslandschaft, in deren Tälern das verkrustete Besteck liegt, und irgendwo weit entfernt, in der Mitte des Tisches die große Aluminiumschüssel mit der Rahmsuppe und den Brotbrocken. Unter dem Tisch huschen die Katzen. Wenn eine auf die Bank springt, wird sie mit dem Ellbogen hinuntergestoßen. Am Ende der Mahlzeit die verwischten Kreuzzeichen auf Stirn und Mund und ein eintöniges, unendlich beruhigendes Gemurmel, bei dem man einschlafen hätte mögen, in Frieden ruhen, Amen. Monika und ich bekommen unsere Milch später. Wir müssen uns auf das verbeulte Sofa legen, jede in eine Ecke, und die gezuckerte Milch aus der Flasche trinken. In der Nacht führen wir einen schweigenden und verbissenen Kampf um die Decke. Wir sind gleich alt und liegen im selben Gitterbett. Später, als die Kämpfe laut werden und wir die Erwachsenen aufwecken, nimmt mich Mama zu sich ins Bett. Wir schlafen dann in der guten Stube, aber da ist es immer kalt, und wir ziehen einander im Schlaf wieder die Decke weg. Am Morgen sind wir dann böse aufeinander.

An Samstagen werden wir gebadet, bevor sich die Erwachsenen baden. Wir werden beide zugleich in einen großen Holzbottich gestellt und mit heißem Wasser abgeschrubbt. Angela, die Monikas Mutter ist, sagt beim Schrubben, da sieht man halt, daß meines ein Kind der Liebe ist. Monika ist stämmig und hat blonde Locken, richtiges Christkindlhaar. Ich bekomme schon sehr früh das Gefühl, daß sich Mama mit mir schämt. Ich bin ein mißratenes Kind und schäme mich auch.

Im Winter zieht man uns in der eiskalten Dunkelheit des Morgens Overalls an. Wir stehen im Gitterbett und klappern mit den Zähnen und wünschen uns nichts sehnlicher, als wieder unter die Decke kriechen zu dürfen, sogar zu zweit. Im Sommer wachen wir vom Klappern der Milcheimer und den schweren Tritten der Gummistiefel auf. Die Gummistiefel stehen dann mit nassem Gras verklebt dem Gitterbett gegenüber an der Ofenseite, während die Erwachsenen am Tisch Milchsuppe essen. Wenn uns eine der Frauen im Haus aus dem Bett holt, geht es ihr nie schnell genug. Wir stehen verschlafen mitten in der Stube und bekommen lauwarme Milch mit großen Milchhautfetzen, die die Flaschenöffnung verstopfen. Dann wird uns ein eiskaltes Tuch ins Gesicht geklatscht, und irgendwie kommen wir dann auch in unsere Kleider und sitzen zähneklappernd auf der Seitenbank des Leiterwagens, der mit einem abenteuerlichen Ruck zum Hoftor hinausschießt und die Dorfstraße hinunterholpert. Vor den Leiterwagen sind Ochsen gespannt, und auf dem Bretterboden liegen die Sensen und Rechen und das Mittagessen, in ein Tuch eingebunden. Jedesmal, auch später, als ich längst ein Stadtmädchen bin, erfüllt mich die Erwartung grenzenlosen Abenteuers, wenn wir in aller Früh im Leiterwagen die sonnige Dorfstraße hinunterfahren und zum Wald abbiegen. Wenn die Erwachsenen auf einer Wiese in Dorfnähe arbeiten, setzt man Monika und mich in einen Handwagen. Manchmal, wenn wir ganz früh aufstehen, dürfen wir auch Grasmähen mitgehen und werden auf der Scheibtruhe inmitten des taufeuchten Grases heimgefahren. Wenn das Heu heimgebracht wird, hebt man uns auf die hochgetürmten Fuhren, und wir schaukeln hoch über den Köpfen der Ochsen beim Hoftor hinein.

Es gibt lange Vormittage an schattigen Bächen, über die die niedrigen Büsche hängen. Manchmal bringt uns ein Knecht einen jungen Hasen, ein kleines, graubraunes Knäuel mit zitternden Flanken und bebenden Nüstern. Ich sehe nie viel von Mama, wenn wir auf dem Bauernhof sind. Sie ist eine vage Gegenwart mit kräftigen Armen, einem Kopftuch und sonnenverbrannter Haut, die man auf den Armen in Streifen abziehen kann. Sie hat nie Zeit, und ihr strenges, abweisendes Gesicht gibt drohende Befehle aus. Nicht in den Stall gehen, nicht weglaufen, nicht unter dem Leiterwagen spielen! Sie setzt mich an den Rand der taunassen Wiese am Bachrand, das Bündel mit dem Mittagessen neben mir. Daß du dich ja nicht wegrührst! Die Waldwiese ist groß und unheimlich still. Rundherum Wald. Langsam wandert der Baumschatten weg von mir. Die Sonne beginnt zu brüten, die Grillen zirpen immer durchdringender, die Hitze zittert über dem Feld, mein Kopf dreht sich, mir wird schlecht, ich bekomme keine Luft mehr, man hat mich vergessen. Die Sonne malt bunte Kreise in die Luft, die Grillen schrillen wie Sirenen. Als ich wieder zu mir komme, liege ich unter der großen Haselnußstaude mitten in der frisch abgemähten Waldwiese, der Mittagsstaude, und Mama gibt mir eiskaltes Quellwasser zu trinken.

Ich hatte Angst vor den Tieren. Ich ging nicht gern in den Stall. Erst später, als ich mich zwang, das verschüttete Bäuerliche in mir wiederzuentdecken und meine vermeintlichen Wurzeln, atmete ich die dumpfe Stalluft ein und ließ mir von den Kälbern die Finger beschnuppern. Mit heimlicher Genugtuung beobachte ich meine Tochter, wenn sie zwischen den wohlmeinenden Händen ihrer Großtanten durchschlüpft und schreiend vor dem Muhen der Rinder davonläuft. Ich hatte Angst vor dem Kettenrasseln und dem dumpfen Stampfen der Hufe. Der Stallboden war feucht, und wenn man ausrutschte, hatte man braune Flekken auf den Kleidern und bekam Schelte. Aber ich saß gern in den leeren Kälberboxen, die ganz schmal waren und weich ausgepolstert mit kleingehäckseltem Stroh, und wenn einen niemand entdeckte, konnte man in der dunklen Wärme hocken, von den großen Rindern durch einen Mittelgang getrennt, und den warmen, stechenden Geruch einatmen. Auch das war ein Erlebnis von Geborgenheit. Verstecke gab es viele, und den Erwachsenen war man überall im Weg. Für fast alles, was man auf eigene Faust machte, gab es Strafe, vom Übers-Knie-Gelegtwerden zum Eingesperrtwerden in die schwarze Küche, wo im übrigen das Brot gebacken wurde. Monika und ich saßen am liebsten in der Getreidekammer und gruben uns tief in die Getreidekörner ein. Wenn ein Haufen zu klein war, holten wir uns Körner von einem anderen Haufen. Wir spielten mit dem Getreide, wie andere Kinder mit Sandhaufen spielen. Daß die verschiedenen Haufen verschiedene Getreidesorten waren und man Hafer nicht mit Weizen mischen durfte, erfuhren wir erst, als man uns in der Stube verdrosch.

Beim Saustechen stand ich Todesängste aus. Ich verbarrikadierte mich mit Kinderwagen, Sesseln und Schemeln im entlegensten Stubenwinkel, wenn das durchdringende Kreischen und Quietschen im Hof tobte. Erst wenn die Frauen mit den blutigen Zubern und Trögen hereinkamen und der Ofen fauchte, kroch ich heraus. Nachher baumelte tagelang die Schweinsblase vom Plafond. Monika gedieh besser in dieser Umgebung als ich. Sie stand im Gitterbett und tanzte Samba, Bimbo, Bimbo, bist ein kleines Negerlein ... Die Erwachsenen waren entzückt. Das ledige Kind von Maries jüngerer Schwester, das Kind der Liebe, der Bankert, der ihnen die Schande unehelicher Zeugung ins Haus gebracht hatte, lachte, sang und war Großvaters Liebling. Und ich, das Kind ehelicher Pflichterfüllung, saß dunkeläugig und schmal in einer Ecke und schmollte, weil mich niemand mochte. Sonderbarer Mensch, sagte der Großvater angewidert. Er hatte die ersten Pflaumen des Sommers in der Tasche, und wir standen erwartungsvoll auf den Hausstufen, um sie in Empfang zu nehmen. Aber nur Monikas Hände wurden voll, und ich setzte mich in die Graslaube und weinte. Ich schmiegte mich an Mama, weil ich mich ungeliebt und verstoßen fühlte, aber auch sie stieß mich mit den Ellbogen weg wie eine lästige Katze. Laß mich doch, siehst du denn nicht, daß ich ganz verschwitzt und erschöpft bin? Ich setzte mich ans andere Ende der Bank und kämpfte mit den Tränen. So ein ungutes Kind, sagten die anderen, und Mama schämte sich meiner. Auf dem Bauernhof lernte ich, daß ich ungeliebt und im Weg war.

*

Wie weit muß ich mich zurückerinnern, um mich an Liebe zu erinnern, an Zärtlichkeit und Geborgenheit, die nicht aus den Dingen sondern von Menschen kam. Später erzählte mir meine Mutter oft, wie ich mit neun Monaten die Fraisen hatte. Sie erzählte es, um mir meine Undankbarkeit vorzuhalten, damit ich es nie vergaß, daß ich ihr das Leben doppelt verdankte, damit der Dank nie ein Ende nehme. Die Eltern waren auf einem Betriebsausflug in den Bergen gewesen. Es gibt ein Foto von diesem Ausflug, sie sitzen nebeneinander auf einer Almwiese, ein junges Paar. Meine Mutter war damals siebenundzwanzig und trug ein Dirndl. Ihre Figur war voller als früher. Sie sitzen nebeneinander in der Sonne, das erste Mal seit neun Monaten wieder frei und allein. Aber in ihren Gesichtern liegt dieselbe wortlose dumpfe Trauer wie auf dem Hochzeitsfoto. Er sieht sie an, fragend, fast bittend und wissend um die Vergeblichkeit seiner halben Wendung zu ihr hin. Sie starrt vor sich hin, abwesend, mit einem vagen Lächeln für den Photographen. Wie nach einer Versöhnung, die nichts geheilt und nichts gelöst hat. Damals nannten sie einander wohl noch beim Vornamen. Manchmal, als ich noch klein war, hörte ich ihn beim Heimkommen Mizzi rufen. Liebste Mizzi, steht auf den Feldpostkarten. Später nannten sie einander Mama und Papa, auch wenn sie miteinander stritten. Das Kind hatten sie bei einer Schwester, die damals jung verheiratet war. Aber das Kind hatte geschrien, als sie am Morgen weggingen, und es hatte noch nicht zu schreien aufgehört, als sie am Abend wieder heimkamen. Am nächsten Tag kamen die Krämpfe, die kleinen Glieder ballten sich, die Lippen wurden blau, es rang nach Luft. Marie lief mit dem Kind hinaus in die Luft, ein kleines Bündel mit verrenkten, verkrampften Händen und Beinen. Die Nachbarinnen standen herum und hatten alle eine Meinung, einen unbrauchbaren Rat. Und plötzlich lösten sich die Krämpfe, und das Kind lag schlaff und leblos in ihren Armen. Jetzt stirbt's Dirnderl, sagten die Nachbarinnen und nickten mit den Köpfen, jetzt haben's ein Engerl im Himmel. Nein, schrie Marie, nein, und fuhr mit dem Bus zum Arzt, so wie sie war, in Holzschuhen, Wochentagskleid und Drillichschürze. Das Kind kam davon und war zu Dank verpflichtet, zu so viel Dank, daß er durch nichts, ein ganzes Leben lang nicht, abgezahlt werden konnte. Was hast du denn Besonderes getan, zum Doktor bist halt gelaufen, sagte ich später einmal. Sie wandte sich schweigend und beleidigt ab und fand bald Gelegenheit, mich für meine frechen Antworten zu schlagen.

*

Marie wurde füllig. Sie verbrachte viel Zeit auf dem Bauernhof mit dem Kind, und sie konnte nicht mehr aufhören, den Hunger der ersten Nachkriegsjahre zu stillen. Es gab wieder mehr zu essen, auch auf Lebensmittelkarten. Aber Friedl war noch immer hager und hohlwangig. Mit der Schwiegermutter hatte sie offenen Krieg. Du läßt meinen Buben ganz verkommen, der ist ja immer allein, grad wie wenn er nicht verheiratet wär, klagte die Alte sie an. Ich tu's ja nur wegen dem Kind, die feuchte Wohnung, das schlechte Essen, hier hat sie die frische Luft und gute Bauernkost. Später hörte sie überhaupt auf, sich zu verteidigen. Sie ging nicht mehr hinauf in die Waldhäusln. Wie sollte die Alte verstehen, daß sie tagelang in der Stadtwohnung saß und weinte, nichts als weinte und nicht mehr aufhören konnte, daß sie nicht einmal die Kraft und den Mut aufbrachte, das Kind anzuziehen und mit ihm spazierenzufahren. Sie hatte Angst vor der Stadt, vor den Leuten, eine unbestimmte Angst, die ihr immer als Druck auf der Brust saß. Wie sollte sie sich diese Angst erklären? Wenn sie mit dem Kinderwagen ausging, verpackte sie das Kind so tief und fest in Decken und Tücher, daß es kaum atmen konnte. Niemanden ließ sie in den Wagen schauen, sie zuckte zusammen, wenn jemand sagte, so ein hübsches Kind, schau die großen braunen Augen. Jemand konnte unter den Bewunderern sein, der ihr das Kind »verneidete«. Sie hatte Angst vor dem bösen Blick, ebenso wirkliche und konkrete Angst wie davor, daß sich das Kind verkühlen und den Tod holen konnte. Das Kind war ihr einziger Besitz, den sie eifersüchtig, ängstlich bewachte und ständig bedroht glaubte. Als sie das Neugeborene von der Klinik heimbrachte, durfte es niemand tragen außer ihr. Sie fürchtete, jemand würde es fallen lassen. Aber sie hatte selbst eine Scheu davor, es zu halten, deshalb schnürte sie es in den Wickelpolster ein, da war es sicher. Sie wachte düster und besorgt über dem Gitterbett, bis sie den Druck der Angst nicht mehr aushielt und den Kinderwagen mitsamt seinem schreienden Inhalt in hilfloser Verzweiflung gegen die Wand stieß. Dann saß sie stundenlang am Küchentisch und weinte. Jeden Winter war das Kind krank. Im November bekam es Bronchitis und wurde den Husten und die Atemnot bis März nicht mehr los. Als ich mit fünf Jahren durchleuchtet wurde, stellte der Arzt vernarbte Kavernen in der Lunge fest. Sie steckte mich mit dem Kopf unter eine schwere Decke und zwang mich, über einem Wasserbottich den heißen Dampf einzuatmen. Tief einatmen, sonst gibt's Schläge. Sie steckte den Kopf unter die Decke und inhalierte mit, das machte die Angst in der engen, dampfenden Finsternis noch ärger. Tagelang ging sie durch die Wälder, das Kind auf dem Rücken, und pflückte junge Tannentriebe, aus denen sie dann einen Absud kochte, gut für die Lunge, reine Natur. Alles für das Kind. Aber das Kind war undankbar, schrie viel, war blaß und mager und unzugänglich. Sonderbarer Mensch, sagte der Großvater. Sie schaute ihr Kind an, wie es still und düster neben Monika, dem quecksilbrigen kleinen Sonnenscheinchen, saß, und mußte ihm recht geben. Es tat ihr weh, ihre Aufopferung so wenig belohnt zu sehen, so viel Undank zu ernten. Das kam davon, wenn man ein Kind hatte von einem häßlichen, temperamentlosen Mann. Sie geht halt dem Vater nach, ist ihm ja auch wie aus dem Gesicht geschnitten, seufzte sie und ging weg, weil sie den Anblick nicht mehr ertrug, oder sie begann, an mir herumzunörgeln, weil ich ihr für all die Mühe so wenig Freude machte. Sie liebte mich mit verzweifeltem Masochismus, sie haßte mich dafür, nicht die spontane Erfüllung aller ihrer Träume zu sein.

Nach vier Jahren in der feuchten Mietwohnung beim Bauern lasen sie ein Inserat in der Zeitung. Häuschen am Stadtrand zu verkaufen, Pachtgrund, der Preis des Hauses war erschwinglich, der ließ sich abzahlen in einem oder zwei Jahren. Es lag am anderen Ende der Stadt, weit weg von dem Schauplatz ihrer Anfangsniederlagen. Möglichkeit für einen Neubeginn. Ein kleines Blockhaus, fünfundzwanzig Quadratmeter, ein Raum mit Kochnische und Klo ebenerdig, über eine Hühnerleiter kletterte man in die zwei Schlafzimmer. Marie war große, hohe Räume gewohnt, in diesem Haus konnte man den Plafond mit der ausgestreckten Hand erreichen. Es war ihr, als müßte sie in eine Hundehütte hineinkriechen, aber es gab Fließwasser im Haus, und niemand konnte sie hier bespitzeln und mißhandeln. Der Pachtgrund war groß. Da könnten wir uns Hühner halten, sagte sie, vielleicht auch Hasen oder gar eine Ziege. Die Besitzer, Flüchtlinge aus Ungarn, wollten nach Amerika auswandern. Der Vorstellungsbesuch beim Grundbesitzer dauerte endlos. Ich stand an der Hand meiner Mutter in einem schmalen Gang neben einer Kommode. Wir wurden in keines der Zimmer vorgelassen. Sei still, hieß es, stillstehen. Einen guten Eindruck machen. Wenn du jetzt still bist, gehen wir nachher die kleinen Häschen anschauen. Ich war still und wartete ungeduldig auf die kleinen Häschen. Am Ende gingen wir weg, ohne irgendwelche Häschen gesehen zu haben. Ich fühlte mich betrogen, auch das neue Haus konnte mir gestohlen bleiben.

Das Geld borgten sie sich von ihrem Vater und von Rosi, die jetzt Schneidermeisterin war und in der Bezirksstadt einen eigenen Betrieb aufgemacht hatte. Wir fuhren oft zu ihr auf Besuch, wie der Bauernhof ein Vorwand, um aus dem feuchten, verhaßten Loch herauszukommen. Die Schneiderwerkstätte war zugleich ihre Wohnung. Sie schlief hinter einem Vorhang, der das Bett vor den Kunden verbarg, und hatte eine Wohnecke mit Kaffeetisch im Kabinett. Eine sturmfreie Bude, nannte es meine Mutter mit einer Mischung aus moralischer Entrüstung und Neid. Rosi hatte Männerbesuche. Sie besaß einen Plattenspieler, auf dem sie uns Musik zum Träumen vorspielte, Wo der Wildbach rauscht, dort im grünen Wald, und: Der alte Schloßteich mit den weißen Schwänen. Traumfabrik, beschwingt und ohne die Düsterkeit, die ich von zu Hause kannte. Ich fühlte mich wohl dort, meine Mutter auch, sie war lebhafter, jünger in der sturmfreien Bude ihrer Schwester bei einem Gläschen Cognac, das ihr schnell zu Kopf stieg und sie meine Gegenwart vergessen ließ, während meine Tante Anekdoten aus ihrem Intimleben erzählte. Rosi schneiderte für uns, die hellen, geblümten Kleidchen mit Rüschen, Mascherln und Smokbesatz, die nicht schmutzig werden durften.

Im Herbst zogen wir in das neue Haus. Ich war drei Jahre alt und durfte das erste Mal allein im Freien spielen. Unbeaufsichtigt konnte ich hier durch den Wald unterhalb des Grundstücks streifen, hohle Bäume in Besitz nehmen und als Baumhäuser einrichten, mit aufgeweichten Schuhen im Bach waten, den strengen Vorschriften meiner Mutter entzogen. Ich richtete mir ein Traumparadies ein, zu dem niemand Zutritt hatte. Ich spielte allein beim Holzstoß hinter dem Haus oder drunten im Wald, baute Sandburgen aus dem feinen Donausand, der vom Betonieren übrigblieb. Mein Vater war auch wortlos glücklich, er zimmerte Holzlaube, Waschküche und Hühnerstall neben dem Haus, betonierte Böden, legte Wasserleitungen und Abflußrohre.

Es ging aufwärts, ein eigenes Heim, mehr zu essen, weniger Streit. Die Eltern pachteten zu einem Spottpreis ein Stück Gemeindegrund in den Donauauen. Man konnte soviel Land haben, wie man urbar machen konnte. Auch dieser Fleck wurde für mich ein Stück Märchenland. Hinter den Erlen gluckste das Wasser. Nach der Schneeschmelze riß es an ihren Wurzeln und schleifte die Zweige in grauen Strudeln mit sich. Davor ein Streifen Garten, dem Fluß jedes Jahr neu abgezwungen für Gemüsebeete und Kukuruz, die das Wasser dann wieder mitnahm von Zeit zu Zeit, feinen Wellsand hinterlassend, in den man die Zehen tief eingraben konnte. Dünenlandschaften, in die man einsank, Sandburgen, die der Wind in den Fluß trieb. Ein Kukuruzfeld, mannshohe Schäfte, und die Sonne schoß Lichtspeere zwischen die fleischigen Rispen, ein Urwald, in dem man sich verstecken konnte und geborgen war. Auf der anderen Seite der Erlen, am Weg mit den tiefen Fahrspuren, hatte mein Vater einen Holzschuppen gebaut, er baute mit Vorliebe Holzschuppen. Es war dunkel drinnen, zwischen den Geräten und alten Kleidern, eine Spiegelscherbe hing an der Wand, darinnen war ich die verzauberte Wasserfee, die sich Blindschleichen durch die Finger gleiten ließ und runde, bunte Steine. Im Sommer gab es frisches Gemüse aus »unserem Garten«, und bald gab es frische Eier von »unseren Hühnern«. Am Wegrand leuchteten »unsere Blumen«, und ich hielt mich an der Gartentür fest und schaukelte hin und her, es war unser Garten. Meine Mutter war glücklich, sie konnte mit ihren Händen ihr eigenes Land bearbeiten, und alles wuchs unter ihren Händen. Sie arbeitete so selbstvergessen, wie ich in meinem Reich lebte, in ihrem blauen Trägerkleid mit nackten Schultern und sommersprossig gebräunten Armen, die Haare unter ein Kopftuch gebunden. Sie sah nicht die Blicke der Männer über den Zaun, die an ihrer fülligen Gestalt hängenblieben, und nicht die eifersüchtigen Blicke ihrer Frauen. Du kannst mich nicht fesseln, hatte der einzige Mann gesagt, vor dem sie sich jemals ausgezogen hatte, wie sollten dann andere mehr an ihr sehen als eine menschliche Arbeitsmaschine. Sie Luder, schämen Sie sich nicht, schrie ihr eine Frau aus dem Fenster nach, als sie sich am Wegrand die Schuhe zuband und sich in ihrem blauen Trägerkleid vorbeugte. Friedl mußte sich diese Frau vornehmen und ihr Maries Meinung sagen. Muß sie sich denn vor unserem Fenster produzieren, daß man ihr reinsieht bis zum Geht-nicht-mehr, und meinem Mann fallen die Augen raus, er steht schon jedesmal am Fenster, wenn sie vorbeikommt, beklagte sich die Frau, und Friedl schwieg betreten und entschuldigte sich. Für Marie begann eine neue lebenslängliche Feindschaft.

Es ging aufwärts. Jeden Morgen gingen wir zum Bauern um frische Milch, der Vater brachte von der Süßwarenfabrik Säcke voll Waffelbruch heim, Abfälle vom Fließband, die man an bestimmten Tagen billig oder umsonst haben konnte, Käserinden, mehlige Waffelreste. Man brauchte bei den Lebensmittelkarten nicht mehr zu verhungern, und bald brauchte man gar keine Lebensmittelkarten mehr. Es blieb manchmal sogar Geld übrig, um kleine Träume zu erfüllen. Marie konnte sich endlich die Haare schneiden und färben lassen. Niemand mehr sollte sie Rotschädel nennen, solang sie lebte, und niemand sollte an ihren dicken Zöpfen erkennen, daß sie vom Land sei. In die Kirche trug sie elegante Kleider, Hüte und ein hochmütiges Gesicht. Zu Hause ging sie in Holzschuhen, die Haare unter dem Tuch hochgebunden und eine Drillichschürze um den nun schon mehr als fülligen Körper. Sie mußte noch immer ihren unersättlichen Nachkriegshunger stillen und wurde dick dabei. Eine stattliche Frau, sagten die Leute. Friedl setzte kein Fleisch an. Ihr Mann schaut aber unterernährt aus, sagte hie und da jemand. Ein komisches Paar, wenn sie am Sonntag Arm in Arm in die Kirche gingen, das Kind an der Hand, mit weißen Strümpfen und schwarzen Lackschuhen und einem Kleidchen aus juckender Wolle, das obendrein nicht schmutzig werden durfte, weil es einen halben Monatslohn gekostet hatte. Dafür lebte sie, daß die Leute Respekt vor uns haben, daß wir angesehen sind in der Pfarre, daß die Leute nichts sehen, daß die Leute nichts über uns zu reden haben. Hochmütig lächelnde Fassade, teure Kleiderstoffe, die in den teuersten Geschäften gekauft und in fünf Jahren nicht gewaschen wurden, denn auf Sonntagskleider paßt man sich auf, die zieht man aus, kaum daß man bei der Haustür drinnen ist. Zwangsjacken von solidem, bürgerlichem Geschmack, mit denen man sich Ansehen unter den Leuten erkauft, und zu Hause aßen wir Waffelbruch, in den Magen sieht einen niemand hinein. Die größte Auszeichnung wäre es gewesen, wenn Friedl einer der vier Männer gewesen wäre, die zu Fronleichnam den Himmel trugen, aber er war schmächtig, er stellte nichts dar, er war nur ein Schaffner. Manchmal sagte noch jemand Bettelweib, und meinte sie, trotz der blütenreinen Kleider und der Hüte am Sonntag. Kaufen sie dem armen Kind doch Fallobst, gibt's jetzt billig auf dem Markt, sagte eine Nachbarin und hatte sich damit Maries ewigen Haß eingetragen. Sie sagte nichts, sie wehrte sich nie, nur jedesmal verhärteten sich noch ein paar Muskeln in ihrem verschlossenen Gesicht. Nach jedem Mal strengte sie sich noch mehr an, durch ihre Erscheinung, ihre Hoheit, ihre Unnahbarkeit, ihren guten Geschmack, sich und dem Kind einen Platz zu erkämpfen unter den Ingenieuren, Ärzten, Architekten und Professoren der Gemeinde. So gut sie halt konnte mit einem Mann, der nichts darstellte, nichts war und nichts verdiente. Das Glück, ein eigenes Haus zu haben, nicht mehr hungern zu müssen, für sich selbst arbeiten zu können, dauerte nicht lang. Dann kam wieder die Unzufriedenheit und der Ehrgeiz, mehr sein zu wollen.

Jetzt, wo wir schon fast wer waren, brauchten wir nicht mehr demütig als die armen Verwandten aufs Land fahren. Wir hatten die Sonntagskleider an und mußten im Zug die Bänke mit Klopapier abwischen, bevor wir uns niedersetzen konnten, aber dafür trat sie jetzt mit Selbstbewußtsein in die Stube – die Städter sind da. Seidenstrümpfe und rotgeschminkte Lippen und ein triumphierendes Lächeln, das weggewischt war, sobald sie in Gummistiefeln und geflicktem Rock, die Haare unter dem Kopftuch, Mist schaufeln ging. Aber die ersten Minuten des Einzugs, die kostete sie aus. Nicht nur der Mann, auch das Kind ließ sich für ihre hochfliegenden Träume nicht gebrauchen. Blaß, mit großen dunklen Augen, so groß und dunkel, daß man den Rest des Gesichts schon gar nicht mehr wahrnahm, mit hohen spitzen Backenknochen, die keine runden frischen Wangen zuließen und immer mürrisch. Iß, damit du endlich was gleichsiehst, iß, sonst kommst du mir nicht vom Tisch weg, iß, oder ich schlag dich, bis du dich nicht mehr rührst. Der Tisch wurde zum täglichen Kriegsschauplatz. Gekochtes Fleisch in der Suppe und Blaukraut. Ich würgte daran, erbrach mich, wurde wieder zum Tisch gejagt. Gekochter Speck, Rüben und Erdäpfel auf dem Bauernhof. Ich zitterte vor den Mahlzeiten, dem strengen Gesicht meiner Mutter, der Verachtung in den Blicken der anderen. Der Fratz ißt nicht, zu schlecht ist es ihr, der Häuslertochter, schau, wie unsere Monika brav ißt. Kind, du bist undankbar, nur für dich haben wir uns aus dem Ärgsten herausgewurschtelt, nur für dich bringen wir alle Opfer. Bringt doch bitte keine Opfer mehr für mich, hätte ich schreien mögen, um vom Dankbarsein befreit zu sein. Mit gesenktem, schuldbewußtem Gesicht wartete ich den Augenblick ab, wenn niemand herschaute, und stopfte schnell die fetten Fleischstücke in die Schürze. Später, wenn meine Mutter in der Küche das Geschirr wusch, schob ich das Fleisch tief unter den Kleiderkasten. Am Nachmittag aß ich Walderdbeeren und sauren Klee. Und wenn das schimmlige Fleisch beim Putzen zum Vorschein kam, gab es Schläge. Wann die Prügelstrafen begonnen hatten, daran kann ich mich nicht erinnern, aber damals gehörten sie wie die Schikanen mit dem Essen und den sauberen Kleidern zu den unabwendbaren Gegebenheiten des Lebens wie Winter und Sommer und Regen, man konnte ihnen nicht entkommen, es gab immer etwas, wofür man züchtigungswürdig war.

Schläge, das bedeutete nie einen spontanen Zornausbruch, auf den Betretenheit und Versöhnung folgen konnten. Das begann mit einem Blick, der mich in ein Ungeziefer verwandelte. Und dann das Schweigen, in dem noch nichts entschieden war und in dem es doch kein Entkommen mehr gab. Das Verschulden wurde von diesem Schweigen verschluckt, es wurde nie erörtert. Ausreden, Erklärungen, Entschuldigungen gab es nicht. Da stand das Vergehen, vom Bananenfleck auf dem Kleid bis zur verweigerten Nahrungsaufnahme, unsühnbar, und plötzlich war das Vergehen nur mehr Symbol für die ungeheure Schlechtigkeit, für die keine Züchtigung ausreichte. Hol mir den Teppichklopfer, befahl sie oder, hol mir den Prügel. Das war ein armdicker Holzprügel, den sie im Lauf der Erziehung an mir entzweischlug. Auch der zerbrochene Prügel war dann Beweis und Ausdruck meiner nie bis zum vollen Maß ausführbaren Strafwürdigkeit. Hätte sie volle Gerechtigkeit walten lassen, hätte sie mich erschlagen müssen. Daß sie mich immer wieder lebend davonkommen ließ, verdankte ich ihrer aufopfernden Mutterliebe, sie kam wie Gottes Gnade, unverdient und niemals abzudienen. Auch wenn ich um die Sinnlosigkeit dieser Geste längst wußte, ich warf mich doch jedesmal vor ihr nieder, umfaßte ihre Knie, flehte, bitte, bitte, liebe Mama, allerliebste Mama, ich werd es nie wieder tun, ich versprech's, ich schwör's, alles kannst du mir wegnehmen, nur bitte, bitte, hau mich nicht. Sie beugte sich nie zu mir hinunter, ihr Gesicht blieb unnahbar, als verrichte sie das Werk eines Höheren. Ich habe es nie gewagt, ihrem Befehl den Gehorsam zu verweigern, ich ging immer wimmernd hinter den Vorhang neben der Stiege, wo Prügel und Teppichklopfer hingen, an selbstgehäkelten Schlupfen aufgehängt, es gab extra Haken dafür, Ordnung muß sein und alles an seinem Platz. Was geschah von dem Augenblick an, in dem ich ihr zögernd das Züchtigungsinstrument reichte? Ich erinnere mich nicht, ich weiß nur, die Hölle brach los, so mußte es in der Hölle zugehen, Schmerz und Schmerz und Schmerz in Abständen, die der Körper blitzschnell errechnete und gegen den er sich doch nicht schützen konnte, nicht durch Sichwinden und nicht durch Davonlaufen, weil es nur jedesmal einen anderen Körperteil traf. Blind, nie habe ich sie oder den Prügel während der Züchtigung gesehen, es traf mich blind, nur das Aufklatschen von Holz auf Fleisch, von metallverstärktem Gummi auf Fleisch konnte man hören. Konnte man es wirklich hören? Glaube ich jetzt, es gehört zu haben? Wie konnte ich es hören, wenn ich schrie, schrie, so laut ich konnte, vom ersten Schlag bis zum letzten. Denn irgendwann war ein Schlag der letzte. Warum gerade dieser oder jener Schlag der letzte war, erriet ich nicht, es war göttlicher Wille, es war ihr Wille, sie schlug mich ja nicht im Zorn, sie schlug mich zu meinem Wohle und um mir meine bodenlose Schlechtigkeit auszutreiben. Der letzte Schlag war das wohlerwogene vorläufige Ende einer Sühne, die kein Ende nahm. Und dann ließ sie sich schweratmend der Länge nach auf den Boden fallen, erschöpft, wie nach einer schweren, erfüllten Arbeit, und ich stand da, entsetzt, mit rasendem Herzen und plötzlich verstummtem Schmerz. Starb sie jetzt aus Erschöpfung, war sie ohnmächtig geworden, durch meine Schuld, durch die schwere Arbeit, die ich ihr bereitet hatte? Denn wie oft sagte sie, du bringst mich noch um. Trag den Prügel weg, sagte sie schwach, fast sanft, und an ihrer entspannten Stimme konnte ich meine Hoffnung aufrichten, daß sie überleben würde.

Wenn ich von meinen Expeditionen im Wald oder vom Blumenpflücken heimkam, war es nie ausgeschlossen, daß mich das grimmig-verächtliche Gesicht meiner Mutter erwartete und ich zum Prügelholen geschickt wurde. Im Frühling brachte ich Hände voll Himmelschlüssel und Buschwindröschen heim, um ihren Zorn im voraus zu beschwichtigen, schau, Mama, die hab ich für dich gepflückt, das rührte sie. Aber die Kleider, mußt du denn immer Grasflecken auf die Kleider bringen? Und die aufgeschundenen Knie! Je größer die Wunde war, desto größer die Panik, desto heftiger der Zorn und die Schläge. Ich tanzte im Wohnzimmer, immer im Kreis, bis ich schwindlig wurde und mir den Mund an der Tischkante aufriß. Das Schmerzgebrüll blieb mir im Hals stecken, als sie mich packte und wahllos in mein Gesicht hineinschlug, bis ihre Hände und mein Kleid blutig waren von meiner aufgerissenen Lippe. Mit einem Tuch über dem Mund wurde ich ins Bett gejagt. Die Wunde hätte genäht werden sollen, sagte der Hausarzt bei der nächsten Untersuchung. Im Bett verbrachte ich viel Zeit. Ich mußte ins Bett, wenn ich nicht aß und wenn ich schlimm war, aber wie konnte ich es vermeiden, schlimm zu sein, wie konnte man vorher wissen, was schlimm war und wofür man wohlwollend belächelt wurde. Bald hatte ich herausgefunden, daß jedes Gefühl, glücklich und ausgelassen zu sein, schlimm war und bestraft wurde. Ich weiß nicht, was das Kind hat, immer ist sie so düster und traurig, sagte meine Mutter. Auch das war meine Schuld, düster und traurig zu sein, aber geschlagen wurde ich dafür nicht.

Ich wurde feig und ängstlich. Überall lauerte die Gefahr, alles war gefährlich. Zu jedem möglichen Abenteuer gab es die Geschichte eines katastrophalen, meist tödlichen Ausgangs. Jedes geglückte Abenteuer endete mit Schlägen. Da war ihre unausgesetzte Angst, daß die Zeiten wieder schlechter würden und wir wieder hungern müßten. Man mußte sparen, jede weggeworfene Brotrinde war eine Sünde, die versteckten Fleischreste unter dem Kasten ein Verbrechen. Und da war die Angst vor den Nachbarn und dem Gerede. Geschlagen wurde bei geschlossenen Fenstern und versperrten Türen. Die Angst vor dem Gewitter, das nur mit endlosen Rosenkranzgebeten abgewendet werden konnte, denn wo sonst sollte der Blitz einschlagen als bei uns und das Holzhaus in fünf Minuten in ein kleines Häuflein Asche verwandeln. Beim ersten Wetterleuchten wurde ich aus dem Schlaf gerissen, die Tuchenten waren das Wertvollste im Haus, sie wurden ins Wohnzimmer getragen, und dort saßen wir im Dunkeln bei flackerndem Kerzenlicht und beteten, bis das Gewitter vorbei war. Die Angst vor dem Leibhaftigen, der einem des Nachts oder auch bei Tag in einem Hohlweg begegnen konnte, als junger fescher Jäger, der sich nur an seinem Bockfuß verriet, war nichts im Vergleich dazu. Angst vor Männern überhaupt, besonders vor Besatzungssoldaten, das Gefährlichste: ein Jeep voll Russen auf einsamer Landstraße. Wenn wir über die Donaubrücke mußten, begann ich schon bei der Haltestelle auf dem Brückenkopf zu zittern, denn mitten auf der Brücke war der Holzverschlag, die Zonengrenze, an der fremde Soldaten »Idis« kontrollierten. Die Straßenbahn leerte sich, blieb stehen und wartete, bis die kontrollierten Passanten wieder einstiegen. Aber ich mußte in der leeren Straßenbahn bleiben, durfte mich unter Androhung von Prügelstrafe nicht vom Sitz rühren und mußte zuschauen, wie meine Mutter hinter der Wand des Holzverschlags verschwand und vielleicht nie wieder herauskam, während ich in der Straßenbahn wartete. Das Heruntergekommenste, eine Frau, die sich mit den fremden Soldaten einließ. In Vaters Verwandtschaft gab es solche, aber was konnte man denn von Zigeunern und Häuslern anderes erwarten. Überhaupt, sich mit einem Mann einlassen war das Schlimmste, was man tun konnte, was immer es war, ich wußte, es mußte etwas Schreckliches sein, so schrecklich, daß man nicht darüber sprach, höchstens flüsterte. Es war auch etwas, dessen ich, verdorben wie ich war, nicht bezichtigt werden konnte, aber dessen ich für die Zukunft verdächtig und daher schon jetzt irgendwie schuldig war. Wie werde ich meiner Tochter einmal nachhaltig einschärfen, welches Kleinod die Unschuld ist, sagte sie zu einer Bekannten, während ich mit meiner Puppenküche spielte. Ich hatte Angst vor diesem Kleinod, gleich, was es war, denn wenn es Mama soviel bedeutete, würde ich es sicher nicht so gut aufbewahren können, daß ich nicht doch schließlich Schläge dafür bekam.

Seit wir im neuen Haus wohnten, hatte ich kein Gitterbett mehr und schlief mit Mama im Bett, Rücken an Rücken, und hatte nie genug Platz und konnte mich nicht in die Tuchent einwickeln. Am Morgen war dann das Leintuch eingenäßt, und Mama mußte die Matratze aus dem Fenster hängen und war sehr böse auf mich. Denn für ein so großes Mädchen gehörten sich keine Windeln mehr, schließlich war ich schon drei Jahre, und ich sollte sie aufwecken und nicht ins Bett machen. Aber wenn ich aufwachte und spürte, ich müßte auf den Nachttopf, hatte ich Angst, sie aufzuwecken, denn dann war sie auch böse. Kann man denn noch immer keine Nacht durchschlafen, sagte sie und riß mich aus dem Bett. Ich lag verzweifelt neben ihr und betete, der Drang möge weggehen, und wenn ich dann zaghaft flüsterte, Mama, und wartete und auf ihre regelmäßigen Atemzüge horchte und ihre Schulter mit dem Finger antupfte und wieder Mama flüsterte, war es schon zu spät. Mädchen sind mit eineinhalb Jahren rein, Buben können etwas länger brauchen, sagte sie, die erfahrene Mutter des besterzogenen Kindes, zu jungen, unerfahrenen Müttern. Sie hatte viele gute Ratschläge für solche, die auch ein so folgsames, wohldressiertes Kind wie mich erziehen wollten. Kinder müssen unbedingt geschlagen werden, sonst wird nichts aus ihnen, wer sein Kind liebt, der spart die Rute nicht. Kinder verlangen nämlich danach, sie probieren ständig aus, wie weit sie gehen können. Schon als Neugeborene tyrannisieren sie ihre Mütter und dann im Trotzalter erst richtig, das muß im Keim erstickt werden. Zorn hat es bei uns nie gegeben, sobald sich der erste Eigensinn zeigt, muß man dreinschlagen, bis er gebrochen ist. Wenn mir jemand ein Zuckerl oder ein Stück Schokolade schenkte, sagte ich bitte, danke mit abgewandten Augen und mit von der Anstrengung der Pflichtübung unglücklichem Gesicht. Die Leute waren höflich, wie schön sie schon bitte und danke sagen kann, lobten sie und übersahen das freudlose, verängstigte Gesicht. Aber nicht alle Leute waren höflich und stellten sich blind, und manchmal sagte eine Frau, die was von Kindern verstand, wie ein dressierter Hund, und zog sich die lebenslängliche Feindschaft meiner Mutter zu. Schau nicht so finster, sagten die Leute im Autobus, und ich begann zu weinen. So schwarze Augen, hast dir die Augen wieder nicht gewaschen, neckten mich die Leute, und zu Hause sagte Mama dann, iß mehr, damit du dickere Backen kriegst und du keine so verhungerten Augen hast. Ich hatte Angst vor den Leuten, weil ich die Angst meiner Mutter spürte.

*

Wir suchen nach altem Spielzeug, meine Tochter und ich. Wenn man am Ende der Hühnerleiter auf einen Stuhl steigt, kann man den Deckel zum Dachboden hochheben. Da rieselt einem der Staub aufs Haar, dreißig Jahre Moder, schwarz wie Ruß. Und dann kommen sie zum Vorschein, meine sieben Puppen, meine sieben Töchter, aber ich erkenne sie kaum mehr. Damit hast du gespielt? Natürlich ist sie enttäuscht, meine verwöhnte Tochter. Erst mit der achten, die ich nie wollte, weil sie zu spät kam, ist sie versöhnt, eine Gehpuppe mit Schlafaugen, die »Mama« sagt und Haare zum Frisieren hat. Meine anderen Kinder mit den ausgestopften Armen und den zerschlagenen Köpfen legt sie achtlos beiseite. Hat sie denn keine Phantasie, sieht sie nicht, wie gutmütig die Liesi ist, wie spöttisch und hochmütig die Greti, wie zierlich und sinnlich die Marlies? Arme Mama, sagt sie, hast du denn nie richtige Spielsachen gehabt? Wie hast du mit so was spielen können? Ich habe dich beim Spielen beobachtet, Kind, mit deinen richtigen Spielsachen aus teuren Spielwarengeschäften, du warst in derselben Welt, in der ich damals war, aber es war eine andere Welt, und darum glaubte ich, daß du aus der Verkettung würdest aussteigen können. Deshalb haben deine Puppen keine eingeschlagenen Köpfe und keine ausgerissenen Haare. Deshalb sagst du, gute Nacht Schneewittchen, schlaf gut, und deckst sie liebevoll zu und schickst die Zwerge weg, damit niemand ihren Schlaf stört. Meine Puppen haben nie geschlafen, meine Puppen waren alle Aschenbrödel, sie mußten arbeiten und folgsam sein und konnten doch nichts richtig machen, sie waren aufsässig und trotzig und mußten gezüchtigt werden, bis ihre Nasen eingeschlagen waren und ihre Haare in Büscheln in meinen Händen blieben. Was treibst du denn da, rief meine Mutter aus der Küche, du machst ja die Puppe kaputt. Aber sie war schlimm, sage ich selbstgerecht, ja diesmal habe ich die Gewalt und auch das Recht, denn in meiner Welt bin ich Herrin über Glück und Unglück, und in meiner Welt gibt es kein Glück. Was hat sie denn gemacht, fragt meine Mutter und versucht, sich in meine Welt einzuschleichen. Sie hat die Scheibe nicht gedreht, sage ich und fahre fort in meiner Züchtigungsarbeit und schlage das Puppengesicht am Rand meines Puppenwagens schrundig. Warum sollte sie die Scheibe drehen? Weil ich es sage. Aber sie war bockig, sie hat die Scheibe nicht gedreht, und jetzt bekommt sie den Kopf eingeschlagen und wird für den Rest ihres Lebens mit diesen Narben herumlaufen, wird dreißig Jahre später aus der verstaubten Kiste geholt werden, und die Wunden sind noch immer nicht geheilt, nur wird niemand mehr wissen, woher sie kommen. Für alle wird sie häßlich sein, verunstaltet fürs Leben, nur für mich wird sie trotzdem schön sein, denn sie trägt ja meine Wunden.

Warum sind alle Puppen so angeschlagen, fragt meine altkluge Tochter. Weil meine Mutter mich geschlagen hat, weil ich angeschlagen bin, nein, das kann man kleinen Mädchen nicht sagen, warum Entsetzen und Unglauben in ihr Gesicht malen. Weil die Puppen alt sind und andere Sachen draufgeworfen wurden. Was denn zum Beispiel? Kantige Küchenherde, schlaflose Nächte, Schläge auf den Kopf und Schläge aufs Herz, Kinderwagen und Ehebetten, und das Puppengesicht, mein Gott, ist nicht wiederzuerkennen, die Stirn ist verbeult, die Wangen eingefallen, die Augen erloschen, der Mund nur mehr ein Strich. Das passiert fast allen Puppen mit der Zeit, das ist normal.

Meine Tochter hockt sich unter die Stiege, genau dorthin, wo ich immer hockte, und faltet Puppenkleider, Kasperltheater, alten Brokat auseinander. Sie spielt doch anders als ich, jetzt ist sie die Märchenprinzessin unter dem Brokatbaldachin, und der Kasperl macht ihr den Hof. Du bist schön, und du bist schön und du die Allerschönste, sagt er. Abendessen, fragt er. Nein, die Prinzessin und ich gehen heute zum Galaempfang, tausend Dank und küß die Hand, aber wir sind jetzt nicht hungrig. Ich esse mein Brötchen allein, an die Kredenz gelehnt, und frage mich, warum mir der Kasperl nie den Hof gemacht und mich zum Diner ausgeführt hat. Und wenn der Kasperl um neun Uhr sagt, tut mir leid, die Prinzessin und ich sind noch nicht müde, wir gehen noch ein wenig an die frische Luft? Was tu ich dann, Großmutter? Dann mußt du dreinschlagen, denn Kinder gehören um sieben Uhr ins Bett, nach dem Abendessen, dem Abendgebet, dem Zähneputzen. Und wenn sie nicht will? Was heißt nicht will, wer ist der Herr im Haus? Du bist eine Versagerin, aus dem Kind wird nichts, es kennt keine Disziplin, keinen Respekt, keinen Gehorsam, und eines schönen Tages wird sie dich schlagen, wenn du ihr nicht zuvorkommst! Du wirst noch auf meine Worte kommen. Ja, das hätte sie gesagt. Liebe Oma, du hättest nicht einmal mein Kind geliebt, sage ich und wische meine fettigen Finger an meinem Rock ab und lache, weil ich die Macht habe, die Kette zu unterbrechen und alles ungültig zu machen, das Abendgebet und den Gehorsam, die Angst und vielleicht sogar den Haß.

*

Bei uns gab es keine ungeputzten Schuhe, und kein Stäubchen flimmerte in der Sonne. Bei uns wurden die Mahlzeiten regelmäßig eingenommen, bei uns hatte alles seine

Ordnung. Beim Heimkommen wurden die Schuhe auf der Matte im Vorzimmer abgestreift und dann neben der Küchentür ausgezogen. Daß du mir ja keinen Dreck hereinträgst! Die Schlafzimmer waren zum Schlafen da, in die kam man sonst nicht hinauf, im Bett faulenzt man nicht herum, da kommt man auf schlechte Gedanken. Sobald man die Augen aufschlug, mußte man aus dem Bett heraus und bekam einen feuchten Lappen ins Gesicht geklatscht. Am Morgen mußte alles schnell gehen, man könnte ja den Tag versäumen. Waschlappen ins Gesicht und dann auf den Sessel zum Frisieren, die Haare scharf gescheitelt und mit einer großen Masche aus der Stirn gehalten. Jeden Tag bügelte sie die Masche, die auf meinem Kopf saß wie ein Riesenschmetterling und ein weiterer Grund zur Dankbarkeit war. Welche Mutter machte sich die Mühe, jeden Tag Haarschleifen zu bügeln? Und dann gab es das Frühstück, warme Milch mit Honig aus der Babyflasche, bis ich sieben Jahre alt war. Und das Morgengebet nicht vergessen, ohne Morgengebet kommst du mir nicht aus dem Haus. Die Entfernung vom Bild der immerfort fleißigen heiligen Familie war mit einem unsichtbaren Maßstab vorgeschrieben, und da standen wir, sechzehn Jahre lang, nebeneinander, an derselben Stelle, die Hände in Brusthöhe gefaltet, am Beginn ein Kreuzzeichen und am Ende, kein schlampiges, hingehudeltes, dazu haben wir immer genug Zeit, bis es ein schönes Kreuzzeichen ist, auf Stirn, Kinn und Brust. Dann tauchte sie den Finger in den Weihwasserkessel neben der Klotür und malte mir noch ein nasses Kreuz auf die Stirn. Jetzt konnte mir nichts mehr passieren, den ganzen Tag nicht, außer, ich war ungehorsam und bekam Schläge. An den Abenden im Spätherbst und im Winter, wenn es schon bald dunkel wurde, spielte ich in der Ecke unter der schrägen Stiege. Aber ich war nicht ins Spielen vertieft, ich hörte meinem Vater zu, der meiner Mutter aus Ganghoferromanen vorlas, *Die Martinsklause,* wo ein wildes, rothaariges Weib Unheil stiftete und jungen Jägersburschen in Burgverliesen die Sehnen durchschnitten wurden. Die Welt dieser Romane schuf lebendigere Bilder als meine Puppenecke.

An Sonntagen saß meine Mutter auf einer Bank an der Hauswand und schaute unverwandt den Weg hinunter, der in einer leichten Kurve den Berg heraufkam. Es war ein Fußweg zwischen Wiese und Waldrand, und es kam selten jemand herauf, denn unser Haus war das erste von den vier Ungarnflüchtlingshäusern in einer Sackgasse. Wenn jemand den Hügel heraufkam, war es ein Besuch, für uns oder für die drei Nachbarn, denn das fünfte Haus war ein Wochenendhaus.

An regnerischen Sonntagen oder im Winter ging sie alle zehn Minuten zur Verandatür und spähte den Weg hinunter. Ich wuchs mit dem unbestimmten Gefühl auf, daß jede Veränderung, gut oder schlecht, Erlösung von Schlägen und Todesnachrichten, diesen Weg heraufkommen mußte. Nur Gewitter kamen von der anderen Richtung. Aber Besuch hatten wir selten, und wenn ein bekanntes Gesicht den Hang heraufkam, bebte das ganze Haus vor Aufregung, und Leben kam in das schwere steinerne Gesicht meiner Mutter. Dann wurde schnell Kaffeewasser aufgestellt und aus einem Kuchenstück vier gemacht, abgewischt und aufgedeckt und die Drillichschürze hinter dem Vorhang versteckt. Ihre Familie kam nie, außer, es war jemand im Spital. Es war ihnen zu beschwerlich, mit dem Autobus aus der Stadt heraus, den Berg herauf und dann von vier engen Wänden erdrückt zu werden, um armen Leuten das Essen wegzunehmen. Aber die Kovacstöchter hatten in die Stadt geheiratet, sie wohnten in finsteren Mietwohnungen, und ihre Kinder waren blaß und zart. Marie empfand eine herablassende Freundlichkeit für sie, die leicht in Verachtung umschlug. Es mangelte ihnen an Demut, denn schließlich waren sie Häuslerstöchter, auch wenn sie sich jetzt wie Damen gebärdeten und ihre zunehmende Fülligkeit zeigte, daß sie auch wieder genug zu essen hatten. Aber die geringe Herkunft schlug eben doch durch, sagte Marie, wenn Lydia schamlos ihr Kleid aufknöpfte und ihre Zwillinge im überfüllten Zugabteil stillte, ohne sich wegzudrehen oder ein Tuch über die Brust zu breiten, und einmal kam sie sogar zu Besuch und hatte vergessen, eine Unterhose anzuziehen. Sie aßen auch ohne lange Aufforderung, was ihnen vorgesetzt wurde, sie hatten nicht soviel Anstand, dankend abzulehnen, vorzugeben, sie kämen gerade vom Essen, oder zumindest den Anstandsbissen auf dem Teller zu lassen, der andeutete, jetzt sei es genug. Leo Kovacs' dritte Frau kam am öftesten. Sie kam immer zu Fuß aus der Stadt, um das Autobusgeld zu sparen, und sie brachte ihre zarte, verwöhnte Tochter mit, für die sie feenhaft schöne Kleider nähte. Diese fragile Schönheit mit den gepflegten Fingernägeln war Marie ein Dorn im Auge. Welches Recht hatte die Tochter eines Häuslers, der Billeteur in einem Kino war, ihre Hände zu pflegen, schöne Kleider zu tragen und verwöhnt zu werden, wenn sie, die Bauerstochter, grobe, breite Hände hatte und um ihre Jugend betrogen worden war. So muß mein Kind einmal aussehen, dachte sie, ein gepflegtes, junges Dämchen. Aber aus Lisa, dem Dämchen, wurde Lisa, das Flitscherl, und sie ließ sich nicht mehr blicken, bis sie sich einen Architekten geangelt hatte. Dann war sie Lisa, die große Dame, und es war eine Ehre, mit ihr verwandt zu sein. Warum ereiferte sich meine Mutter bloß so über Lisa? Weil sie Reifröcke trug und Spitzenhöschen und tiefausgeschnittene Kleider? Nein, weil sie eine, halt so eine war, eine Hure eben. Was ist eine Hure? Eine, die sich wegschmeißt, eine, die vor der Hochzeit tut, was sich nur nach der Hochzeit gehört, eine, die ihre Reinheit geringschätzt und etwas mit Männern hat. O Gott, das Kleinod, dachte ich und wollte nie erwachsen werden, nie Spitzenhöschen und einen Busen haben, denn wenn ich ihr jetzt schon mißfiel, wie würde sie mich erst züchtigen, wenn ich ausrutschte und hinfiel, die Beine hilflos in der Luft, mein blütenreiner Spitzenunterrock besudelt und das Kleinod verloren. Die entsetzliche Vorstellung des beschmutzten Unterrocks, der zerrissenen Strümpfe und des unauffindbaren Kleinods verfolgte mich in meine Träume. Ich wußte, ich war besonders gefährdet, denn wenn auch meine Mutter eine anständige Frau war, alle Kovacs-Weiber waren ja Huren. Deshalb hatten wir sowenig wie möglich mit ihnen zu tun, und allmählich blieben sie von selber weg, man traf sie noch hie und da im Heimatdorf auf dem Kirchplatz, aber man nahm sie nur mit kühlem Gruß und widerstrebend wahr, denn sonst kamen sie zutraulich herbei und stießen Bewunderungsschreie aus, das Kind, schaut sie's nur an, eine ganze Kovacs, dem Vater wie aus dem Gesicht geschnitten. Aber mein Kind wird einmal ein anständiger Mensch, schwor sich Marie, keine Zigeunerin wie die Kovacs-Mädchen, auch wenn sie zehnmal in die Art schlägt. Mit dem Kind meint sie's halt ganz extra, sagte die Verwandtschaft. Ich wuchs mit dem Gefühl auf, daß die Kovacs-Seite etwas Minderes war, etwas, womit man sich leicht besudeln konnte, ein Makel, der zu verbergen war. Aber wie sollte ich das in Einklang bringen mit der Wärme und Offenheit, die ich von den Geschwistern meines Vaters erfuhr, im Gegensatz zu der mißgünstigen Verachtung, die mich auf dem Bauernhof verfolgte.

Der Schwiegermutter wich sie aus. Sie führte mich am Morgen über die taunassen Wiesensteige zu den Waldhäusln hinauf, aber sobald Großmutters Haus zwischen den jungen Tannen sichtbar wurde, kehrte sie um. Später ging ich allein am Morgen hinauf, wenn die Sonne, noch schräg und kühl, im Tau Funken sprühte, und erst, wenn es dunkel wurde, begleitete mich Großmutter zurück durch den Wald. Über die Wiesen kannst schon allein gehen, sagte sie, wenn das Dorf in Sicht kam. Ich war gern bei meiner Großmutter, viel lieber als auf dem Bauernhof. Sie redete nicht viel, aber ich fühlte mich angenommen und geborgen. Ich durfte mit allem spielen, und das Essen war viel besser als bei den Bauern. Sie zeigte mir, wie man aus Stekken und Moos Häuser bauen konnte, die Tannenzapfen waren Kühe und lagen nebeneinander im Stall. Ich baute große Mooshäuser an den Waldrand. Die Cousins waren älter, aber manchmal durfte ich ihnen beim Erdäpfelbraten zuschauen und in ihren Steinhöhlen sitzen, wo sie Räuber und Gendarm spielten. Hier konnte man Blumen pflücken, und sie rochen anders als im Tal um die Dörfer herum, es gab immer Beeren, und man brauchte sie nicht erst in eine Schüssel pflücken, um sie essen zu dürfen. Auf die Waldlichtungen brannte die Sonne nicht so sengend wie auf die Wiesen im Tal, und ich durfte allein in den Wald Schwammerl suchen gehen, ich konnte überhaupt machen, was ich wollte, unbeaufsichtigt, ungescholten, und alles, was ich machte, wurde gelobt. Ist die Vera aber schon gescheit, hieß es, na ja, sie ist halt dem Friedl seine Tochter. Ich wurde mit Stolz herumgereicht, der ganze Papa, sagten die Häuslerinnen anerkennend, und ich war zugehörig und sogar noch ein bißchen besser. Am Abend kam ich dann in die Bauernstube zurück, die nach Schweiß und Erschöpfung roch, und Mama empfing mich mit der Frage, ob die alte Sau über sie geschimpft habe. In den Waldhäusln gibt's halt was Besseres zum Essen, höhnten sie bei Tisch, wenn mir beim fetten Bauchfleisch schlecht wurde, und ich fühlte mich wieder einsam und ausgestoßen.

Auch Marie verliebte sich noch einmal. Sie muß dreißig oder einunddreißig gewesen sein, seit sieben Jahren verheiratet, und sie hatte den Gedanken an Liebe oder gar das prickelnde Gefühl erotischer Spannung lange aufgegeben oder nie gekannt. Sie verliebte sich in einen Knecht, der sich für die Erntearbeit verdingt hatte. Mir grauste vor ihm. Er hatte falsche Zähne, an denen das Essen hängenblieb, aber er war lustig auf eine anzügliche, schlüpfrige Art. Es wurde viel gelacht bei Tisch, und es war immer Marie, die am meisten lachte, sie wechselten Blicke über die Suppenschüssel und lachten. Am Abend nach der Arbeit badete sie jeden Tag, soviel hatte sie früher nie gebadet, und dann saß sie im dünnen Musselinnachthemd in der Stube. Man sah ihre großen Brüste durch den dünnen Stoff, und man sah, daß sie unter dem Nachthemd nackt war. Manchmal öffnete sie einen Knopf, und man sah das weiße, von der Sonne ungebräunte Fleisch. In diesem Sommer hatte sie nur Augen für diesen Mann, sie stieß mich weg, wenn ich mich an sie schmiegen wollte. Laß mich in Ruh, lehn dich nicht an mich an, mir ist heiß. Ich fühlte mich noch verstoßener als sonst. Die Mama und der Knecht, die haben was miteinander, sagte ich altklug zu meiner Großmutter, ohne genau zu wissen, was das bedeutete, etwas miteinander haben. Ich wußte nur, daß es zwischen Mann und Frau stattfand, und daß es etwas Schlechtes, Widerliches, Sündhaftes war. Ich erinnere mich nicht, wie diese verspätete Liebe endete, ich erinnere mich nur, daß ich nach dem Abendessen, während die Sonne mit einem roten Widerschein hinter den Feldern unterging und der glasklare Himmel dunkel wurde, unter einem Kornmandel saß, und es lag etwas Gefährliches zwischen meinen Eltern, eine Verlegenheit, Angst und Verletztheit. Meine Mutter war ganz still, sie schrie nicht wie sonst, sie war nicht gekränkt und vorwurfsvoll, sondern verlegen und trotzig, und von meinem Vater spürte ich die schweigende Verletztheit, mit der er sich oft hinter die Zeitung oder in den Holzschuppen zurückzog. Im nächsten Sommer war Lois der Knecht nicht mehr da, es hieß, er arbeite jetzt in der Fabrik. Einmal zeigte meine Tante verstohlen auf eine magere, abgerackerte Frau und eine Schar Kinder, schau, sagte sie, das ist die Seine und die Kinder, und Marie kräuselte verächtlich die Lippen und sagte, da ist es ja kein Wunder. Jahre später erkundigte sie sich noch verschämt nach ihm und wurde rot, wenn sein Name erwähnt wurde.

*

Im Vorort, am Stadtrand, wo die Villen plötzlich wie Schwammerl aus dem Boden wuchsen, ging der Konkurrenzkampf weiter. Das Kind kam in den Kindergarten, es mußte besser gekleidet sein als die anderen Kinder, geschickter im Basteln, gefälliger, liebenswerter und vor allem, es mußte sich mit den richtigen Mädchen anfreunden, um später in die richtigen Kreise zu kommen. Aber schon beim Anmelden mußte der Beruf des Vaters angegeben werden, und Marie glaubte zu spüren, wie die anfängliche Zuvorkommenheit der Kindergärtnerin in kühle Verachtung umschlug. Oh je, ein Einzelkind, sagte sie, und das Kind, das sich scheu hinter der Mutter versteckte und sich weigerte, einen Ton von sich zu geben, war der lebende Beweis für alle Vorurteile. Ich haßte den Kindergarten, und außer Zeichnen machten mir keine Spiele Spaß, am allerwenigsten die Gemeinschaftsspiele. Auch da gab es wieder blondgelockte Sonnenscheinchen, die das Herz der Kindergartentante eroberten und beim Spazierengehen ihre Hand halten durften. Wenn mir am Morgen jemand entgegenkam und sagte, die Schwester hat gesagt, heute dürfen wir nicht zeichnen, nahm ich schweigend meine Umhängtasche und ging fort. Dann ging ich keineswegs heim, sondern baute im Pfarrwald Mooshäuschen. Aber irgend jemand erspähte mich immer und erzählte es meiner Mutter, und ich wurde geschlagen. Damals begann sie mich regelmäßig zu schlagen, auf Hintern, Hüften, Oberschenkel, denn dort sah man die blutunterlaufenen Striemen nicht. Wenn sie mich am nächsten Morgen anzog und weiße, undurchsichtige Baumwollstrümpfe über die blaugrünen Flecken streifte, erinnerte sie mich daran, daß ich es verdient hatte und daß ich es niemandem zeigen durfte, sonst würde es noch mehr Schläge geben. Nein, nein, schrie ich verzweifelt und preßte zitternd meinen Faltenrock zwischen die Knie, als die Kindergartentante sagte, Vera, zieh doch die dicken Strümpfe aus, dir muß ja schrecklich heiß sein. Nimmt sie dir ja niemand weg, lachte sie, aber die Panik in meinen Augen zwang ihre Hand zurück, und sie zuckte die Achseln, eigenartiges Kind. Das Kind ist so düster und schweigsam, beklagte sich meine Mutter bei der Lehrerin, die ich im nächsten Jahr in der Schule haben würde. Das hängt aber schon vielleicht mit der Atmosphäre im Elternhaus zusammen, sagte die Lehrerin vorsichtig. Ich zeichnete gern im Kindergarten, und meine Zeichnungen wurden im Gang aufgehängt, aber das zählte wenig im Vergleich dazu, daß ich beim Spazierengehen niemanden hatte, der neben mir gehen wollte, und daß ich nicht in die vornehmen Architekten- und Arztvillen zu Geburtstagsfeiern eingeladen wurde. Meine beste Freundin war ein Arbeiterkind, das immer zerrissene Strümpfe trug und dem zu jeder Jahreszeit der Rotz in den Mund lief. Geh doch zu den Reisingerkindern, sagte meine Mutter, und ich läutete schüchtern am Gartentor. Aber es machte keinen Spaß, im Reisingerpark zu spielen, denn man durfte nicht auf den gepflegten Rasen und schon gar nicht ins Haus, und nach einer Stunde schickte man mich wieder heim. Dann saß ich beim Holzstoß hinter dem Haus und fühlte mich ausgestoßen und ungeliebt. Unsere Kinder haben Tretroller, und Vera hat keinen, und wir wollen Streit vermeiden, erklärte Frau Doktor Reisinger den Hinausschmiß. Zu Ostern bekam ich einen Tretroller, aber auch das nützte nichts, die gepflegten Gärten, die zu den Villen gehörten, blieben mir verschlossen. Bei Tisch konnte sich meine Mutter erbittert darüber ereifern, daß das Kind ausgeschlossen sei, weil ihr, Marie, das Unglück zugestoßen war, einen Arbeiter zu heiraten. Aber ich spielte ohnehin lieber im Graben, wo die Wurzelhäuser mir allein gehörten und ich tagelang ungestört Urwaldforscher war. Manchmal erlaubte ich Irene, meiner Freundin mit den ungewaschenen Strümpfen, in mein Reich einzudringen, aber am liebsten war ich allein, denn selbst Irene sah nicht dasselbe wie ich und stellte dumme Fragen.

*

Darunter hat Ihre Mutter am meisten gelitten, daß Sie in den vornehmen Kreisen keinen Anklang fanden, sagte unsere Nachbarin und hakte ihren Busen über den Gartenzaun. Ja, oft hat sie sich bei mir ausgeweint, sie wollte das Allerbeste für Sie, hat sich ins Grab hineingegrämt, weil ihre Vera es nicht geschafft hat, in die guten Kreise hineinzukommen und was aus sich zu machen. Ich erinnere mich nicht, sagte ich dann abweisend, es war mir gleichgültig. Sie streifte meine ausgewaschenen Jeans mit einem Blick, der sagte, du hast es noch immer nicht geschafft, du bist hoffnungslos, und ging weg. Die guten Kreise. Der Aufstieg, den sie allein nicht schaffte, weil es zweier Generationen bedurft hätte. Aber die Tochter hatte Zigeunerblut und keinen Anstand, und da wurde der Aufstieg aus dem Kleinbürgertum zum Abstieg in die Boheme. O Gott, wenn deine Mutter dich sähe, haben sie gesagt zu meinen fliegenden Haaren und den schmutzigen Füßen in Hanfsandalen, wenn ich auf nächtlichen Bahnhöfen schlief, wenn ich die Schuhe auszog und mit dem zerfransten Rock die Gläser vom Tisch fegte. Die teuren Kostüme, der Stoff allein ein halber Monatslohn, und vor dem Spiegel der teuren Schneiderin war ich das freudlose Abbild meiner strengen Mutter. Ich machte Miniröcke daraus, schnitt sie später in Streifen und warf sie weg. Die dezenten Farben, die Pepitamuster, schier unzerstörbar folgten sie mir, versperrten mir die Eingänge zum Leben und ließen sich nicht abschütteln, bis ich auch die letzten Spuren der Vergangenheit zerstört hatte. Dann saß ich frierend vor den Gartentoren und Villen in meinem bunten Gefieder, und die Welt des soliden Geschmacks rächte sich, sagte, du warst es, die uns nicht gewollt hat, wir waren bereit, dich einzulassen, du hast gelacht und gingst hüftenwiegend davon. Sie lehrte mich die Sicherheit hassen, jetzt stecken sie die Köpfe zusammen, ja, die Geschiedene, ja, die, die in der Welt herumzigeunert und kein Zuhause mehr hat, ja, die Gestrandete, der bunte Vogel, wenn das nur ihre arme, anständige Mutter wüßte. Die lächelnde Maske für die Öffentlichkeit, das Krepieren an der Lieblosigkeit im verdunkelten Schlafzimmer, ich habe es umgedreht, ich trage mein Herz vor mir her, ich sage, stecht zu, wenn es euch Lust bringt, und schaut her, wie ich blute, wie ich schreien kann, wie schön ich bin in der Todesqual. Ich habe die Baumwollstrümpfe von den blauen Flecken gestreift und entblöße meine blutigen Striemen und warte mein ganzes Leben lang atemlos auf die nächste Tracht Prügel. Sie bleibt nie lange aus, denn Wunden sind wie Blüten, rote Lockfarben für Raubvögel, sie schlagen gierig ihre Fänge hinein und reißen sie auf, bis sie satt und friedlich sind. Dann steige ich über sie hinweg, denke, der hat sich wohl überfressen, aber ich denke nicht mehr, mein Gott, hoffentlich stirbt er nicht an der Qual, die er mir zugefügt hat. Nein, Herr Psychiater, ich bin keine Masochistin, es bereitet mir keine Lust, gequält zu werden, aber ich weiß, ich muß gezüchtigt werden, denn jeder kann sehen, daß ich schlecht bin und der Liebe unwürdig. Wenn ihr mich schlagt, weiß ich, die Welt ist in Ordnung, keinem ist zu trauen, und ich kann aufhören, an der Liebe zu leiden, ich kann euch einen Tritt geben, denn eure Lust, mich zu quälen, hat euch überführt. So wechsle ich meine Mütter, meine Liebhaber wie Hemden, und am Ende haben sie alle dasselbe Gesicht in meiner Enttäuschung, aus der ich mich lachend vor Schmerz erhebe, denn ich habe von Anfang an nichts anderes erwartet.

Um die gesellschaftliche Niederlage ihrer fünfjährigen Tochter wettzumachen, wurden noch teurere Sonntagskleider gekauft, war die Jause, die ich in den Kindergarten und später in die Schule mitbekam, noch feiner. Schinkensemmeln, Butterkipfel, Dinge, die es zu Hause nie gab und von denen ich auch in der Pause nichts bekam, denn jeder wollte abbeißen, die anderen hatten Vollkornbrot mit Butter im Jausenpapier. Dir gibt man den Schinken mit, und ich hab seit Jahren keine Scheibe Wurst über die Zunge bekommen, warf mir meine Mutter vor, um mir meine Undankbarkeit vor Augen zu führen. Ich haßte die Sonntagskleider aus reiner Wolle, ich bekam eine Gänsehaut davon, und in der Kirche, wenn man sich nicht bewegen durfte, juckten sie schrecklich. Aber wenn ich mich am Sonntagmorgen gegen das Wollkleid wehrte, war ich undankbar, weil das Kleid einen halben Monatslohn gekostet hatte. Das weiße Nylonkleid für Fronleichnam war noch wertvoller, und auf Beschmutzung stand Prügelstrafe. Schau, wie stramm die Reisinger Ulrike dasteht, so selbstbewußt, als ob ihr die Welt gehörte, und du schiebst den Buckel auf, steckst den

Kopf zwischen die Schultern und schaust drein, als hättest du gerade eine Watschen gekriegt, warf mir meine Mutter vor. Sie hatte es irdendwie erreicht, daß ich mit der Arzttochter bei der Fronleichnamsprozession in der ersten Reihe gehen durfte, und jetzt, im nachhinein, auf den Fotos, zerstörte ich alle ihre Anstrengungen. Jeden Sonntag saß ich in der Kirche in derselben Reihe, an derselben Stelle neben dem Mittelgang zwischen den Eltern und versuchte, mich nicht zu kratzen, obwohl die Wolle juckte wie hundert Flöhe, nicht zu gähnen, obwohl die Messe endlos dauerte, nicht zu lachen, obwohl die Frau hinter mir falsch sang, und vor allem einer unwiderstehlichen Lust nicht nachzugeben und der Frau mit dem großen Strohhut in der Reihe vor mir die Strohblumen und die Plastikfrüchte von der Hutkrempe zu pflücken. Bei Prozessionen schritt ich nie würdig genug, ich wußte nicht, wohin mit den Händen, und fiel über meine schwarzen Lackschuhe. Ich war wie mein Vater, ich stellte nichts dar, aus mir wurde nichts, würde nie etwas werden. Bei jedem Schritt, jeder Kopfbewegung ruhte das strenge Auge meiner Mutter auf mir und sagte, aus dir wird nie etwas werden, du bist nichts wert.

Ich kletterte auf einen Stuhl und betrachtete mich im Spiegel und fand, daß ich schön war, auch wenn die Welt behauptete, ich sähe nichts gleich. Wirst vom Spiegel weggehen, rief meine Mutter entsetzt, als sei ich in höchster Gefahr, da schaut der Teufel heraus. Hochmut kommt vor dem Fall, Schande folgt dir überall. Da half nur das Beten, zweimal am Tag vor der Heiligen Familie und am Abend, im Bett, ein Gesetzchen Rosenkranz. Ich hatte einen Haltungsschaden davon, daß ich in ihrem Bett und oft in ihrem Arm schlief, und mußte regelmäßig Turnübungen machen. Jetzt schlief ich im Bett neben ihr, und mein Vater schlief auf der Koje im Nebenzimmer. Jeden Tag um sieben Uhr gingen wir ins Bett, auch wenn im Sommer die Sonne noch schien, und dann beteten wir Rosenkranz, einen oder gleich alle vier, je nachdem, wie müde sie war. Der Rosenkranz lag griffbereit unter dem Kopfpolster, meiner war aus weißem Perlmutt, ihrer hatte glänzendbraune Perlen, die aussahen wie Kaffeebohnen. Lange, nachdem sie ihr Darmol gegen Verstopfung genommen, ihr Haarnetz auf die Dauerwellen gesetzt hatte und in unregelmäßigen Zügen schnarchte, lag ich noch wach und richtete meine Traumvillen mit Luxusmöbeln und Traummännern ein. Ich liebte die langen, schlaflosen Abende, an denen niemand meine Träume zu belauschen versuchte.

Marie war seit acht Jahren von zu Hause weg und fühlte sich in der Stadt noch immer wie im Exil. Krank vor Heimweh sei sie, vertraute sie den wenigen Menschen an, denen gegenüber sie ihr Mißtrauen ablegte, um ihnen andeutungsweise von sich zu erzählen. Die Schulden vom Haus waren abgezahlt, ihr Vater hatte sich jeden Schilling zurückzahlen lassen, das Hungern war vorüber, aber die Armut noch nicht, und die Leute sagten bewundernd, wie Sie das schaffen, Frau Kovacs, die Familie so fein ausstaffiert von einem Arbeitergehalt. Sie schaffte es, aus dem billigsten Fleisch saftige Braten zu machen, sie selbst aß Brot, das schon alt und beim Bäcker billig zu haben war, während sie für die Schuljause fünf Deka Schinken und eine Semmel kaufte. Sie gab im Lebensmittelgeschäft vor, eine Katze zu haben, und bekam billige Abfälle. Kurze Zeit nahm sie Heimarbeit an und nähte vorgefertigte Badeanzüge zusammen, aber der Nebenverdienst war so gering, daß sie es wieder aufgab. Wie wär's mit einem Halbtagsverdienst, jetzt, wo das Kind erst am Nachmittag heimkommt, schlug mein Vater schüchtern vor. Bei den Großkopferten putzen gehen, fragte sie empört, lieber verhungere ich. Sie war vollberufliche Hausfrau und stolz auf ihre Tüchtigkeit.

Die beste Köchin, bestätigte ihr jeder Besuch, die Wäsche im Schrank blütenweiß, gestärkt, Kante auf Kante. Kein Stäubchen auf den Möbeln, kein Fleckchen in der Küche, der Boden so rein, daß man darauf hätte essen können, das Kind sauber und immer nett gekleidet, sie selbst stattlich, in soliden, teuren Stoffen, und nie hing ein Haar aus der Frisur. Zu Hause trug sie noch immer das blaue Trägerkleid und die ausgewaschene Drillichschürze, und die Haare band sie unters Kopftuch. Sie züchtete Hühner und Hasen, und wenn die Hasen groß waren und die Hähne miteinander zu kämpfen begannen, wurden sie geschlachtet. Tiere schlachten war Männerarbeit, die Henne mit dem Kopf auf den Schleifstein legen und mit der Axt den Kopf vom Rumpf trennen, während der kopflose Rumpf weitertaumelte und die anderen Hühner aufgeregt gackerten. Der Rest war Frauenarbeit, das Huhn im heißen Wasser ausbluten, rupfen, ausnehmen. Fenster verkitten, Außenreparaturen, Bäume stutzen war Männerarbeit. Aber vor allem war es Männerarbeit, Geld nach Hause zu bringen. Der Wert des Mannes stieg oder fiel mit seinem Gehalt, dem Prestige und dem Lebensstandard, den er seiner Familie bieten konnte. Der Haushalt und die Kindererziehung waren Frauenarbeit, da hatte er nichts dreinzureden. Sie erfüllte ihre Pflicht, man konnte ihr nichts nachsagen, jeden Tag Mittagessen mit Suppe, Hauptspeise und Nachspeise, alle gut gekleidet, das Kind so gut erzogen, daß es nur den Mund aufmachte, wenn es gefragt wurde. Keine machte ihr das nach, sie erfüllte jede Erwartung, die man an eine Hausfrau stellen konnte. Er war es, der sie am Höhenflug ins bessere Leben hinderte. Sie verachtete ihn. Er saß bei Tisch und schwieg, nickte ein nach dem Essen, anstatt Geld herbeizuschaffen.

Als die Schulden abgezahlt waren, begann sie zu sparen, denn sie hatte große Pläne und keine Absicht, in dem provisorischen Flüchtlingshaus den Rest ihres Lebens zu verbringen. Vom mageren Lohn und vom Mund abgespartes Geld für den Grund, den eigenen Grund, der einem nicht von Jahr zu Jahr aufgekündigt werden konnte. Wenn sie mit der Grundbesitzerin sprach, hing sie ängstlich an ihren Lippen, ob sie nicht ein Wort fallenließe, das andeutete, wie lange wir noch bleiben durften. Die Häusln kommen sowieso bald weg, sagte die Besitzerin einmal zu den Männern vom Elektrizitätswerk, während meine Mutter keine hundert Meter entfernt Wäsche aufhängte. Sie konnte wochenlang nicht schlafen und von nichts anderem reden, als sich auszumalen, wie wir das Haus abreißen mußten, den Keller zuschütten und planieren, als hätten wir nie hier gewohnt. In diese großen Angstlöcher stopfte sie jeden ersparten Schilling und fühlte sich mit jedem Tausender im Sparbuch ein bißchen weniger bedroht. Und wenn wir den Grund am Stadtrand hatten, würde ein Haus drauf gebaut werden mit Ziegelmauern und großen, hellen Räumen, einer großen, amerikanischen Küche, mit warmem Fließwasser und einem Bad mit eingefliester Badewanne und Boiler. Im Sommer badeten wir jeden Samstagabend in einer schmalen Aluminiumwanne in der Waschküche, denn dort hatte mein Vater einen Abfluß einbetoniert. Das Wasser wurde auf dem Herd erhitzt, und weil Wasser und Strom kostbar waren, badeten zuerst Mama und ich, sie am breiten Ende der Wanne, ich am schmalen, sie mit der Drillichschürze vorgebunden, die das Wasser aufbauschte. Dann badete mein Vater im selben Wasser, aber ihn durfte man nicht nackt sehen. Im Winter stand die Aluminiumwanne im Wohnzimmer, und man mußte aufpassen, daß kein Wasser überschwappte. Das würde alles anders werden, wenn sie erst Tausender auf Tausender gehäuft und ein richtiges Haus erspart hatte. In der Zwischenzeit gab es kleine Verbesserungen, einen Einbauschrank, eine Waschmaschine, einen Kühlschrank und ein Moped für meinen Vater, damit er nicht mehr nach der Nachtschicht mit dem Geld in der Diensttasche an der Donaulände heimgehen mußte und unser aller Lebensunterhalt gefährdete.

*

Das Kind kam in die Schule. Erneute Anstrengungen, um mit dem Wohlstand mitzuhalten, Schultasche, Füllfeder, Federschachtel, alles aus dem besten Schreibwarengeschäft, und neue, adrette Schulkleider. Aber das Kind erbrach jeden Morgen auf dem Weg zur Schule das Frühstück, oft, wenn die Mutter ihr nachschaute, wie sie adrett gekleidet, die Schultasche auf dem Rücken, den Berg hinunterging, blieb Vera stehen und brach mit gekrümmtem Oberkörper das Essen auf den Weg. Sie kehrte nie um. Später, wenn die Mutter einkaufen ging, stieg es ihr noch in die Nase. Was mit dem Kind wohl los war? In der Schule sagte die Lehrerin, schaust wieder aus wie ein Käslaib. Käslaib, Käslaib, riefen die anderen Kinder und lachten. Sie traute sich auch nicht zu sagen, wenn sie aufs Klo mußte. Was stinkt denn da so, fragte ihre Banknachbarin, und Vera pflichtete ihr eifrig bei, ja, es stinkt furchtbar. Die Lehrerin ließ die Mutter kommen, Vera macht in die Hose aus Angst und hat jeden Tag Spuren von Erbrochenem auf dem Kleid. Wenn ich neben ihr stehenbleibe und auf einen Fehler zeige, fängst sie an zu zittern. Bedrohen Sie das Kind? Sie ist halt nervös, ich weiß auch nicht, was mit ihr los ist, antwortete Frau Kovacs. Nur Schande machst du einem, sagte sie zu Hause, warum bin ich mit einem solchen Kind gestraft? Beim Aufgabenmachen saß sie dabei, ja nicht unter die Zeile kommen, schöne runde O machen, Schaufel und Schaukel, f und k, immer wieder, seitenlang Schaufel und Schaukel, in endloser Folge nebeneinander, wie kann man nur f und k verwechseln, alle anderen kapieren es ja auch. Tränen auf dem Papier, die die Schrift verschmierten. Die Mutter packte meinen Kopf bei den Haaren und rieb mir die Nase in die zerronnene Schrift, stieß mir den Kopf aufs Heft, auf den Tisch, bis sich Blut daruntermischte, dann schickte sie mich ins Bett. Schaufel und Schaukel, sagte ich im Traum und schrie unter ihrem Griff laut auf. Kann man nicht einmal ruhig schlafen, du G'frieß, schimpfte sie und setzte sich drohend im Bett neben mir auf. Ich blieb zitternd und mit angehaltenem Atem wach liegen, eine ganze lange Nacht, viele ganze lange Nächte. Ich schlief lieber gleich nicht ein, um nicht im Traum zu schreien, um nicht vor Angst ins Bett zu nässen, um nicht aus dem Bett gerissen und wegen meiner nächtlichen Vergehen geschlagen zu werden. Erst im Morgengrauen fiel ich dann in einen kurzen, zerfahrenen Schlaf. Seit wann leiden Sie an Schlaflosigkeit, fragt der Arzt, der mir seit Jahren Valium verschreibt, weil nichts geholfen hat, nicht das Schafezählen, nicht das Mantra, nicht das Beten und auch die sündhaften Gedanken nicht. Seit ich Schaufel und Schaukel verwechselte, seit ich Angst hatte, im Schlaf meine Züchtigung heraufzubeschwören. Aber ich sage bloß, oh, schon lange, schon seit meiner Kindheit.

Ich wurde Musterschülerin. Ich wußte alles, was die anderen nicht wußten, aber das verminderte nicht die Angst, mit der ich die Vormittage absaß, mit der ich zu Hause makellose Buchstaben malte. Ich brachte lauter strahlende Einser nach Hause, römische Einser, Einser mit Ausrufezeichen, und als Belohnung bekam ich ein wenig Zärtlichkeit und manchmal die Erfüllung eines bescheidenen Wunsches, zehn Deka Mayonnaisesalat oder einen Malkasten für ein Schulzeugnis mit lauter Einsern. Ich war dann Mamas gutes Kind und durfte nach dem Essen auf ihrem Schoß sitzen und mit ihren Haaren spielen. Ich wurde vor anderen Leuten gelobt, unsere Vera lernt recht brav, lauter Einser hat sie im Zeugnis gehabt, und ich weidete mich im Glanz lobender Grunzlaute und nickender Köpfe. Aber im Grund waren die Einser die Leistung meiner Mutter und ihrer vorbildlichen Erziehung. Beim ersten Zweier versteckte ich mich nach der Schule hinter den Mülltonnen im Schulhof. Die Lehrerin fand mich aber doch, warum ich denn nicht heimgehe, fragte sie. Wegen dem Zweier, ich darf nicht mit einem Zweier heimkommen, sonst bekomme ich Schläge, würgte ich hervor und begann, hemmungslos in ihren Armen zu schluchzen. Glauben Sie nicht, daß Sie das Kind ein wenig zu streng erziehen, fragte sie meine Mutter vorsichtig, als sie mich an der Haustür ablieferte, ein Zweier ist ja doch nicht so schlimm. Ich betete, während ich zitternd zwischen ihr und meiner Mutter stand, sie möge nichts sagen von den Schlägen, die mich erwarteten. Sie sagte nichts, verabschiedete sich freundlich, und Mama wartete am Fenster, bis sie um die Wegbiegung verschwunden war, bevor sie mir befahl, den Teppichklopfer zu holen und meinen Hintern freizumachen. Die Frau Lehrerin war zwar eine Respektperson, deren Urteil man mit demütiger Miene annahm, schon allein, damit sie dem Kind gut gesonnen blieb, aber ich war für Wochen in Ungnade gefallen wegen der Rüge, die sie schweigend hatte einstecken müssen.

Denn das war das erste Gebot. Was immer zu Hause vor sich ging, nach außen durfte es nicht dringen, die Fassade mußte lückenlos bleiben. Wir waren eine anständige Familie, in der nur Harmonie herrschte. Wenn sie mir bevorstehende Schläge ankündigte und ich bei Fremden, die nichtsahnend den Berg heraufkamen, Zuflucht suchte, konnte ich mich auf eine noch wütendere Tracht Prügel gefaßt machen. Und wer glaubt denn schon einer heulenden Sechsjährigen, die einem den Weg versperrt, den gemütlichen

Spazierweg ins Grüne an einem stillen Sonntagnachmittag, wenn sie schreit, Hilfe, bitte helfen Sie mir, die Mama haut mich, wer will sich denn schon einmischen, bloß weil eine kleine, freche Göre ihrer wohlverdienten Züchtigung entgehen will. Na, na, sagt der freundliche Herr mit dem Spazierstock begütigend, wird schon nicht so schlimm sein, wir sind doch alle hie und da übers Knie gelegt worden und sind auch anständige Menschen geworden und hat uns kein bißchen geschadet. Sie ist nicht herausgekommen, sie hat drinnen schweratmend auf mich gewartet. Wenn du das noch einmal machst, erschlage ich dich.

Wie weit haben meine Schreie wohl gehallt an schönen Sommertagen, wenn alle Fenster offenstanden und die unseren sorgfältig verschlossen waren? Mein Klavierspiel haben die Nachbarn gehört, und mein Gebrüll, das nichts mehr mit Kindergeschrei zu tun haben konnte, hätten sie nicht gehört? Meine Mutter hat mich nämlich geschlagen, sagte ich später, wenn Verwandte und Nachbarn die Lobreden der tüchtigen Hausfrau und guten Mutter anstimmten, aber sie warfen mir beschwörende Blicke zu und gingen verlegen zu anderen Themen über. Schmutzwäsche versteckt man vor Fremden, ich habe an ein Tabu gerührt, wir sind eine Nation geschlagener Kinder.

Und der Amtsarzt, der meine Mutter zu sich kommen ließ, was wollte der erreichen, wie lange glaubte der, die Hand über mir halten zu können? Einer nach dem anderen wurden wir ins Direktorzimmer gerufen, und diesmal nützte die Panik und das Bitten gar nichts. Wenn dir etwas fehlt, dann muß ich es sehen, ich bin doch der Arzt, ich kann es wieder gutmachen. Nein, es fehlt mir nichts, ich bin ganz gesund, nur ich kann mich bitte nicht ausziehen. Die Lehrerin mußte kommen, sie half mir beim Ausziehen, sie war eine Respektsperson, da gab es keine Widerrede und keinen Widerstand.

Ich fing den Blick auf, der hin und her ging, fragend, entsetzt, betreten, wissend, ihr Achselzucken, seine Hand, die mich näher zog, die kühlen Finger auf meinen blutigen Striemen, die blauen, schwärzlichen von den gelblichgrünen Flecken unterscheidend, tut das weh? Mein Kopfschütteln und die Tränen der Scham, als hätte man mich unter die Aussätzigen gestoßen für meine unaussprechlichen Schandtaten. Schlägt dich dein Vater, fragte er, gleich würde ich erbrechen müssen, nein, antwortete ich wahrheitsgemäß, ich bin nur hingefallen. Das Waschbecken beim Fenster: bevor er sein sauber glänzendes Arztbesteck retten kann, habe ich schon darauf gebrochen. Er schaut verärgert zu, als mir die Lehrerin beim Anziehen hilft. Auch an diesem Tag mußte ich heimgehen, wohin hätte ich sonst gehen sollen, das sorgfältig zugeklebte Kuvert in der Schultasche. Ich brauchte es nicht herzuzeigen, sie fand es von selber bei der täglichen Schultaschenkontrolle. Ich wagte nicht, ihr ins Gesicht zu schauen, als sie den Brief las, ich kauerte in meiner Spielecke unter der Stiege und zitterte, aber sie sagte kein Wort. An diesem Abend schwiegen wir beide vor Angst. Die Eltern flüsterten im Wohnzimmer, sie hatten sich gegen mich verschworen. Dann gehen wir halt morgen hin, sagte mein Vater, die Scham und die Angst auch in seiner Stimme, ich nehme mir frei. Sie werden wohl hingegangen sein, ich habe nie davon erfahren. Sie vermied es, mich anzuschauen, es herrschte die drohende Stille vor dem großen Strafgericht. Ich haßte den Arzt, er würde nicht dasein, wenn sie mich das nächste Mal schlug, für die neuen Vergehen und für die Demütigung, sie der Öffentlichkeit preisgegeben zu haben, sie, die beste Mutter der Welt, die sich für mich aufopferte wie keine andere.

Meine Freundin und Banknachbarin hatte mir meine Mutter ausgesucht, Uli Reisinger, die Arzttochter, selbstbewußt und wohlerzogen, ohne Furcht vor schlechten Noten vor Lehrerin und Mitschülern. Mir war diese Uli nicht recht geheuer, ich empfand eine aggressive Scheu ihr gegenüber, aber meine Mutter fand, sie sei von allen Erstkläßlern der einzige mögliche und geeignete Umgang für mich. Bis ich Uli wegen einer Anmaßung, die mich ärgerte, eine Ohrfeige gab, die erste und einzige Ohrfeige meines Lebens, die ich gegeben und nicht empfangen hatte. Ulis Mutter kam noch am selben Tag zu uns ins Haus und beklagte sich bitter. Von da an waren Frau Dr. Reisinger und meine Mutter erbitterte Feindinnen. Es verging kein Tag, an dem ihr Name nicht mit Zorn, Verachtung und Neid erwähnt wurde. Bitt-schön-Frau-Doktor war wieder im Geschäft gewesen und zuerst bedient worden, obwohl sie noch gar nicht an der Reihe gewesen war, und Mamas Tag war vergällt. Bald hatte sie herausgefunden, daß Ulis Mutter gar keine Frau Doktor war, sondern einen Doktor geheiratet hatte, sie hatte nur acht Klassen Volksschule und war kein bißchen besser als Frau Kovacs, die Arbeiterfrau, der man ins Gesicht sagen durfte, jedes Bettelweib hat schon eine Waschmaschine. Uli ging in den Turnverein, und Mama wußte, daß Dr. Reisinger entnazifiziert worden und noch immer ein Nazi war. Trotzdem mußten wir mit den Reisingers Schritt halten, ich wurde in einen Gymnastikkurs und in die Ballettschule eingeschrieben mit der Hoffnung, dort noch feineren Umgang zu finden als in der zweiklassigen Volksschule.

Die Frau, die sich im Entbindungsheim über die Bettkante gebeugt und gesagt hatte, ich hab mir doch gleich gedacht, daß Sie vom Land sind, kam zu Besuch, und die Töchter wurden nach sieben Jahren mütterlicher Anstrengung zum Vergleich nebeneinandergestellt. Marlenes Mutter glänzte vor Stolz, und im Gesicht meiner Mutter sah ich die Enttäuschung und die Scham, die ich so gut kannte. Marlene lernte Blockflöte, also bekam auch ich eine Blockflöte und wurde bei Marlenes Musiklehrerin angemeldet. Bald darauf begann Marlene mit dem Klavierunterricht. Meine Eltern beratschlagten lange. Eine Zither war in der Familie, man konnte sie kostenlos borgen. Ein Klavier kostete ein Vermögen, und wo sollte man es hinstellen in einem fünfundzwanzig Quadratmeter großen Haus mit schrägen Wänden? Sie kauften trotzdem ein Klavier, weil Marlenes Mutter verächtlich lachte und sagte, Zither, das paßt, natürlich, Bauernmusik. Ein ganzes Jahr Ersparnis kostete dieses Pianino, und ich mußte mich dieses Opfers würdig erweisen. Jeden Tag übte ich eine Stunde, von Anfang an, stundenlang denselben Ton, es lief eine Maus wohl über das Haus, trip, trap. Meine Mutter ertrug es mit angehaltenem Atem, eine Tortur, die sie sich gefallen ließ, weil sie siebentausend Schilling wert war und die Tochter in die richtigen Kreise und auf die richtige Laufbahn schob. Als sich herausstellte, daß ich unmusikalisch war, das Klavierspielen haßte und mich die Klavierlehrerin hinausschmeißen wollte, wurde die Anstrengung und der Leistungsdruck verdoppelt. Zwei Stunden ans Klavier gekettet, bis der Wecker klingelte, erst dann durfte ich aufstehen, bis dahin mußte ich Töne produzieren, auch wenn die Noten vor meinen Augen zu tanzen anfingen und weder Rhythmus noch Melodie stimmten. Nach vier Jahren und drei Klavierlehrerinnen, die mir meinen Mangel an Talent mit Ohrfeigen und Hohn bestätigten, spielte ich Mozartsonaten. Dann begann ich zu schwänzen, aß die Bonbonniere, die ich der Klavierlehrerin zum Geburtstag hätte schenken sollen, selbst und erwartete das Schlimmste. Das Schlimmste kam, ein Brief der Lehrerin, die sich um ihr laufendes Honorar, das ich vernaschte, betrogen fühlte. Aber es kamen diesmal keine Schläge, es kam die resignierte Trauer, bei diesem Kind ist alles umsonst. Manchmal spielte ich noch Bartok in langgezogener Melancholie für meinen Vater, weil er bei Bartok andachtsvoll beim Klavier saß, und dann stand das Klavier an der Wand, überfüllte das Wohnzimmer und erinnerte daran, daß die Tochter unbegabt war und jede Anstrengung an ihr verlorenging. Aber auch meine Mutter wollte nicht noch einmal die Schande erleben, unter den Zuhörern eines Schülerkonzerts zu sitzen und ihre Tochter auf dem Podium, die einzige, die keinen Applaus bekam, weil sie zwei Stücke gefühllos herunterhämmerte und beim dritten hilflos steckenblieb.

*

Wie komme ich zu einem musikalischen Kind, denke ich und schaue meiner Tochter beim Cellospielen zu, jederzeit bereit zu sagen, hör auf, wenn es dir keinen Spaß macht. Genie ist sie keines, versichert man mir, um meine Bewunderung zu dämpfen. Wer spricht von Genie? Ich unterdrücke den Wunsch, ihr zu sagen, wie dankbar ich ihr dafür bin, von sich aus zu wollen, wozu es bei mir des täglichen Terrors bedurfte. Fünfzehn Jahre hatte ich gebraucht, um wieder Musik hören zu können ohne Abwehr und das Gefühl der Niederlage. Sie spielt, wie ich gezeichnet habe, selbstvergessen, zeitenthoben, mit konzentriertem, nach innen gewandtem Gesicht. Sie will eine berühmte Künstlerin werden oder eine Ballerina und dreht den Schlüssel um, wenn sie in ihrem Zimmer Musik hört. Ich weiß, daß sie tanzt, ich rieche es an ihrem verschwitzten Trikot, und diesmal weiß ich sogar, warum sie tanzt. Sie müßte sich nicht verstecken, sie müßte nicht lügen und sagen, sie habe Aufgaben gemacht. Als sie klein war, saß sie im Laufstall und sah mir zu, wenn ich tanzte, sie war meine dankbarste Zuschauerin. Später tanzte ich, das Kind im Arm, wenn sie krank war, wenn sie unglücklich war, wenn sie zu müde zum Spielen war, und ich dachte, wenn sie alles vergißt, daran soll sie sich erinnern. Warum ist sie jetzt so böse und verlegen, wenn ich frage, hast du getanzt? Sie behütet ihre Träume, um ihrer nicht müde zu werden, um sie nicht zur Pflichtübung zu machen, die in Lob und Tadel meßbar ist, meine kluge Tochter. Sie ist böse, weil sie keine Widerstände findet, keine verschlossenen Türen, die sie einrennen könnte. Und ich fühle mich ausgeschlossen, zurückgewiesen, ins Reich der Erwachsenen gestoßen, wo man nicht allein und zum Spaß tanzt, wo alles vernünftig ist und seine Ordnung hat, wo Mütter Hausfrauen sind und solide, dezente Farben tragen, wo der Vater nicht am Samstag auf Besuch kommt, sondern am Abend seine Füße auf den Tisch legt und das Essen serviert bekommt, wo man keine Liebhaber in später Nacht davonschleichen hört. Du hast eine richtige Kindheit gehabt, sagt meine Tochter, und meint damit das Haus, in dem ich siebzehn Jahre lang wohnte und zu dem ich ohne Zögern daheim sage, die Mutter, die immer auf mich wartete mit fertigen Mahlzeiten und frischgewaschener Wäsche, das geregelte Familienleben. Ja, sage ich zornig, sei froh, daß ich dich davor bewahrt habe. Aber sie träumt davon, von der heilen Familie in einer heilen Welt, und sie gibt mir die Schuld. Wie sollte sie verstehen, daß die heile Welt die Folterkammer ist, aus der ich mit dem Mut der Verdammten ausgebrochen bin, immer wieder auszubrechen bereit bin, um sie und mich zu retten? Mit welcher Sehnsucht sie meiner Kindheit nachtrauert, wie sie mich anklagt, du hast mir keine Geborgenheit gegeben, du hast mir keinen Halt gegeben, du hast mich immer nur mitgeschleift auf deine Eskapaden. Ja, sage ich, aber ich habe dich nie geschlagen, und ich habe dich immer vergöttert. Aber das ist für sie selbstverständlich. Wie sollte ich sie nicht vergöttern, sie, ein Geschenk der Götter, ein Wunderkind, schön und gescheit und begabt und mit jedem Lächeln fähig, die Welt zu erobern. Nur wenn ich so sein könnte wie ihre Großmutter, glaubt sie, wäre ihr Leben perfekt.

*

In der Schule war ich weiterhin Klassenbeste, und es war inzwischen selbstverständlich, daß ich mehr wußte als die anderen und nur römische Einser heimbrachte. Der Druck ließ ein wenig nach, ich durfte wieder nach dem Aufgabenmachen in den Graben spielen gehen. Aber ich ging nur mehr selten in den Graben spielen, ich lief mit der Nachbarstochter auf die Straße und warf Steine nach erstaunten Sonntagsspaziergängern, ich stahl Erdbeeren aus fremden Gärten und lauerte einem zarten, scheuen Buben auf, der Erich hieß, um ihn mit Drohungen und Erpressungen zu quälen. Er hatte Angst vor mir, und bald wurde es mein Lieblingssport, den kleinen Erich zu terrorisieren, der der Kleinste in der Klasse war und nie aufzeigte, bis mich eines Tages sein Vater auf dem Heimweg abfing und mir mitten auf der Straße zwei Ohrfeigen gab, die rote Fingerabdrücke auf jeder Wange hinterließen. Wenige Stunden später erfuhr es meine Mutter, sie lief wütend zu Erichs Eltern, aber sie kam mit traurigem, resigniertem Blick zurück, der sagte, ich habe eine mißratene Tochter. Erich wurde mir als neuer Freund aufgezwungen, ich wurde zur Kinderjause bei ihm eingeladen und durfte mit seinen ferngesteuerten Autos spielen, er wurde bei uns eingeladen, und ich langweilte mich zu Tode. Die Freundschaft dauerte nicht lange, denn Erichs Mutter fand, ich sei zu wild für seinen Umgang. Später fragte ich mich, ob wohl der ungläubige Blick, den sie beim Verbinden eines aufgeschundenen Knies auf meine entblößten Oberschenkel warf, mit dem abweisenden Verhalten und dem Ausbleiben der Einladungen zu tun gehabt hatte. Was dachte die sanfte, gepflegte Frau in dem großen, mit Silbertannen umfriedeten Haus, als sie ihre Finger auf die Spuren des Teppichklopfers legte? Sie zog mir schnell den Rock über die Knie und sagte, für heute sei es genug. Sie schob mich sanft und freundlich, aber unerbittlich zur Tür hinaus, denn sie wollte ihr ahnungsloses Kind vor der Gewalt beschützen.

In der Kirche saß ich seit der Erstkommunion vorn in den Kinderstühlen, neben meinen Klassenkameradinnen und flüsterte boshaft-witzige Bemerkungen ins Gebetbuch, bis die ganze Bankreihe zu kichern anfing. Wir knieten, die Gesichter in den Händen, hielten uns die Nasen zu und prusteten in die Stille der Wandlung hinein. Nach der Kirche mußte ich mich nackt ausziehen und wurde mit dem Teppichklopfer geschlagen, bis ich bewegungslos und lautlos auf dem Boden lag, und mein Vater sagte, da siehst du, was du mit deiner Brutalität ausrichtest, erschlagen tust du das Kind noch. Aber als ich geschrien hatte, Papa, Papa, hilf, war er auf dem Sofa gesessen und hatte nicht gewagt, in die Züchtigung einzugreifen. Von da an saß ich wieder im vorletzten Kirchenstuhl zwischen meinen Eltern, sang die Kirchenlieder mit und ging mit gefalteten Händen und niedergeschlagenen Augen von der Kommunion zurück. Aber ich konnte es nie richtig machen, dieses Spießrutenlaufen an allen Bänken vorbei. Einmal stolperte ich schon bei der Kommunionbank, und einmal fiel ich über die Stufen unserer Bank, dann war wieder ein Knopf offen oder ich schaute böse, ich lächelte blöd, ich schaute die Leute frech an oder wirkte verlegen. Jeden Sonntag an der Hand meiner Mutter spürte ich beim Nachhauseweg die Mißbilligung, die sich dann beim Sonntagskuchen in Verachtung und Hohn entlud. Mit neun Jahren kaufte sie mir das Einmaleins des guten Tons, aber über das korrekte Verhalten beim Kirchgang stand nichts drin. Lange Jahre verfolgte mich der Alptraum, immer derselbe. Ich stehe im Hemd an der Kommunionbank, in einem Hemd, das mir nicht über die blaugeschlagenen Schenkel reichen will, obwohl ich verzweifelt daran ziehe und den bösen, höhnischen, angeekelten Blick meiner Mutter auf mir fühle.

Tust denn die Vera gar nicht ein wenig zum Haushalt anleiten, fragten meine Tanten, wenn ich auf dem Bauernhof nicht wußte, wie man den Besen beim Stubenauskehren hielt und ich mich beim Geschirrwaschen ungeschickt anstellte. Die Vera soll ihre Schulaufgaben machen, den Haushalt mach ich schon allein, antwortete meine Mutter barsch. Dann mag sie aber auch nicht in die Küche, wenn sie einmal heiratet, gaben die Tanten zu bedenken. Vera braucht nicht zu heiraten, die wird Klosterlehrerin, schnitt sie ihnen das Wort ab. Als ich acht war, gab es keinen Zweifel mehr für sie, ich würde Lehrerin werden und ins Kloster gehen, den Traum ihrer Jugend erfüllen. Dazu brauchte man keinen Haushalt, dazu brauchte man auch nicht hübsch und gefällig zu sein, dazu bedurfte es nur der Frömmigkeit, des Gehorsams und des unermüdlichen Studierens. Diese Qualitäten wurden unter ihrem strengen Blick und ihrer teppichklopferbewehrten Hand ständig trainiert. Eiserne Disziplin nannte sie es und war stolz darauf. Unter diesem Gesichtspunkt meldete sie mich von der Ballettschule ab, eine Klosterlehrerin brauchte nicht steppen und Pirouetten zu beherrschen. Ich war gern in die Ballettschule gegangen, ich hatte eine Freundin, ein Flüchtlingsmädchen aus der Ungarnrevolution, die kein Deutsch sprach, dafür aber unter die Bänke kroch und die anderen Mädchen in die Fersen zwickte, aber ich wagte keinen Einspruch. Wenn Mama am Nachmittag in die Stadt fuhr, zog ich ihre Kleider an und tanzte vor dem Spiegel. Das tat ich auch noch, als ich nicht mehr das Geräusch ihres Schlüssels in der Tür fürchten mußte, und als ich ihre Kleider längst hergeschenkt hatte.

Die dritte Volksschulklasse ging fast unbemerkt an mir vorüber. Der Großvater hatte eine Magenoperation. Er war ein halbes Jahr im Spital, zwischen Leben und Tod, wie meine Mutter jedem Fremden versicherte, und bescherte mir unerwartete, strahlende Freiheit. Es war, als ob in diesem halben Jahr die Sonne immer schiene, von dem Augenblick an, wenn Mama schnell das Geschirr wusch und sich umzog, bis zum Abend, wenn sie zerstreut nach Hause kam. Sie haßte ihren Vater, aber sie ließ sich nichts nachsagen. Sie war die einzige seiner Töchter, die nahe genug wohnte, ihn täglich zu besuchen, und sie tat es mit der sturen Gewissenhaftigkeit, mit der sie den Haushalt führte und Disziplin in mich hineinprügelte. Sie brachte ihm eingerexte Kirschen und Torten und ließ sich von seinen wehleidigen Launen tyrannisieren. Zu Hause verlor sie kein Wort über ihn und seinen Zustand, aber der Haushalt mußte ebenso laufen wie vorher. Ich saß allein am Verandafenster und träumte über den Heften, ich zog die Vorhänge zu und betrachtete meinen nackten Körper im Spiegel und entdeckte die ersten beunruhigenden Zeichen von Weiblichkeit. Nach dem Nachmittagsunterricht ging ich einmal mit den Buben in die Donauauen rauchen, und ich hatte sogar für kurze Zeit einen Freund, der bereit war, mich aufzuklären. Wir standen vor dem ehemaligen Luftschutzstollen, und er redete vom Kinderkriegen, aber ich dachte, es hätte mit Krieg zu tun und stellte mir einen Kinderfeldzug vor, und als ich endlich begriff und begierig meine Pullmanmütze in der Hand drehte, kam meine Mutter vom Autobus und roch sofort Unkeuschheit. Sie fragte mich noch oft nach Günter aus und beobachtete mich scharf dabei, aber Günters Eltern zogen weg und damit auch die erste Gefahr für meine streng behütete Reinheit.

*

Wenn wir versuchen, uns zu definieren, wenn uns andere mit Worten zu fassen suchen, greifen wir auf unsere Mütter zurück. Den starken Willen und deine Bodenständigkeit hast du von deiner Mutter, sagt meine Tante, und ich weiß weder, was sie mit Bodenständigkeit meint, noch bin ich überzeugt, daß ich meine Sturheit geerbt habe. Vielleicht gehört sie zu den vielen Dingen, die sie mir mit dem Teppichklopfer eingebleut hat. Wie zum Beispiel meine Angst vor jedem lauten Wort und jeder heftigen Bewegung, meine hilflose Faszination an allem, was die Macht hat, mich zu quälen. Meine Mutter war eine Rebellin, sage ich, sie hielt nichts von den herkömmlichen Rollenvorstellungen, und während ich es sage, weiß ich, daß es nicht wahr ist, auch wenn sie mich nicht auf Küche und Haushalt gedrillt hat. Aber Mutter-Tochter-Beziehungen sind »in«, und die Mütter bekommen wieder das Verdienstkreuz. Meine Mutter war eine große, stattliche Dame mit gutem, bürgerlichem Geschmack, eine perfekte Hausfrau mit überdurchschnittlicher Intelligenz, verschwiegen, korrekt im Verhalten, etwas arrogant.

Ja, so war Ihre Mutter, bestätigen mir die Nachbarn und Kirchengänger unserer Gemeinde im Chor. Warum fange ich dann an zu stottern, wann immer ich mich ihr mit Worten nähere, wann immer ich sie als Spiegel benutzen möchte, um mich selbst schärfer zu sehen? Andere Mütter sind auch groß, stattlich, arrogant und intelligent hinter dem Küchenherd, und ihre Töchter können lachend Anekdoten aus ihrer Kindheit erzählen und ihre Mütter mit einem freundlichen Klaps in die Spielzeugkiste zurückschicken.

Aber meine Mutter ist eine Leerstelle, die sich mit Angst füllt, wenn ich meinen Blick auf sie richte, ich habe sie nie entziffern können, sie richtet sich hinter den Worten, die sie bannen sollen, auf, wächst wie ein Albdruck, und ich erstarre, während sie mich verschlingt. Ich kann nicht einmal schreien, weil mich niemand hört, und wenn mich jemand hörte, verstünde mich ja doch keiner. Ich kann sie auch nicht in die Spielzeugkiste zurückstopfen, sie ist lebendiger als die Mütter, die man im Altersheim oder in ihren finsteren, verwohnten Stadtwohnungen besuchen kann. In einer fremden Stadt erhasche ich zufällig mein Spiegelbild in einem Schaufenster, und da ist sie, die Haare unter dem viereckigen Tuch, die Arme an den Körper gepreßt, mit ihrer eigentümlich zögernden, schwermütigen Kopfbewegung und den erschrockenen Augen. Meine Mutter ist meine Doppelgängerin, die zufällig vor mir da war. Ich brauche nur über die Schulter zu sehen, um mich zu überzeugen, daß sie jede meiner Gesten nachvollzogen hat, nur sind ihre Gesten bedeutungsvoller, majestätischer, geheimnisvoller, wie der Schatten einer javanesischen Tänzerin hinter dem Reispapier.

Mein Vater versucht, sie zu entmythifizieren. Verrückt war sie, glatt verrückt, wer weiß, wie lange sie den Gehirntumor, den man nach ihrem Tod feststellte, schon gehabt hat. Meine Freundin, die Frauenrechtlerin, versucht sie zu ideologisieren. Jede Frau in ihrer Lage muß durchdrehen und ihre Frustration irgendwo entladen, stell dir vor, kein Geld, keine Liebe, nur Haushalt, die vier Wände, Sparen und kein Ende. Mein Freund versucht, sie vom Podest zu stürzen. Also gut, dann war sie also gescheit, hat historische Romane und philosophische Bücher gelesen, die Leute kalt und argwöhnisch durchschaut, überall Verfolgung gewittert und sie wie der Blitzableiter angezogen, zugegeben, sie hatte eine unglückliche Kindheit, eine freudlose

Ehe, nie genug Geld und große Erwartungen an das Leben, aber gibt ihr das alles das Recht, ihr Kind zu prügeln? Ich schütze sie mit Theorien, mit den Schlägen, die sie von ihrem Vater bekam und die sie weiterreichen mußte, mit ihrer Überzeugung, daß Schlagen zur Erziehung gehöre. Mit ihrer Ehrenrettung steht und fällt mein Selbstwert. Ich kann sie nicht preisgeben, denn wenn es sich herausstellen sollte, daß sie mich nie geliebt hat, dann bin ich eine Monstrosität, etwas, daß es nicht geben darf. Deshalb sage ich nicht, was ich weiß, was ich schon lange gewußt habe, daß sie eine von denen war, die uns die Gänsehaut über den Rücken jagen und die Vorstellungskraft stocken lassen, wenn wir von ihnen in Geschichtsbüchern und Berichten lesen, eine von denen, die sich in allen Sparten der Folter auskennen. Sie hatte das Talent, es fehlte ihr das Wirkungsfeld, sie hatte die Werkzeuge, ordentlich verwahrt und griffbereit, sie hatte ihr verschwiegenes Opfer, das ihr hilflos und willig ausgeliefert war, und sie hatte ihre geheime Lust, die sich in den bewußtlosen Erschöpfungszuständen nach der Vollstreckung löste. Sie ließ sich selten vom Zorn übermannen. Sie bereitete ihr Opfer vor, warte nur, heute abend, aber vorher mußte ich ins Bett und die Angst bis zur Selbstmordphantasie steigern. Wo hatte sie das gelernt? Welche Handbücher hatte sie gelesen? Beim Antreten zur Züchtigung wurde Haltung gefordert, Schreien und Bitten machten es nur noch ärger, Selbstdemütigung entfesselte sie. Schlagen war ein Ritual, von Ritualen umgeben. Auch die Begutachtung der roten Striemen und blutunterlaufenen Flecken nach getaner Arbeit gehörte dazu. Eine von denen also, die in Folterkellern und Konzentrationslagern ihre Karriere machen? Wie sollte ich diese Frage beantworten, wo sie doch meine Mutter war, wo doch das Wort Mama auch den breiten Schoß bedeutete, auf dem ich sitzen durfte, das weiche Gesicht, das man küssen konnte, wenn man brav war und lauter Einser heimbrachte. Mama, das waren Koseworte, wie ich sie später nie wieder hörte, Häschen und Goldkind, das war der Duft der Weihnachtsbäckerei, wenn ich im Advent aus der Dunkelheit ins warme helle Wohnzimmer kam. Mama bedeutete Geborgenheit und Ausgesetztsein, sie konnte mich vor fast allem beschützen, außer vor sich selbst.

*

Ich war ein kränkliches Kind mit kaum verheilter Tbc, anfällig für Kinderkrankheiten, einem nervösen, empfindlichen Magen und Haltungsschäden. Die Aufopferung meiner Mutter war grenzenlos. Tagelang trug sie mich auf dem Rücken auf dem Hausberg der Stadt herum, denn der Arzt hatte Höhenluft verordnet, und einen Aufenthalt in den Bergen konnte sie sich nicht leisten. Wenn die Erstickungsanfälle des Keuchhustens kamen, saß sie immer am Bett, Tag und Nacht, Goldkind, Goldkugerle, stirb mir nicht. Am Tag lag ich auf dem Sofa, wohlige Müdigkeit in den Gliedern, und sie erfüllte mir jeden Wunsch, sie lief ins Geschäft, um mir alles, wonach ich verlangte, zu kaufen. Sie stand neben mir und hielt meine Hand, wenn ich eine Spritze bekam oder Zähne gerissen werden mußten. Ich sah die Angst und den Schmerz, den sie mitfühlte, in ihrem Gesicht und fürchtete mich erst recht. Denn nur sie konnte alles Unheil abwenden, sie hatte mein Glück und mein Unglück in der Hand. Und nur sie liebte mich, es mußte stimmen, wo sie es doch täglich sagte, sie liebte mich über alles und alle Maßen, sie liebte mich auch, wenn sie mich schlug und wenn sie sich beklagte, mit einem Ausbund an Häßlichkeit und Minderwertigkeit gestraft zu sein. Sie mußte mich ja lieben, wie hätte sie es sonst ertragen können, ein Kind wie mich zu haben. Ich war ihr dankbar für ihre Liebe, die ich so selten zu fühlen bekam, aber es war ja meine Schuld, daß ich sie so selten verdiente, und ich drückte meine Dankbarkeit in Bastelarbeiten aus, die ich ihr zum Muttertag schenkte, in Zeichnungen und Gedichten. Ach, du liebes Mütterlein, wäre ohne dich allein, da es ohne dich nicht geht, wär mein Leben ganz verweht. Als der Schulinspektor kam, wurde ich zum Katheder gerufen und durfte mein erstes Gedicht vorlesen. Ich wußte, welche Antworten von mir erwartet wurden, ich versuchte, ein gutes Kind zu sein. Was willst du werden, wenn du einmal groß bist? Klosterlehrerin. Was nicht ins Bild des braven Kindes paßte, erste sexuelle Neugier, kleine gestohlene Geldsummen, mit denen ich mir Schokolade und Brausepulver kaufte, Süßigkeiten, die ich mit Irene im Pfarrwald verzehrte, Rügen und Karzer, die ich fürs Witzereißen bekam, das log ich weg mit genialer Phantasie und abgewandtem Gesicht. Lüg nicht, sagte sie, schau mir ins Gesicht. Aber die Wahrheit bekam sie doch nicht heraus, ich lernte meine Geheimnisse verbergen wie Schätze und zog ein Netz von falschen Fährten darüber. Kein Mensch konnte sie mir entreißen, ich hätte Spionin werden sollen.

Nur zu Weihnachten wurde nicht gespart, nur zu Weihnachten gab es nie Streit. Zu Weihnachten kam das Christkind, bis ich zehn Jahre alt war und zwei Wochen zu früh den Baum in der Waschküche hatte stehen sehen. Da war mir plötzlich der ganze Betrug klar. Auch die Schlafaugenpuppe, die ich mir so viele Jahre gewünscht hatte, konnte mir die alte Magie nicht wiederherstellen. Am Heiligen Abend gab es zu Mittag gezuckerten Reis, und nach dem Essen mußte ich ins Bett, aber ich ging gern ins Bett, denn unten im Wohnzimmer raschelte, knisterte und klirrte es leise, und ich lag im Bett und las ein Buch. Wenn es zu dunkeln begann, holte mich Mama, und der Anblick noch von der Stiege aus war das Schönste im ganzen Jahr, der Baum im Kerzenlicht, das sich in den Christbaumkugeln spiegelte und aus den Lamettafäden sprühte, das Feuerwerk der Spritzkerzen und der Raum mit den Geschenken noch im Halbdunkel, das die Erfüllung der wildesten Träume versprach. Meine realen Wünsche waren nie unbescheiden, denn im Advent legte ich Briefe an das Christkind ins Fenster, und unbescheidene Briefe wurden nicht abgeholt. Das Christkind erfüllte meine bescheidenen Wünsche und legte noch etwas Unerwartetes, aber selten etwas Unerwünschtes dazu. Die Wünsche, die ich nicht auszusprechen gewagt hätte, erfüllte es allerdings nie. Vor dem Geschenkeauspacken mußte gebetet werden. Wir standen im selben Abstand wie sonst vor der Heiligen Familie an der Wand, aber diesmal war die Heilige Familie unter dem Christbaum auf einer faltbaren Stallbühne aus bemaltem Karton. Erst nach dem Beten wurden vorsichtig die Schleifen aufgebunden, das Papier gleich wieder gefaltet und für die nächsten Weihnachten aufgehoben, und die erwarteten Überraschungslaute hervorgebracht. Kniewärmer für Mama, genau, was sie sich schon immer gewünscht hatte. Geträumt hätte sie eigentlich von einem winzigen Nerzkragen mit einer Schleife zum Binden oder einem Paar Lederhandschuhe. Und ein Hemd für Papa, das brauchte er schon so notwendig, die alten Krägen waren alle schon zweimal gewendet. Das traditionelle Weihnachtsessen, Frankfurter Würstl mit Senf, neunzehn Jahre lang, in den ersten Jahren eine Extravaganz und Delikatesse und später, weil es eben zu Weihnachten gehörte, und danach belegte Brötchen und Torte, Weihnachtsbock und Kracherl. Glücklich versessene und verspielte Abende, Geschenke ein- und ausgepackt, der einzige Abend, an dem keine Bettzeit drängte, und vor dem Schlafengehen noch einmal die Kerzen auf dem Baum, das Glitzern und Funkeln im dunklen

Zimmer und Mamas volle Altstimme, Stille Nacht, heilige Nacht. Von der Mette hielt sie nichts, die war ihr zu langweilig in unserer kleinen Kirche, kein Chor, keine Blaskapelle, keine Feierlichkeit, die das Kirchenschiff erbeben ließ und einem vor Überwältigtsein die Tränen in die Augen trieb. So war es zu Hause auf dem Land gewesen und noch atemberaubender in der Osternacht. Weißbehandschuhte Männer, die die schwarzverhängten Fenster und das Kreuz enthüllten, und ein brausendes *Te Deum,* vor dem man zerschmettert in die Knie sank. Das war Religion für sie, tragische Oper, ehrfürchtige Rührung, Festlichkeit und Von-den-Sinnen-überwältigt-Werden. Im übrigen tat man seine Christenpflicht, Besuch der Messe an Sonn- und Feiertagen, fleischlose Freitage, Beichte und Kommunion einmal im Monat.

Sie war längst keine junge Frau mehr, auch wenn sie erst Mitte dreißig war. Korpulent und vollbusig, oder, wie sie sich lieber sah, stattlich, mit kurzem, kastanienbraun gefärbtem, dauergewelltem Haar, falschem Modeschmuck und zeitlosen Kleidern aus teurem Stoff, war sie schon zehn Jahre lang nicht mehr jung gewesen. Schauen's net so finster, sagte manchmal ein Straßenbahnschaffner und bekam einen vernichtenden Blick für die Frechheit. Was nahm sich der Kerl eigentlich heraus, bloß weil er ein Kollege von ihrem Mann war? Es geht mir jetzt gut, es geht mir nichts ab, ich lass' es uns an nichts fehlen, sagte sie zu ihren Schwestern, wenn wir die seltener werdenden Besuche auf dem Bauernhof machten. Schau, sagte sie stolz zu Fanni, die ihr beim Baden zuschaute, auf mir bleibt kein Tropfen Wasser, so gut genährt bin ich. Unter allen ihren Schwestern war sie die Würdigste, diejenige, die das meiste darstellte, die große Dame aus der Stadt, die es am weitesten gebracht hatte. Wenn sie auf dem Kirchplatz stand,

sagten ihre aufrechte Haltung und ihr hochmütiger Blick, seht mich alle an, ich bin da, und ich hab's geschafft, ich bin wer, ich bin eine Dame. Der Knoten ihrer Halstücher saß wie kein zweiter, kein Härchen hing aus der Frisur, die Lippen waren rot, zu rot, um nicht aufzufallen, und die Haut noch glatt, faltenlos, gespannt von der Fülligkeit und elastisch von extrafetten Hautcremen, ihrem einzigen kosmetischen Luxus. Die Vorbereitungen zu den Auftritten vor der Kirche konnten zwei Stunden dauern. Da wurde zehnmal die Strumpfnaht überprüft und die Frisur von allen Seiten betrachtet. Und dann das Kind. Das Kind durfte natürlich nicht nachstehen, es mußte ja sittsam mitgehen als lebender Beweis, wie sehr sie es geschafft hatte. Ich sah aus wie die Replik meiner Mutter in Kleinformat, einen Hut auf dem Kopf oder zumindest eine große Propellermasche im Haar, blendendweiße Strümpfe, weiße Nylonhandschuhe und ein Kostüm aus dem teuersten Stoffgeschäft, von Tante Rosis siebzigjähriger Schneidermeisterin genäht, das aus mir eine Miniaturfünfzigerin machte. Ich brauchte nur einen Knicks zu machen und die Hand zu geben, das Reden erledigte meine Mutter. In ihrer stattlichen Gegenwart kam es mir immer als Privileg vor, neben ihr gehen zu dürfen und ihre Tochter zu sein. Ein wenig von ihrem Glanz blieb an mir hängen, und wir wanderten einträchtig und befriedigt ins Dorf zurück. Wir hatten es wieder einmal allen gezeigt, wir waren angesehen, wir waren wer, wir hatten es geschafft. Die Not und das Elend hatte sich gelohnt. Welche Bäuerin hatte eine so glatte Haut, welche Bäuerin leistete sich so gute Kleiderstoffe?
Wenn wir in unserem Villenviertel in die Kirche gingen, trug sie dieselben Kleider und Hüte, die Strumpfnaht eine haargerade Linie, aber in ihrem Gesicht waren Ängstlichkeit und Trotz. Wer würde sie heute wieder schneiden, welche der Frauen, die sie im Geschäft zur Seite drängten,

mit deren Kindern ich nicht spielen durfte, würde heute wieder hinter uns gehen, wer würde heute wieder nach der neuesten Mode gekleidet sein? Hier mußten wir uns doppelt zusammenreißen, um mithalten zu können, um doch noch wer zu sein, wir, die einzige Arbeiterfamilie im Ort. Und gerade hier machte ich ihr die meiste Schande mit meiner Unsicherheit, meiner mit den Jahren zunehmenden Angst vor der öffentlichen Selbstzurschaustellung. Ins Dorf fuhren wir ohne Vater, in der Stadt ging er oft Arm in Arm neben ihr, im besten Anzug, blütenweißen Hemd und nie ohne Hut. Aber sein Gesicht war undurchdringlich, seine Augen waren weit weg, wortlos ging er neben ihr her wie eine Marionette, in trauter Eintracht. Eine harmonische Familie.

Um die Kredenz lief eine Zierstickerei, auf der stand, Ordnung und Sauberkeit ist, was dem Manne wohlgefällt. Von beidem gab es mehr als genug zu Hause. Kein Kleidungsstück lag herum, nach der Schule zog ich sofort die guten Kleider aus, schlüpfte in das Wochentagskleid, das hinter dem Vorhang lag, und faltete die Kleider zum Fortgehen schön zusammen. Sofort nach dem Essen wusch meine Mutter das Geschirr, im Sommer vor dem Haus, damit kein Wasser auf den Bretterboden spritzte. Warum gefiel es meinem Vater dann zu Hause nicht? Er kam pünktlich und sofort nach dem Dienst heim, das Essen stand schon auf dem Tisch, die Hemden waren gebügelt und gestärkt, die Schuhe auf Hochglanz geputzt. Er kam zur Tür herein mit immer demselben undurchdringlichen, abweisenden Gesicht. Als ich klein war, küßten sie sich beim Abschied, bevor er in den Dienst ging, flüchtig und ohne eine Miene zu verziehen, auf den Mund. Das hörte später auf. Was gibt es Neues, fragte sie, wenn sie das Essen austeilte. Gibt nichts, antwortete er kurz. Er las auch nicht mehr die Zeitung, das hatte sie ihm abgewöhnt, außerdem war die Zeitung teuer. Er lieferte ihr das ganze Gehalt am Monatsersten ab und bekam hundert Schilling Taschengeld, sie bekam fünfzig Schilling Taschengeld, der Rest war Haushaltskasse. Was übrigblieb, ging aufs gemeinsame Sparbuch mit dem Kennwort »Häschen«, das war ich, das war für meine Zukunft, ich sollte es einmal besser haben. Er saß bei Tisch und schwieg. Wenn mir jeder Bissen im Hals steckenblieb, weil die Luft so dick war, wurde er manchmal von ihr aufgefordert, mir eine Ohrfeige zu geben. Er tat es selten, und dann so, daß ich kaum etwas spürte, bloß, um es sich nicht mit ihr anzulegen. Aber eine Ohrfeige von ihm schmerzte mehr, als wenn sie mich blutig schlug. Selten gelang es mir, seine Aufmerksamkeit zu erregen. Ich zerbrach mir den Kopf, wie ich sein Interesse fesseln könnte, und fragte ihn schließlich nach Gewehren und Panzern aus, weil er doch im Krieg gewesen war und mir sonst nichts einfiel. Meine Noten interessierten ihn nicht, meine Schulerfolge nahm er mit unveränderlicher Miene zur Kenntnis, meine Unfolgsamkeit regte ihn nicht auf. Er war eine Marionette, die bei uns wohnte, mit uns aß, im Nebenzimmer auf einer Koje schlief, und die ich Papa nannte. Wenn mich aber jemand gefragt hätte, wen ich mehr liebte, sie oder ihn, hätte ich ohne zu zögern gesagt, ihn. Er schlug mich nicht, er setzte mich nicht herab, er nahm mich überhaupt nicht wahr, aber er tat mir leid.

Beim Essen mußte er sich anhören, wie Frau Reisinger drei Schritte lief und zwei Schritte ging und im Geschäft bitt schön sagte, daß die Gemüsepflanzen nicht richtig aufgingen, und schließlich in immer lauter werdendem Ton, daß ihm ja alles wurscht sei, daß sie, seine Frau, ihm scheißegal sei, daß er sie gar nicht liebte, nie geliebt habe, immer nur das eine wolle, aber da könne er sie am Arsch lecken, daß er gehaut gehöre, damit er endlich aufwache, daß ein wenig Leben in ihn hineingeschlagen werden solle. Er hörte sich alles wortlos an, und wenn die Drohungen und Flüche kamen, stand er auf und ging. Er ging nicht weit, meist hinter das Haus basteln, Moped reparieren, oder er setzte sich auf die Bank hinterm Haus und starrte vor sich hin. Während sie hemmungslos schreiend und weinend auf ihrem Sessel saß und später auf den Boden rutschte, die Teller noch auf dem Tisch, Tränen auf dem Tischtuch und schrie, du Sau, du gemeiner Hund, du lebloses Stück Dreck. Ich stand zitternd im Wohnzimmer, begann selbst zu weinen und wußte nicht, wohin ich mich verkriechen sollte. Danach gab es tagelang unheilvolles Schweigen, bis er wieder begann, schau, Mama, mußt dich net immer so aufregen, ich bin halt so, ich kann's auch nicht ändern, und dann begann alles wieder von vorn, die Beschimpfungen, die Vorwürfe, die Flüche.

Die meisten Szenen fanden am Abend statt, wenn er noch zum Gutenachtsagen und auf einen flüchtigen Kuß, den sie ihm im Bett liegend gewährte, in unser Schlafzimmer kam. Er stand schweigend vor ihrem Bett, daß du dich nicht unterstehst und weggehst jetzt, schrie sie, wenn er nach der Türklinke griff, er stand schweigend, während sie im Bett schrie und weinte und nach Liebe verlangte. Aber sie erlaubte ihm auch nicht, sich auf ihren Bettrand zu setzen, stehen mußte er, damit du mir nicht einschläfst, und beim Fenster brauchst du auch nicht hinausschauen, schau nur her, schau mich nur an, das hast du aus mir gemacht! Ich lag einen halben Meter daneben in meinem Bett und wurde von Weinen und Angst geschüttelt, stundenlang, bis in die Nacht. Da war Nachtruhe und genügend Schlaf plötzlich nicht mehr wichtig. Schau, Mama, sagte er, ich muß um vier in der Früh in den Dienst, das Kind muß in die Schule, hör doch auf, laß mich doch schlafen gehen. Manchmal saß er die halbe Nacht im Wohnzimmer auf einem Sessel, weil sie ihm verboten hatte, sich niederzulegen, ich hörte ihn von Zeit zu Zeit hin und her rücken und konnte nicht einschlafen. Immer häufiger zog er seine Dienstuniform an und ging, man hörte vor dem Haus das Moped anspringen, und ich begann zu schreien vor Angst, so halt ihn doch zurück, Mama, er bringt sich ja um. Der bringt sich nicht um, sagte sie und schlief ein. Aber ich lag die ganze Nacht wach mit angespannten Sinnen, ob er nicht doch zurückkäme, ob man nicht unten im Wald einen Ast knacken hörte, an dem er sich erhängte. Er verbrachte die Nächte im Mannschaftsraum in der Remise, sagte er, und ich habe nie daran gezweifelt. In solchen Nächten wurde ich zwischen den beiden in Stücke gerissen. Schau, was er mir antut, sag ihm doch, was für ein Schwein er ist, forderte sie mich auf. Ich weinte lauter und schwieg. Wie konnten meine Eltern denn nicht begreifen, was jeder vom anderen wollte, wenn ich es so sonnenklar sah? Wenn er bloß ein wenig Zärtlichkeit und Wärme abgäbe, betete ich im Dunkeln, wenn sie ihn doch in Ruhe ließe. Sie erzählte mir, er wolle ganz widerliche, unnatürliche Dinge von ihr, ja, was wollte er denn? Ich war ja jede Nacht dicht neben ihr, mein Engel, der mich beschützt, sagte sie. Wollt ihr nicht noch mehr Kinder, nur eines ist halt zu wenig, das Kind ist ja einsam, und aus einem Einzelkind wird ein Egoist, sagten die Verwandten. Aber sie hatte immer die Kindersachen hergeschenkt, sobald ich aus ihnen herauswuchs. Auf keinen Fall mehr ein Kind, alles, nur kein Kind mehr. Einmal gab es eine neue, nie dagewesene Art von dicker Luft. Ist dein Gewissen rein, hast du nichts zu beichten, bohrte sie. Er saß auf seinem Sessel mit einem Armensündergesicht und sagte, ich weiß nicht, ob ich schon ganz heraus war. Aber diese Krise löste sich ohne Toben und Schreien in Erleichterung auf. Es war nichts passiert.

Wenn sie sich doch scheiden ließen, betete ich kniend vor meiner kleinen Madonnenstatue, die mir alle Wünsche erfüllte. Vor jeder Schularbeit kniete ich mich schnell vor die Porzellanstatue hin, weißer Schleier, blaue Schärpe, bitte, bitte, gib mir einen Einser, ich bekam den Einser. Wenn mich die Schmerzen im Bauch überfielen, bitte, bitte, keine Blinddarmentzündung, die Schmerzen vergingen. Bitte gib, daß die Mama es nicht erfährt, daß ich beim Nachbarn Zuckererbsen gestohlen habe, die Mama erfuhr nichts. Gib, daß die Mama nicht mehr von der Stadt zurückkommt und mich haut. Aber sie kam doch zurück, und ich bekam die angedrohten Schläge, und die Eltern ließen sich nicht scheiden. Später, als meine Mutter, mit der man nicht über Sex reden durfte, schon tot war, fragte ich meinen Vater, wann sie denn mitsammen im Bett gewesen seien, wo doch ich daneben schlief, fast nie, sagte er und wollte auch nicht mehr darüber sagen. Und noch später, als ich ihm von meiner Ehe erzählte und der grenzenlosen Verachtung, die ich für den Mann empfand, mit dem ich lebte, sagte er, wenn man anfängt, den anderen zu verachten, soll man gehen, ich hätte auch gehen sollen. Aber sie blieben beisammen wegen des Kindes und wegen der Leute und weil sie keinen Beruf hatte und nicht putzen gehen wollte. Wir führen eine gute Ehe, sagte sie zu ihren Verwandten, und er schwieg und betrachtete seine Fingernägel. Die einzige Zärtlichkeit, die ich zwischen meinen Eltern gesehen habe, fand vor Zeugen statt, ostentativ mit einem erzwungenen Grinsen im Gesicht, um ihr Eheglück zu demonstrieren.

Sonst gingen sie getrennte Wege. Er verdiente Geld, wenig genug. Sie führte den Haushalt, sie kaufte ein, sie gab das Geld aus, zögernd, vorsichtig, drehte jeden Hunderter um, bevor sie ihn auf den Ladentisch legte, schweren Herzens. Größere Ausgaben machte sie nie allein. Nicht, weil sie es nicht gekonnt hätte, nicht, weil sie es sich nicht zugetraut hätte. Sie nahm ihn mit und traf die Entscheidung allein. Warum soll ich die ganze Verantwortung tragen, warum soll ich alles allein schupfen, sagte sie. Sie war eine erstklassige Hausfrau, und es fiel ihr nicht ein, sich dagegen aufzulehnen, aber größere Entscheidungen treffen, große Anschaffungen, vom Kühlschrank bis zum Wintermantel, Behörden, Sprechstunden, Elternsprechtage, das war Sache des Mannes. Daß sie es besser konnte, daß sie mehr Mut und mehr Auftreten hatte, darüber beklagte sie sich. Wir standen im Geschäft, um einen Mantelstoff zu kaufen, und sie wählte aus, den Stoff, die Faser, das Muster, sie wußte die Maße und prüfte die Qualität. Er stand daneben und flirtete mit der Verkäuferin. Neben ihrem eifrig über das Material gebeugten Kopf lächelten sie einander an. Er hatte viel Gelegenheit, mit anderen Frauen zu flirten, er kannte ihren Weg zur Arbeit, ihre Arbeitsstunden und ob sie am Abend ausgingen. Ein Autobusschaffner in einer Kleinstadt kennt viele Leute. Zu Neujahr gaben ihm manche Geschenke oder Geld für zuvorkommende Leistungen, daß er mal gewartet hatte mit dem Abläuten, bis sie eingestiegen waren, daß er mal gesagt hatte, ist schon recht, wenn sie den Ausweis vergessen hatten, denn er wußte ja, daß sie einen Ausweis hatten, und dafür, daß seine Augen sagten, heute sind Sie besonders hübsch, daß er mit ihnen redete, wenn sie sich einsam fühlten, daß er sie immer wieder erkannte und sie freundlich grüßte. Sonst war nichts, er kam nach dem Dienst sofort nach Hause, hatte keine Freunde, brachte nie Kollegen mit, ging auch nie aus, weder allein noch mit meiner Mutter. Dienst und Privatleben streng geteilt, weder das eine noch das andere erholsam, glückverheißend. Geldverdienen und Familie erhalten. Und manchmal ein sehnsüchtiger Blick über den Zaun. Aber sie sah nur die sehnsüchtigen Blicke. Nur für andere Frauen hast du Augen, was hast du mit der, du hast was mit ihr, ich seh's dir doch an. Sie quälte ihn mit ihrer Eifersucht. Irgendwohin mußte er doch seine Liebe tragen. Er quälte sie mit seiner Kälte. Laß mich in Ruh, du kannst mich sowieso nicht fesseln. Sie spionierte ihm nach. Während des Dienstes stieg sie in den Bus, hatte sich durchgefragt zu seinem Dienstwagen, stand vor ihm, triumphierend, mißtrauisch, beargwöhnte die Frauen, die einstiegen, bewachte seine Gesten, seine Augen. Wegen einer, die er angelächelt hatte, spuckte sie ihm ins Gesicht, war selbst erschreckt darüber, als er sich mit dem Taschentuch abwischte. In dieser Nacht versuchte er, sie zu erwürgen, als sie ihn mit ihren Vorwürfen und Verwünschungen an ihrem Bett festnagelte. Es war das einzige Mal, daß er Hand an sie legte.

Sie lehrte mich, ihn zu verachten. Sie hatte die Hosen an, es machte ihr keinen Spaß, sagte sie, einen Pantoffelhelden unter den Füßen zu haben. Aber er schlief ja im Stehen ein und hatte zu nichts eine Meinung, alles war ihm gleichgültig. Auf die Ämter schickte sie ihn, weil ein Mann mit mehr Respekt behandelt wurde, aber vorher schärfte sie ihm ein, wie er sich zu benehmen und was er zu sagen hatte. Er machte es nie richtig, er brachte es zu nichts. Seit fünfzehn Jahren Schaffner, andere, die mit ihm angefangen hatten, waren bereits Kontrolleure. Auf ihr Drängen machte er eine Eignungsprüfung, um einen Schritt vorwärtszukommen, eine Sprosse hinaufzuklettern, und fiel durch. Er mußte ja durchfallen, sie hatte es ihm ja gesagt, du bist ein Versager. Fünfzehn Jahre lang dieselbe Dienstuniform mit demselben verdrossenen Gesicht getragen und keinen Schritt vorwärts. Die Gehaltserhöhung deckte gerade die Inflation und die Preiserhöhungen. Er hätte ja gern mehr verdient, aber wie? Laufbursche wollte er werden, da gab es mehr Trinkgeld. Sie wog die Dienstbezeichnungen, Schaffner, Laufbursche. Dann doch lieber Schaffner. Portier werden war sein Traum. In einer Glaskabine sitzen, durch ein Sprechloch mit der Außenwelt verkehren, keine zugigen Türen, nicht mehr mit Geld umgehen müssen, kaum mehr mit Menschen. Aber um Portier zu werden, brauchte man Beziehungen. Er hatte keine. Sie hatten ja nicht einmal Bekannte, von Freunden ganz zu schweigen. Wir sind keine Arbeiter, sagte meine Mutter, wir sind Mittelschicht. Die Frage war nur, ob untere oder obere Mittelschicht. Sie wollte keinen Umgang mit Arbeitern, auch nicht mit der unteren Mittelschicht. Hochnäsig ist die Frau Kovacs, hieß es, wer glaubt sie denn, daß sie ist? Mit den Reichen, mit den Doktorsgattinnen und den Ingenieursgattinnen versuchte sie, sich auf vertrauten Fuß zu stellen. Aber die schauten sie erstaunt und von oben herab an, was schmuggelt die sich in unsere Kreise? Nach dem Anbiedern, dem Nach-der-Schrift-Reden und dem So-tun-als-ob kam der Haß und die Bitterkeit über die Zurückweisung. Uli Reisinger durfte nicht mehr mit mir reden. Mit Gesindel geben wir uns nicht ab, hatte ihr entnazifizierter Vater gesagt. Uli fiel in der dritten Klasse Gymnasium durch, und meine Mutter triumphierte. Trotzdem war ihr Umgang begehrenswert. Auch als Hauptschülerin war sie eine Tochter aus gutem Haus. Auch als Gymnasiastin war ich ein Arbeiterkind.

Wenn ich später, als ich bereits in der Stadt in die Privatschule ging, meinen Vater in der Dienstuniform mir entgegenkommen sah, wechselte ich schnell die Straßenseite. Papa war verletzt. Dafür, daß man alles für sie tut! Wer schickt sie denn auf diese Schule, wer zahlt denn das Schulgeld? Tagelang schaute er mich nicht an. Du hast deinem Vater sehr weh getan, sagte meine Mutter ernst, aber ich wußte, sie verstand mich, es gab keine Strafe und keine Schläge, es war eben eine peinliche Situation. Sie ging nicht mehr mit ihm zum Elternsprechtag, sie konnte es nicht ertragen, als Arbeiterehepaar den Lehrern gegenüberzusitzen, und allein zu gehen, davor hatte sie Angst. Er war es gewohnt, demütig zu sein, er wäre gar nicht so unglücklich gewesen auf seinem Platz, wenn sie ihn in Ruhe gelassen hätte. Sie verhöhnte ihn, du Waschlappen, du Versager! Mehr Auftreten solle er haben, verlangte sie, mehr darstellen, mehr Mann sein. Andere Männer hielt sie ihm vor, richtige Männer, groß und fesch und studiert obendrein. Auch sie flirtete und erzählte zu Hause davon. Von dem Mann im Zugabteil, der sie mit den Augen verschlungen hatte und sie nur schöne Frau genannt hatte. Einmal sah sie Lois auf der Straße. Er hatte seine Frau und drei Kinder bei sich, die Kinder waren natürlich hübscher als ich, die Frau sah nichts gleich, und er war unverändert. Tagelang sprach sie von nichts anderem.

Sie lehrte mich die Männerverachtung. Männer brauchen eine starke Hand. Einmal gab sie ihm eine Ohrfeige. Ich hielt den Atem an, aber nichts geschah. Männer bringen nichts zustande, sie liegen herum und träumen vom Geld, das sie verloren haben, oder das sie verdienen könnten, wenn, ja, wenn. Statt dessen haben sie nur geile Dinge im Kopf und keinen Verstand. Es gibt Frauen- und Männerarbeit, einen Frauen- und einen Männerbereich, aber wenn der Mann zu nichts taugte, mußte eben die Frau auch den Männerbereich verwalten. Später verliebte ich mich in Künstler, feminine Männer, Träumer, denen irgendwann die Träume zerfallen waren, und die mich in ihre Träume hineinziehen wollten, sich von mir ihre Träume bestätigen und realisieren lassen wollten, während ich sie durchschaute, verachtete und enttäuscht weglegte. Männer sind Versager, da kannst du nichts machen. Ein Wahnsinn und eine Dummheit, sich auf einen Mann zu verlassen. Selbst ist der Mann. Sie lehrte mich die Enttäuschung von vornherein. Die doppelte Botschaft. Hausfrau und Mutter sein,

Frauenwelt und Fraueninteressen, Mannweiber sind abstoßend, weiblich sein! Aber nur auf eigenen Füßen stehst du sicher! Der Mann ist keine Stütze, sondern ein unmündiges Kind. Die Antwort auf das Dilemma: Klosterlehrerin werden. Aber die Liebe? Liebe ist der größte Betrug. Liebe, was ist das eigentlich? Woher sollte ich das wissen? Liebe war die ewige Forderung meiner weinenden, schreienden, ungeliebten Mutter an den gleichgültigen Vater. Liebe war die Gewissenhaftigkeit, die Selbstaufopferung und die Brutalität meiner lieblosen Mutter. Liebe war schließlich ein dünner, kümmerlicher Ersatz, Lob und unbestimmte Zärtlichkeit für ausgezeichnete Leistung. Liebe kaufte man sich durch Selbstverleugnung, gute Noten und Übererfüllung der Erwartungen. Die andere, die wirkliche Liebe, die gab es in den Träumen, in Schlagern und Operettentexten, vom Hörensagen und in den jugendfreien Heimatfilmen, in die meine Eltern mich seit dem sechsten Lebensjahr mitnahmen, weil sie niemanden hatten, der auf mich aufgepaßt hätte. Außer den Filmen unternahmen sie nie etwas gemeinsam.

Ich lernte die Einsamkeit von ihr und daß die Ehe ein Status ist, der einem mäßigen Schutz gewährt, nicht eine Gemeinschaft zwischen zwei Menschen. Mit geradem Rükken und gemessenem Schritt, eingehakt in die Kirche gehen, in den Sonntagskleidern, die gleich nach dem Heimkommen ausgezogen und für eine Woche in den Schrank gehängt wurden. Eine gute Ehe, immer gingen sie untergehakt, sie um einige Zentimeter größer, und sprachen kein Wort miteinander, hatten sich nichts zu sagen, nur ihre wilden Ausbrüche, mit denen sie nach Liebe schrie. Sonst war sie allein, in der Früh um halb sieben, bevor sie die Tochter aufweckte, im Winter die Asche aus dem Ofen räumte, in der Eiskälte einheizte, Schnee schaufelte, da war es noch finster und sie in den Holzschuhen und im Schlafrock nach einer einsamen Nacht in Erwartung eines ereignislosen, einsamen Tages.

*

Was hätte ich mit dieser Erbschaft tun sollen, in den Jahren zwischen Kindheit und Erwachsenwerden? Ich schob die Entscheidung hinaus, lebte in meinen Träumen, in denen die Regeln meiner Mutter und ihrer Welt nicht galten, und blieb den Menschen fern, vor allem den Männern. Ich hatte ja meine Mutter, die mir die Wirklichkeit erklärte, die mir das Leben versperrte. Nie kam ich in Versuchung, ihre Erklärungen und Verzerrungen zu testen. Aber eines Nachts, in der niemand die Stunden zählte, warf ich ihr Kleinod ins Meer, die südlichen Sterne schlugen über mir zusammen, und es war weder schrecklich noch sündhaft noch demütigend. Ich dachte nicht einmal an sie, oder doch, sie drängte sich an mein Ohr und sagte, die Schande werde ich nicht überleben, aber ich war zu glücklich, um den Triumph voll auszukosten. Ich hatte sie endlich besiegt. Nichts von dem stimmte, was sie mir erzählt hatte, nichts mehr davon würde mich berühren können, ich war unverwundbar. Von dieser Nacht an würde ich nicht mehr ihre Tochter sein.

Aber ich irrte. Was sie mir gesagt hatte, mochte mich nicht berühren, was sie mir getan hatte, das wiederholte sich unermüdlich, das nahm seinen Lauf mit jeder neuen Umarmung. Ich war das Opfer, das mit demütigen Augen das Folterwerkzeug aussuchte und die verwundbaren, kaum verheilten Narben entblößte. Jedesmal dachte ich, das ist der Test, dieser wird mich schonen, aber keiner konnte der Versuchung widerstehen, denn ich litt mit so viel Haltung und ohne jemals daran zu zweifeln, daß Folter und Liebe untrennbar wären. Ich weiß, du kannst mich nicht lieben, ich weiß, ich bin nichts wert in deinen Augen, sagte ich jedesmal wieder mit angehaltenem Atem. Welcher von den vielen würde mir widersprechen und die peinlich dargebotene Blöße bedecken? Welcher würde mich aufheben? Würde einer mir die dargereichte Waffe aus der Hand nehmen und sagen, du bist die Schönste, ich liebe nur dich? Keiner konnte der Macht widerstehen, die ich ihm anbot, jeder schlug zu mit dem Werkzeug, das ich für ihn ausgesucht hatte, der eine mit Phantasie und Ausdauer, der andere unsicher und schnell gelangweilt. Aber so spürte ich die Liebe wenigstens an Leib und Seele und konnte, im Unglück schwelgend, Herz auf Schmerz reimen. Manchmal suchte ich mir Väter aus, das war noch schlimmer, denn nichts konnte ihr Interesse wecken, sie lächelten mich nur freundlich und zerstreut an, streichelten mir über den Kopf und vertrösteten mich auf später. Also hielt ich mich an die Quäler, die sagten, du bist nichts wert, schau dich doch an, wie soll dich einer lieben können, die mit den Nachfolgerinnen meiner blondgelockten, fröhlichen Kusine schäkerten und sagten, so geh doch endlich, du bist mir im Weg. Aber keiner konnte mir die Mutter ersetzen, keiner konnte mich schlagen wie sie, keiner konnte mich an sich binden wie sie. Die Stümper verließ ich bald, sie langweilten mich schnell, die Übereifrigen durchschaute ich. Es blieben nur wenige, an denen ich mich zerstören konnte, die mich halten konnten mit Drohungen, mit Zärtlichkeiten, deren Preis mit jeder Umarmung stieg, mit Ködern, die meine Leistungen ins Unmenschliche steigerten. Und eines Morgens wache ich auf wie aus einem Alptraum, und der Schmerz ist weg, die Liebe ist weg, ich bin unverwundbar, ich kann gehen und nach dem nächsten suchen, der mich an sein Mörderherz nimmt. Der Wahnsinn dauert nur so lange, als ich die Machtbefugnis erteile, das zumindest habe ich erreicht, das Ende bestimme ich.

Das eine vor allem wollte ich vom Anfang an, das Kind vor dieser Erbschaft der Selbstzerstörung bewahren. Den Zwang wollte ich fernhalten, die Angst vor der Strafe, die Demütigung, der Schwächere zu sein, und die Unfähigkeit, sich dagegen aufzulehnen. Sie ersticken das Kind mit Liebe, sagte der Psychologe, sie können nicht loslassen, sie hemmen seine Entwicklung. Das ist nicht wahr, wollte ich rufen, aber ich schwieg und nahm alle Schuld auf mich, ich hatte wieder einmal versagt. Da fehlt die straffe Führung, die Hand eines strengen Vaters, kommentierten meine Tanten selbstgerecht die Wutanfälle meiner eigensinnigen Tochter. Soll ich sie halb tot prügeln, wie ich geprügelt worden bin, schreie ich und überschreie das brüllende Kind. Der Apfel fällt nicht weit vom Stamm, sagen sie angewidert, reiß dich doch zusammen. Ich habe ein Kind erzogen, weil ich es nun einmal geboren habe, und kein Mensch sagte mir wie. Ich erinnerte mich an meine eigene Kindheit und wußte, wie ich es nicht machen würde, aber nicht falsch ergibt noch nicht richtig. Sie ist zwölf und führt ein Tagebuch. Ich habe mir geschworen, es nie zu tun, und tue es doch, mit schlechtem Gewissen, schnell, damit sie mich nicht ertappt, und mit vor Angst klopfendem Herzen, weiß Gott, in welche ungeahnten Abgründe ich stürzen kann.

Meine Augen gleiten schnell über Schulalltag und Schülersorgen, eine Rüge für Schwätzen und Stören, von der ich nie erfahren habe, ein Nichtgenügend im Rechentest, das ich nie gefunden habe. Wie großzügig ich doch bin, denke ich und strahle neben meiner pedantischen Mutter. Aber dann finde ich die Eintragung nach einem Wochenende mit ihrem Vater, und mein Stolz zerrinnt wie die Tinte, die unter ihren Tränen zerronnen ist. Ich möchte, daß wir auch eine Familie sind. Es ist schrecklich, immer dazwischenzustehen. Mama hat mich schon gern, obwohl sie viel meckert. Sie hat auch nicht immer Zeit. Manchmal sitzt sie bloß da und starrt zum Fenster hinaus. Oder es ist wieder einer zum Abendessen da. Der sagt dann, na Kleine, wie geht's, und schaut blöd. Immer streicht er um Mama herum, und ich muß früher ins Bett. Ich bin doch nicht blöd. Die glauben, ich kenn mich da noch nicht aus. Und Papa hat mich auch gern. Es sagt zu allen Leuten, darf ich Ihnen meine Tochter vorstellen? Er sagt, daß er ganz stolz auf mich ist. Seine Frau mag ich nicht. Das ist eine blöde Kuh. Er nimmt sie aber eh fast nie mit, wenn er mich ausführt. Gestern hat er mich zweimal ausgeführt, in die Konditorei und ins Restaurant. Da hat mir Papa das Menü ausgesucht, und es war viel besser als zu Hause. Und der Kellner hat Fräulein zu mir gesagt, bestimmt bin ich rot geworden. Papa hat viel mehr Geld als wir, der hat auch feinere Sachen im Kühlschrank. Ich soll mir aussuchen, was ich will, sagt er, Geld spielt keine Rolle. Zu Hause müssen wir immer sparen, und Mama ist oft sauer, weil ich ihr zu wenig sparen helfe. Ich brauch einen neuen Wintermantel, sagt Mama. Aber Papa sagt, so eine Unverschämtheit, wozu bekommt sie denn Alimente. Immer streiten sie um die Alimente. Einmal waren wir alle drei im Restaurant, das war an meinem Geburtstag. Das war schön. Es wäre schön, wenn Papa bei uns wohnen könnte. Aber Mama sagt, nicht einmal dran denken. Ich will einmal eine richtige Familie haben. Einen Mann, zwei Kinder und einen Hund. Und ein großes Haus. Nicht immer sparen müssen. Das hängt mir schon zum Hals heraus. Immer muß ich sagen, meine Eltern sind geschieden. Dann schauen die Leute so, wie wenn sie Mitleid hätten. Aber in Wirklichkeit sind sie schockiert. Das merk ich doch, ich bin ja nicht blöd.

Jetzt sollte ich die Kraft aufbringen, das Tagebuch wegzulegen, aber ich blättere schuldbewußt weiter in ihrem kurzen Leben: Der Abend ist schön und klar. Wäre doch das Leben auch so schön! Ich habe auf alles, auf jeden Menschen eine Wut. Allein möchte ich sein. Aber ich glaube, ich habe auf mich selber eine Wut. Ich könnte auf alles in der Welt verzichten, auf alles. Nicht mehr sein, das wäre das Schönste. Ich will nicht mehr in diesem abscheulichen Zimmer leben. Wie ein Gefängnis. Der zerkratzte Klapptisch und das Bett und der Ausblick auf den finsteren Hof. In der alten Wohnung hat man zumindest den Himmel und den Wald gesehen. Ich bin schrecklich unglücklich hier. Aber Mama wollte aus der alten Wohnung weg. Immer will sie weg. Sie sagt, die Wohnung war zu teuer und zu weit draußen. Dort habe ich in den Wald spielen gehen können und im Sommer Blumen pflücken. Überhaupt, immer muß ich mit, wenn Mama etwas Neues einfällt. Wenn sie sagt, ich halt's hier nimmer aus, dann heißt das, übersiedeln, eine neue Schule und aus allem herausgerissen werden. Warum kann ich kein Zuhause haben wie andere Kinder.

Warum habe ich mir eingebildet, mein Kind sei glücklich? Sie kann doch nicht ganz so verschwiegen leiden? Lebt mit mir und ist unglücklich, und ich merke nichts davon, ich bestätige mir nur täglich, daß ich eine gute Mutter bin. Wie komme ich zu dieser Anmaßung? Bloß, weil sie selten in meiner Gegenwart weint? Habe ich denn jemals in Gegenwart meiner Mutter geweint? Sie geht in ihr Zimmer und weint ins Tagebuch, und als sie noch klein war und nicht schreiben konnte, ist sie mit ihrer Decke und dem Daumen im Mund auf dem Boden gelegen und hat trostlos vor sich hin gestarrt. Sie hat sich geweigert zu sprechen, sie hat sich geweigert zu antworten. Unglücklich und deprimiert, sagte der Kinderarzt und schaute mich fragend an. Sind Sie übersiedelt, oder war sonst eine einschneidende Veränderung in ihrem Leben? Ich lebe in Scheidung, habe ich geantwortet, und er hat mich nicht geschont. Das müssen natürlich dann die Kinder ausbaden, hat er gesagt. Das waren die Monate, als sie mit verängstigtem Gesicht zusah, wie ihr Vater brüllte und Hand an mich zu legen versuchte, wie ich Geschirr nach ihm warf und weinend aus der Wohnung lief und am Morgen nicht da war. Nein, geschlagen habe ich sie nie, aber Schmerz und Tränen und den wütenden Amoklauf gegen das Schicksal habe ich ihr hemmungslos vorgeführt und viel zu spät erkannt, daß ich damit ihre Fähigkeit zum Glück zerstörte.

Und die mörderische Wut, die Versuchung, der eigenen lauernden Verzweiflung dort nachzugeben, wo die Grenzen zu einem anderen Ich schwach sind und leicht zu zertrampeln, wo der Selbsthaß unvermutet in die Zerstörung umschlagen kann, ich habe sie erlebt und auch die tiefe Scham danach. Ich habe dich nie geschlagen, mein Kind, aber als ich dich damals an der Steinmauer hin und her schüttelte, stumm vor Wut, da war der Abstand so klein zwischen dir und der Mauer, an die ich beinahe deinen Kopf gestoßen hätte. Ich wußte damals, auch ich wäre fähig dazu, und entsetzt ließ ich dich los. Als du klein warst und schriest und schriest, warf ich dich in den Kinderwagen, drückte mir die Finger in die Ohren und schrie selbst in hilfloser Verzweiflung, bis ich dich nicht mehr hörte. Und ich wundere mich, daß du unglücklich bist? Von all dem weißt du nichts, der Kampf zwischen uns war stumm und gewaltlos, aber nicht weniger schuldvoll, nicht einmal frei von Haß. Du weißt nur, daß du nicht glücklich bist, du drückst dir die Nägel ins Fleisch, um zu spüren, daß der Schmerz nicht die tägliche Form des Daseins ist, du ziehst dich zurück, und nur wenige können dich erreichen, und ich sehe zu, stumm, hilflos und beschämt. Es ist mir nicht gelungen, die Kette zu unterbrechen. Ich bin auch hier die Tochter meiner Mutter geblieben.

*

Die Volksschule ging zu Ende, und meine Mutter ließ mich in der Klosterschule in der Stadt für die Hauptschule einschreiben. Ich wollte aufs Gymnasium, aber der Volksschuldirektor sagte, er könne sich mich nur als Hauptschülerin vorstellen, als gute Hauptschülerin, die Matura würde ich ja doch nie schaffen, denn Arbeiterkinder sind im Gymnasium im Hintertreffen, die sprachliche Deprivation, die reizarme Kindheit. Nur nicht zu hoch hinaus, liebe Kovacs, Hochmut kommt vor dem Fall.

Wir trugen unsere besten Sonntagskleider zur Anmeldung, dezente Grau- und Blautöne, hochgeschlossen, lange Ärmel, demütig-fromm schon bei der Pfortenschwester. Eine öffentliche Schule war nicht gut genug, es mußte eine Privatschule sein, auch wenn wir uns das Schulgeld wieder einmal vom Essen absparen mußten. Damit Vera einmal für ihren Glauben nicht so zu leiden braucht wie ich in den ersten Ehejahren, sagte meine Mutter, und außerdem sollte ich ja Klosterlehrerin werden. Vier Jahre Hauptschule, dann Noviziat, die Lehrerbildungsanstalt würde schon das Kloster bezahlen. Mama hielt den Kopf schief und leicht geneigt und lächelte so hold, wie ich sie noch nie lächeln gesehen hatte, wie ein Engel, sagte die Oberschwester und ließ mich »Hab Sonne im Herzen« singen. Wir zerflossen beide vor demütiger Ehrfurcht, ich hatte auf der Straße noch weiche Knie und glaubte, man müsse uns den Heiligenschein ansehen. Als Uli dann im Sommer die Aufnahmeprüfung ins Gymnasium machte und noch fünf andere Mitschüler aus gutem Hause, die in ihren Leistungen nie an mich herangereicht hatten, setzte ich das erste Mal in meinem Leben gegen Eltern und Lehrer meinen Willen durch. Lassen wir sie die Aufnahmeprüfung halt machen, damit ihr leichter ist, sagte mein Vater. Lisa, meine schöne anrüchige Kusine, war Sekretärin in einem Juwelierladen, die anderen Kusinen wurden oder waren Verkäuferinnen.

Sekretärin war ein guter Beruf für ein Mädchen, eine Stufe nach oben aus dem Arbeiterstand ins Angestelltenmilieu. Eine Lehrerin war schon eine Respektsperson, sie stand in ehrfurchterregendem Abstand über dem Rest der Gemeinde, an zweiter Stelle gleich hinter dem Pfarrer, sie hatte Macht über alle schulpflichtigen Kinder und damit über die meisten Familien. Aber was bedeutete Matura? Hochschulreife? Acht Jahre Gymnasium, und mit achtzehn, wenn alle anderen schon einen fixen Posten hatten, was war man dann? Maturantin? Nicht einmal Lehrerin. Nur eben reif für die Hochschule, für die Universität. Wer konnte sich das schon leisten, ein Kind auf die Universität schicken, eine Tochter noch dazu, die ohnehin heiraten würde? Universität. Das war ein viel zu abstrakter Begriff, um die Phantasie anzuregen, um Wunschträume entstehen zu lassen. Wer ging auf die Universität? Pfarrer und Ärzte. Aber war ein Doktor soviel mehr als eine Lehrerin? Rechtfertigte das den Aufwand? Vielleicht besteht sie die Prüfung gar nicht, sagte mein Vater. Es war erwünscht, daß ich sie nicht bestand. Ich war erstaunt, als mein Name auf dem Schwarzen Brett angeschlagen war, und ich triumphierte. Ich hatte es ihnen gezeigt, ich hatte es geschafft, meine erste freie Entscheidung. Für meine Mutter wurde die Konkurrenz weniger konkret, als ich in die Stadt in die Schule ging. Sie sah die anderen Schülerinnen nicht, wußte nicht, wie sie gekleidet waren, wer ihre Eltern waren, was für Noten sie hatten. Und ich verschwieg die Demütigung, in der ersten Stunde aufstehen und Name und Beruf des Vaters angeben zu müssen, fast in jedem Fach, nur zur Orientierung, sagten die Professoren, aber ich beobachtete das Aufleuchten in ihren Augen beim Namen der berühmten Chirurgen, der großen Geschäftshäuser, des Heeresministers, der paar versprengten Adligen, die das »von« weglassen konnten, weil es ohnehin jeder wußte. Das war eine

Privatschule, eine Eliteschule, und ich war wieder einmal das einzige Arbeiterkind, und mußte es ihnen wieder einmal zeigen, weil sie es sonst nicht glaubten. Es gibt welche in der Klasse, die nicht hereinpassen, sagte Schwester Therese und sah mich an, bis ich rot wurde, wir müssen in diesem Fall eben christliche Nächstenliebe üben. Die Aristokratinnen und Fabrikantentöchter nickten großzügig.

Jeden Tag mußte ich jetzt schon um halb sieben Uhr früh aufstehen, und im Winter war es noch finster, wenn ich um zehn nach sieben mit dem Autobus in die Stadt fuhr. Die anderen Schüler fuhren mit dem Halb-acht-Uhr-Autobus, aber ich mußte nicht nur pünktlich sein, nicht beim ersten Läuten um fünf vor acht schnell in die Bank huschen, ich mußte schon eine halbe Stunde vor Unterrichtsbeginn meinen Geist vorbereiten, mich seelisch einstimmen. In der Pause packte ich meine Schinkensemmeln aus, und die Bankierstöchter fielen darüber her, laß mich abbeißen, nur einmal. Wenn ich heimkam, war das Essen schon bereit, immer pünktlich für mich, auch mein Vater mußte sich nach meinem Stundenplan richten. Schulkleider ausziehen und aufhängen, umziehen, und dann wurde gegessen. Ich brauchte nicht mehr zum Tisch geprügelt werden, ich stellte mir vor, von allem, was auf dem Tisch stand, einen Brei zu machen, alles mit allem zu verrühren, damit verging die Zeit und das Mittagessen. Danach mußte ich verdauen. Ich lag auf dem Sofa und durfte meine Füße auf Mamas Schoß legen. Meinen Vater schickte sie ins Badezimmer und drehte den Schlüssel von außen um, er war ohnehin zu dumm, um mitzureden. Da saß er dann draußen, vielleicht stand er auch und wartete, bis es ihr wieder einfiel, ihn hereinzulassen. Es fiel mir damals nicht auf, daß er es sich wortlos gefallen ließ. Wir redeten über die Schule, und oft erzählte sie mir von früher, vom Bauernhof, bevor ich geboren war, ich kannte bald ihre ganze

Kindheit auswendig, und von den Verfolgungen ihrer ersten Ehejahre. Ich weinte vor Schmerz. Der Haß, den sie von sich auf mich hinüberwälzte, verkrampfte mir den Magen.

Ich liebte sie für ihre Leiden, und ich fühlte mich für sie gedemütigt, ich wollte sie entschädigen, ich wollte mich für sie rächen, auch an Papa, der ihr die Liebe versagte und unaussprechliche Dinge von ihr verlangte.

Dann wusch sie das Geschirr, und ich stieg in mein Dachzimmer mit dem Klapptisch am Fenster und legte die Hefte auf Papas Bett der Reihe nach auf. Mama, nicht singen, rief ich in die Küche hinunter, da kann ich mich nicht konzentrieren. Sie verstummte. Wenn ich spüre, es ist jemand im Haus, kann ich mich einfach nicht richtig sammeln, sagte ich später. Meine Mutter zog sich also nach dem Geschirrabwaschen an und fuhr in die Stadt. Um fünf Uhr kam sie wieder heim. Geht deine Mutter jetzt halbtags arbeiten, weil sie jeden Tag zur selben Zeit in die Stadt fährt, fragten mich die Nachbarinnen. Ich machte mir keine Gedanken, was sie tat, wie sie die Nachmittage verbrachte, Sommer und Winter, bei jedem Wetter. Zum Einkaufen hatte sie kein Geld. Ging sie die Landstraße auf und ab, saß sie in Kirchen? Manchmal ging sie in die Dombücherei und holte sich historische Romane, mir brachte sie Karl May. Manchmal besuchte sie wieder die Kovacs-Tanten, mit denen der Kontakt abgebrochen war, aber die kamen trotzdem nicht mehr zu Besuch. Niemand kam zu Besuch, außer einer alten Frau, der Großmutter eines gleichaltrigen Mädchens, das ich nicht ausstehen konnte. Sie war die einzige gute Bekannte, der meine Mutter manchmal zögernd von sich erzählte und für die sie eine Anhänglichkeit entwickelte, die der alten Frau auf die Nerven ging. Wir besuchten sie oft, und wenn meine Mutter spürte, sie war zu Hause, läutete sie, klopfte an alle Fenster und schlich stundenlang ums Haus, bis sie herauskam und flehte, ich bitt Sie, heut nicht, mir ist heut nicht wohl. Dann zog sie zu ihrem Sohn ans andere Ende der Stadt und besuchte meine Mutter nur mehr einmal im Jahr. Gegenbesuche verbat sie sich, die Schwiegertochter sei dagegen. Nun hatte Mama wieder gar niemanden. Aber trotzdem schaute sie an den langen Sonntagnachmittagen jede halbe Stunde den Weg hinunter, ob nicht doch jemand käme. Die wechselnden Nachbarinnen versuchten einen freundschaftlichen Verkehr mit Frau Kovacs, einen gelegentlichen Tratsch über den Zaun, aber meine Mutter mißtraute immer mehr Leuten, sie beneidete immer mehr Frauen um ihre Häuser, ihre Männer und um ihre Kinder, und sie ließ niemanden auch nur so weit, als es die Höflichkeit erforderte, in ihr Leben hineinblicken. Unnahbar und kühl war sie, ihr zögerndes Lächeln erschien immer seltener auf ihrem Mund und erfror leicht, bevor es die ernsten, mißtrauischen Augen erreichte, die nie lächelten. Beim ersten Anzeichen von Gefahr, bei der ersten teilnehmenden Frage, bei der ersten Bemerkung, die nach Geringschätzung klang oder gar nach Kritik, wurde ihr Blick abweisend, ihr Lächeln eisig. Die Leute hatten Respekt vor ihr. Sie war immer korrekt gekleidet, sie ließ im Geschäft nie anschreiben, wir gingen zur Kirche wie die Heilige Familie, und alle mußten sehen, daß das Kind ihr alles war und sie das Letzte gab für das Kind. Ich wußte, daß sie das Letzte gab für mich, sie sagte es mir ja täglich. Ich konnte auch nie dankbar genug sein, daran hatte ich mich schon gewöhnt. Trotzdem machte ich Versuche, meinen unzureichenden Dank auszudrücken, zum Namenstag, zum Geburtstag, zum Muttertag, zu Weihnachten, mit selbstgemalten Glückwunschkarten und Geschenken, die ich von dem Geld zusammensparte, das mir meine Tanten manchmal »für eine Tafel Schokolade« gaben. Dann war sie gerührt und wischte sich eine Träne aus dem Auge. Aber wenn sie auf den letzten Seiten meiner Mathematikhefte wieder Zeichnungen fand und ich auf Schularbeiten Vierer bekam, wenn ich die Jause halb gegessen nach Hause brachte und die teuren, vom Mund abgesparten Sonntagskleider nicht anziehen wollte, dann wandte sie sich angeekelt von mir ab, du schlechter, undankbarer Fratz, an dir ist jedes Opfer verloren. Vor dem ersten Vierer durfte ich noch auf ihrem Schoß sitzen und mit den Fingern ihr Gesicht berühren, ich durfte sie küssen und mich in ihrem Arm geborgen fühlen. Aber der erste Vierer kam am Ende der ersten Klasse Gymnasium, und damit brach unerbittlich der letzte spärliche Körperkontakt, die letzten Spuren von Zärtlichkeit ab. Ich war damals elf Jahre alt. Es dauerte zwölf Jahre, bis ich wieder ein menschliches Gesicht berührte.

In der zweiten Klasse kam vieles, womit sie nicht gerechnet hatte, worauf ich nicht vorbereitet war. Als ich neun war, hatte sie mir gesagt, daß Tante Fanni ein Baby erwartete und deshalb einen großen Bauch hatte. Babys wüchsen im Bauch und würden dann geboren. Diese Information kostete sie sichtlich eine große Überwindung, und ich las in ihren Augen, daß ich nicht weiterfragen durfte, wie Babys in den Bauch hinein- oder herauskämen. Das Hineinkommen mußte mit Unkeuschheit zu tun haben, und ich wußte, daß jeder Gedanke daran sündhaft war und gebeichtet werden mußte. Herauskommen mußten sie bei der größten Körperöffnung, und das war der Mund. Ich kam zu dem Schluß, daß Babys erbrochen würden. Aber mit elf begannen mich ganz andere Dinge zu beunruhigen. Meine Brüste begannen unter den Pullovern sichtbar zu werden und beim Gehen peinlich zu wippen. Ich hatte ein unerklärliches, ganz und gar beunruhigendes Gefühl, wenn ich sie berührte. Auf dem Heimweg machte ich weite Umwege, um schnell im Vorbeigehen die Kinofotos des Pornokinos der Stadt zu sehen, verstohlen zwar und nur aus den Augenwinkeln, aber mit einer Gier, die mich immer wieder um denselben Häuserblock an denselben Bildern vorbeizwang. Wenn meine Mutter am Nachmittag in die Stadt fuhr, konnte ich es kaum erwarten, die Bluse auszuziehen und mich im Spiegel zu betrachten. Ich wachte mit pulsierendem Unterkörper auf und versuchte, die Lust zu reproduzieren, bis ich aufs Masturbieren kam, während neben mir meine Mutter schlief. Natürlich verliebte ich mich auch. In Filmschauspieler, deren Fotos ich geschickt versteckt immer bei mir trug, und in einen um zwei Jahre älteren Gymnasiasten aus der Nachbarschaft, von dem ich Tag und Nacht träumte. Der Grad, zu dem ich glücklich oder unglücklich war, hing von seinem Erscheinen zwischen dem Augenblick, wenn ich in der Früh das Haus verließ, und meinem Nachhausekommen am Nachmittag ab. Tage, die durch sein Erscheinen verklärt waren, umrandete ich in meinem Taschenkalender mit roter Tinte. Ich sprach nie mit ihm, aber ich hätte den Klang seiner kaum dem Stimmbruch entwachsenen Stimme überall erkannt. Von all diesen Qualen wußte meine Mutter nichts, außer, daß meine Schulleistungen von Sehr gut auf Befriedigend und allmählich auf genügend sanken. Im ersten Semester hatte ich eine Mahnung, zu Ostern kam der gefürchtete Brief von der Schule, der den Eltern mitteilte, daß ihre Tochter in Mathematik das Lehrziel nicht erreichen werde. Beide gingen in die Sprechstunde und mußten sich anhören, daß das Kind faul, unbegabt und verhaltensgestört sei. Sie legten verschämt einen Hunderter auf den Tisch, den die Mathematikprofessorin empört von sich wies und die Klosterschwester mit einem Vergelt's Gott einsteckte. Sie redeten davon, mich aus der Schule zu nehmen. Meine Mutter begann wieder pflichtbewußt, mich für jede schlechte Note zu züchtigen.

Sie schlug mich anders, als sie mich früher geschlagen hatte. Es waren nicht mehr nur der Schmerz und die blauen Flecken, vor denen ich mich nachmittagelang auf den Straßenbahnlinien der Stadt drückte, sondern es war vor allem die Demütigung, mich vor ihr ausziehen zu müssen, um die Schläge zu empfangen, die Demütigung, mich mit nacktem Unterkörper schreiend und hilflos von Möbel zu Möbel taumelnd unter ihren Schlägen zu winden. Einmal riß ich ihr den Prügel aus der Hand und sah in ihren entsetzten Augen dieselbe Angst, mit der ich mich unter ihrem Arm duckte. Sekundenlang standen wir einander gegenüber, die tierische Angst vor dem Geschlagenwerden zwischen uns, bis uns beiden die Ungeheuerlichkeit der Situation ins angstgelähmte Gehirn fuhr und die natürliche Ordnung wiederherstellte. Untersteh dich, stieß sie hervor und riß mir den Stock aus der Hand. Diesmal vergaß sie, mich nur auf die normalerweise von der Kleidung bedeckten Stellen zu schlagen. Auf Arme, Rücken, Bauch, Waden traf es mich wieder und wieder mit der vollen Wucht ihrer kräftigen Bauernhände, bis ich, nach Luft ringend, die Arme über dem Kopf, in der Ecke neben dem Klavier kauerte. Es gab unantastbare Regeln bei diesen Schlagritualen, die ich nie zu durchbrechen gewagt hätte, weil ich überzeugt war, die Strafe würde sich sonst ins Unvorstellbare, Unüberlebbare steigern. Ich durfte mich nicht hinter Möbel oder unter dem Tisch verstecken, ich durfte nicht versuchen, über die Stiege oder durch die Tür zu entkommen, und ich durfte keinen Gegenstand zwischen mich und das Züchtigungsinstrument bringen. Es handelte sich ja beim Schlagen um einen ernsten, geradezu feierlichen Vollzug, um einen Dienst im Namen eines höheren Gesetzes, der nicht durch ein Versteck- oder Nachlaufespiel ins Lächerliche gezogen werden durfte. Schläge mußten mit dem vollen Bewußtsein meiner Schlechtigkeit und Wertlosigkeit empfangen werden, sie waren ein Gottesurteil und kein zufälliges, sich entladendes Gewitter.

Sie kontrollierte jetzt täglich meine Hefte und schlug mir die Zeichnungen, Auswüchse meiner Träume und eines vom Zeichenprofessor lobend bemerkten Talents, ins Gesicht, bevor sie sie zerriß und in den Ofen warf. Ich fand bessere Verstecke für meine Zeichnungen, überall gab es Ritzen, hinter fast jeder Lade fand sich ein wenig Raum für Kohlestifte und Aquarellfarben, die ich mir vom ersparten Schokoladegeld der Tanten und den gelegentlichen größeren Geldbeträgen meiner Großmutter heimlich gekauft hatte. Eine Tochter mit künstlerischen Ambitionen, das fehlte gerade noch, wo es doch schwer genug war, sie vor der Schande zu bewahren, ihr den rechten Weg der Tugend und des Fleißes einzuprügeln, damit ein anständiger Mensch aus ihr würde, und damit sie es einmal besser hätte als ihre Eltern. Auf Zeichnungen in Schulheften stand Prügelstrafe, künstlerisches Talent war nicht erwünscht.

Wenn ich ein Nicht Genügend in der Schultasche hatte, fuhr ich nachmittagelang mit der Straßenbahn von einem Ende der Stadt zum anderen, erwog Selbstmordpläne und ging schließlich zur Tante in die Ausiedlung und gestand ihr, daß ich mich nicht heimzugehen traute. Danach war mir leichter, und ich ging schließlich doch heim. Meine Mutter erkannte mein schlechtes Gewissen schon an meinen Schritten auf dem Kiesweg. Wir sprachen nicht mehr miteinander, aber ihr böser Blick, ihr verächtlicher Mund erregten keine Schuldgefühle mehr, ihr Schlagen schuf nur Haß und Angst. Ich blieb immer länger von zu Hause weg, streunte in der Stadt herum, machte zusammen mit meiner Freundin Eva anonyme Anrufe bei Professoren oder saß auf dem Bahnhof herum. Zu Hause log ich meiner Mutter dann von Sublierstunden vor und mied dabei ihren Blick. Ich wußte, sie würde sich nie trauen, in der Schule nachzufragen. Als uns eine Klosterschwester aus der leeren Klasse hinauswarf und Eva und ich ins Klo flüchteten, in dem wir dann auch aufgestöbert wurden, kam ich in den Ruf, eine Gefahr für die Sittlichkeit meiner Mitschülerinnen zu sein. Dieser Ruf verfolgte mich von Klassenvorstand zu Klassenvorstand bis zur Matura. Meine Mutter aber wußte trotz ihrer täglichen Schultaschenkontrolle nichts von mir, nichts von meinen Zeichnungen, von meinen Umtrieben in der Stadt, und schon gar nichts von meinen Träumen. Sie fand nur die Zettel, die meine Banknachbarin und ich einander während der Stunden unter der Bank zuschoben, mir ist fad, dir auch? Ja, der Fifi ist ein Trottel. Hast du schon deine Matheaufgabe? Nein, mach ich auch nicht, die schreib ich morgen früh ab. Einmal fand sie eine Filmillustrierte, aber sie wußte nicht, daß die Tränen, als sie die Seiten zerfetzte, dem verstümmelten Bild eines angeschwärmten Filmstars galten. In den Ferien öffnete sie die Briefe, die mir meine Klassenkameradinnen schrieben, bevor ich sie lesen durfte, und kein von mir geschriebener Brief durfte zugeklebt werden, bevor sie ihn nicht gelesen hatte. Es gab kein Briefgeheimnis. Wo durchsucht und geprügelt wird, gibt es kein Briefgeheimnis. Ich wurde eine Meisterin im Verschlüsseln von Botschaften, ich lernte das griechische Alphabet, ich streute harmlose englische Sätze ein. Aus mir war nichts herauszuholen, ich blickte zur Seite und gab nichts preis. Es gab auch nichts herauszuprügeln als Fakten.

Bis sie mein Tagebuch fand, ahnte sie nichts von mir. Als ich nach der Schule zur Tür hereinkam und ihr beleidigtes Gesicht sah, in dem stand, ich bin tödlich verletzt, wußte ich es sofort. Ich bin sehr unglücklich, schrieb ich in mein Tagebuch, denn ich bin häßlich und niemand mag mich. Ich muß da rauskommen, hieß es auf jeder zweiten Seite, ich werde damit anfangen, mir Stirnfransen zu schneiden, und vielleicht würde eine neue Brillenfassung auch helfen. Mama mag mich nicht, schrieb ich, aber die Entschuldigung dafür folgte sofort. Es ist auch kein Wunder, wo sie eine so düstere und häßliche Tochter doch nicht verdient hat. Meine Kusine Monika war auf Besuch, Mama sagt, sie sei so hübsch geworden, ich sei so häßlich im Vergleich zu ihr, das finde ich auch wieder nicht. Und dann verstieg ich mich zu dem frevlerischen Bekenntnis, es ist nicht meine Schuld, daß ich auf der Welt bin, ich wär ja viel lieber gar nicht auf der Welt. Das Tagebuch lag deutlich sichtbar auf dem Klavier. Ich nahm es verstohlen und trug es in mein Zimmer. Wir sprachen nie darüber, aber ihr ominöses Schweigen, ihre finstere, verächtliche Miene, ihre Kälte, die jede Annäherung verbot, waren schlimmer als Schläge, denn sie lagen wochenlang zwischen uns, und es gab nichts, womit sie zu besänftigen war, nichts, was die unerträgliche Spannung lösen konnte. Ich hatte es gewagt, unglücklich zu sein, wo sie doch alles für mich tat, ihr ganzes Leben für mich opferte. Ich hatte es gewagt, an meiner Existenz zu leiden, wo doch der Sinn ihres Lebens von dieser Existenz abhing. Ich war undankbar, verdorben und schlecht, bodenlos schlecht. Jetzt hätte sie aufhören können, in meiner Schultasche zu wühlen, mein Zimmer zu durchsuchen, in meinen Heften zu blättern, jetzt wußte sie genug. Aber sie konnte mit ihrem Wissen nichts anfangen.

Wenn ich frech war, holte sie noch immer den Teppichklopfer, aber immer häufiger ersetzten die täglichen Ohrfeigen, die Püffe und Tritte das systematische Schlagen. Alles, wovon sie mich mit soviel Sorgfalt fernhielt, fand mich und zog mich mit dem doppelten Reiz des Verbotenen an. Ich fand Zeit, heimlich ins Kino zu gehen, zu dritt saßen wir hinter einem Busch im Klostergarten und starrten gierig und entsetzt auf die Bilder eines Pornohefts, Filmstars und Schlageridole, sogar die Hitparade eignete ich mir gewandt und hinter ihrem wachsamen Rücken an. Schulkameradinnen luden mich zu sich nach Hause ein, und wir hörten Schlagermusik, anstatt die Aufgaben zu machen. Für sie war Radiomusik eine Selbstverständlichkeit, aber ich hielt den Atem an und konnte nicht genug bekommen. Ich darf zu Hause nicht Radio hören, sagte ich, weil ich mich schämte zu sagen, daß wir gar kein Radio hatten. Meine Mutter war ratlos. Plötzlich hatte sie die Kontrolle verloren, plötzlich war das Kind weder durch Schlagen noch durch Gekränktheit und verächtliche Blicke zu beherrschen. Plötzlich war bei dem gefürchteten »na wart nur, du« nicht mehr Angst in meinem Gesicht, sondern Trotz. Der Trotz, den es im Trotzalter nie hatte geben dürfen, war jetzt nicht wegzuprügeln. Sie konsultierte ihre Schwestern, die einstimmig dafür waren, das Kind aus dem Gymnasium herauszunehmen. Wozu brauchte denn ein Mädchen überhaupt studieren, nur, daß sie Rosinen im Kopf hat. Da schaffte es der Trotz, daß ich in den letzten Wochen aufholte und mit Befriedigend durchkam.

An einem Nachmittag nach der Turnstunde stand ich auf der Plattform der Straßenbahn und krümmte mich vor Bauchschmerzen. Ich war sicher, kurz vor dem Blinddarmdurchbruch zu sein, und wurde beim Anblick des Bluts, das mir schon in die Strümpfe rann, fast ohnmächtig. Jetzt bist du eine Frau, sagte meine Mutter, als ich ihr die Hose zeigte. Von jetzt an bist du fruchtbar, und wenn du von jetzt an mit einem Mann was zu tun hast, wirst du schwanger. Das würde mich umbringen. Ich empfand ein Gefühl von Macht, von Autonomie und ein wenig Angst. Ich hatte eine Waffe, mit der konnte ich sie umbringen. Jetzt trug ich wie sie einen Bindengürtel und eine Stoffbinde zwischen den Beinen, die nur gewechselt wurde, wenn sie voll war und das Blut durchsickerte. Am Ende stanken die Binden, denn während der Tage durfte man nicht baden, nicht einmal mit den Füßen ins Wasser steigen, sonst bekam man Epilepsie. Auch Haarewaschen durfte man während dieser Zeit nicht, und in die Turnstunde bekam ich eine Entschuldigung mit und durfte mit den anderen Initiierten an der Wand sitzen.

Wenn ich das Hemd auszog, sagte meine Mutter angeekelt, wie eine Nachtklubtänzerin siehst du aus, wie ein Strichmädchen, mit Petticoat und nacktem Busen. Ich schämte mich und bekam eine schlechte Haltung, um meinen Busen zu verbergen. Irgendwann bekam ich dann einen züchtigen Baumwollbüstenhalter, der mir bis zum Schlüsselbein reichte. Mein Vater mußte jedesmal das Wohnzimmer verlassen, wenn ich mich umzog, er durfte mich nicht einmal in der Unterwäsche sehen. Damit meine Keuschheit ganz gesichert war, drehte sie auch noch den Schlüssel um. Alle Kleider, die ich von jetzt an bekam, verbargen jede Wölbung, die mich von einer Fünfzigjährigen hätte unterscheiden können. Weite Blusen zum Außentragen mit Manschetten und Bubikragen, lose, wadenlange Röcke, flache Schuhe, alles aus gediegenem Material, reine Wollstoffe aus den teuersten Kaufhäusern und von unserer siebzigjährigen Hausschneiderin angefertigt. Meine Tanten rieben die Stoffe zwischen den Fingern und schnalzten anerkennend mit der Zunge, Geschmack hat sie halt, die Marie, und für das Kind ist ihr nichts zu teuer. In der Schule wurde ich ausgelacht, ich hatte die altmodischsten Kleider und schämte mich so sehr, daß ich meiner Mutter erzählte, wir müßten jetzt Schulmäntel tragen, nur um dem Spott über meine überhängenden Sackgarnituren zu entkommen.

Es war ein ganz neuer Haß, dem ich mich verständnislos und unschuldig ausgeliefert fühlte, eine Grausamkeit ganz neuer Art. Nicht die Grausamkeit brutaler Schläge, sondern die kleinen Quälereien, das Reißen an den Haaren, der Hohn und der Ekel angesichts meines nackten Körpers, die schnellen, feindseligen Griffe und Püffe beim Anziehen, der ständig lauernde, verächtliche Blick, der mir wortlos und pausenlos meine Niedertracht bestätigte. Ich spürte, daß es etwas damit zu tun hatte, daß ich kein Kind mehr war, daß ich eine Frau wurde wie sie, mit Brüsten, behaarter Scham und Monatsregel, daß ich deshalb verdächtig war und von vornherein schuldig, mit einer Erbschuld behaftet, mit einem Fluch, den weder Züchtigung noch Verachtung tilgen konnten. Ich hatte eine unbestimmte Ahnung, daß sie sich bedroht fühlte von meiner im Entstehen begriffenen Weiblichkeit und daß ich ihren Haß mildern, vielleicht vermeiden konnte, indem ich so häßlich und unscheinbar wie möglich war. Ich duckte mich also, zog widerstandslos die unförmigen Röcke und Umstandsblusen an, drückte die Schultern nach vorn und machte mein Gesicht undurchdringlich und stumpf. Aber dann hielt sie mir andere Mädchen vor, junge, lebendige Dinger, die das Leben entdeckten und schwindlig vor den neuen Entdeckungen Glück und Jugend verströmten. Warum kannst du nicht so sein, fragte sie vorwurfsvoll, die anderen Mädchen sind so frisch und fröhlich, und du bist so düster und schwermütig. Ein Mensch, der für das Geschenk des Lebens nicht dankbar ist, ein junges Mädchen, das nicht fröhlich ist, kann nur bodenlos schlecht sein. Die Fröhlichkeit, die sie forderte, kannte ich nicht, ich hatte sie nie erlebt, und die Lust auf das Leben hatte sie mit Verboten und strafenden Blicken versperrt. In meinen Träumen war ich wie diese Mädchen, wilder noch, lebenslustiger noch, in meinen Träumen überholte ich selbst die glücklichste, freieste Jugend.

In meinen schlaflosen Nächten hatte ich viel Zeit zum Träumen. Oft hatte ich nur ein, zwei Stunden geschlafen, war von sieben Uhr abends bis vier Uhr früh wach gelegen, Schafe zählend, betend, immer verzweifelter betend um den erlösenden Schlaf, denn am nächsten Tag war Schularbeit, und ich mußte ausgeschlafen sein, eine schlechte Note war undenkbar, für eine schlechte Note gab es keine Entschuldigung. Jahrelang litt ich an Schlaflosigkeit und sagte kein Wort darüber, wagte es nicht, mich im Bett hin und her zu werfen, weinte lautlos vor Verzweiflung, damit ich sie nicht aufweckte, wenn sie leise neben mir schnarchte. Am Morgen mußte die Schultasche schon gepackt sein, nichts vergessen, nur noch die Jause fehlte. Nach dem Frühstück setzte ich mich an den Tisch, aufrecht auf einen geradlehnigen Sessel, und sie frisierte mich. Zuerst frisierte sie meine Zöpfe aus, dann bearbeitete sie meine Kopfhaut mit dem Staubkamm, dann wurden die Zöpfe wieder geflochten, fest, straff, die Haare weit aus dem Gesicht gespannt, manchmal ein Ponyschwanz, meine hohe Stirn eine große, weiße Fläche. Der Ponyschwanz hing in rotbraunen Wellen über meinem Rücken. Wenn sie bloß keine roten Haare kriegt, sagte meine Mutter besorgt und sah mir nach, während mein kupferroter Pferdeschwanz mit den glänzenden Wellen in der Morgensonne wippte. Nach zwei Tagen waren die Haare fettig, dann wurden sie aufgesteckt. Ein Knäuel ausgefallener Haare wurde mit Haarnadeln festgeklammert, darüber die eigenen feinen Haare drapiert, gerade genug, um den Filz darunter zu verdekken. Mit dieser Frisur konnte man nicht laufen, nicht turnen, nicht schwimmen, ein Windstoß war eine Katastrophe. Es durfte kein Haar aus der Frisur hängen.

Jeden Samstag badete sie mich in der Aluminiumwanne, gründlich, hinter den Ohren, unter den Armen, um den Hals. Ich durfte mich nicht berühren, Selbstbefleckung sollte mir erst gar nicht in den Sinn kommen. Sie kam mir doch in den Sinn, unter der Bettdecke, nachts, wenn sie schlief.

Aber bei Tag hielt sie mich von meinem Körper fern. Sie half mir beim Aus- und Anziehen, sie suchte die Wäsche aus dem Kasten und zog sie mir über den Kopf. Es wäre mir nie in den Sinn gekommen, mich gegen die schlüsselbeinhohen Baumwollunterhemden und die Pluderhosen mit Bündchen aufzulehnen. Nur Hurenunterwäsche war aus Spitzen und Nylon und bot unzüchtige Einblicke. Sie hakte mir den Büstenhalter auf und zu und inspizierte täglich meine Unterhosen. Schnell mußte es gehen beim Umziehen, erst bei der Oberkleidung konnte man verweilen, schnell die Brust bedecken, nicht hinschauen, es war sündhaft, Brüste zu haben, eine zukünftige Klosterschwester braucht keinen Busen.

Ich wurde übergewichtig. Sie lobte mich, es gab keine Kämpfe mehr bei Tisch. Sie brauchte nicht mehr das Essen in mich hineinzuprügeln. Je mehr sie mich lobte, desto mehr aß ich, je mehr ich aß, desto mehr wurde ich gelobt. Ich aß, bis mir schlecht war, um noch mehr Gefallen zu erwecken, liebeheischend stopfte ich das Essen in mich hinein. Aufopfernd füllte sie mir den Teller immer wieder. Sie wagte es erst viel später zu sagen, daß ich ihnen beiden das Essen wegfraß, daß ich sieben Schnitzel auf einmal aß und ihnen nur die Kartoffeln blieben. Ich hatte geglaubt, ich könne sie damit glücklich machen, daß ich so brav aß, ich wollte ja nur meinen guten Willen beweisen. Manchmal, sagte sie später, als es nicht mehr gutzumachen war, manchmal hab ich mir gedacht, rücksichtslos ist das Kind, frißt und frißt und fragt sich nicht, ob sonst noch wer hungrig ist. Mit dreizehn wog ich fünfundsechzig Kilo, war schwerfällig beim Turnen und ertrank beinahe beim Schwimmen. Unter dem flehenden Blick meiner Mutter schrieb der Hausarzt Kreislaufstörungen und vegetative Dystonie ins Attest, aber, unter uns gesagt, fügte er hinzu, viel Bewegung und ein bißchen weniger essen. Ich wurde vom Schwimmen befreit. Während der Sommerferien lag ich im Liegestuhl und lernte Lateinvokabeln und Grammatik. Mama brachte mir Biskuittorten mit und Puddingcreme ans Lager, und ich aß, Stück für Stück, und verlangte folgsam nach mehr. Wie hätte ich ihre Torten von mir weisen können, ihre Mühe, ihre Aufopferung, ihre Liebe, die meinen Körper in einen Fettkloß verwandelten. Nach zwei Monaten pausenlosen Essens und Lernens im Liegestuhl war ich die Dickste der Klasse. Meine Beine waren formlos mit weißen Rissen in der Haut. Mama befühlte meine Schenkel und freute sich, ihre Mühe trug sichtbare Früchte, das Kind war gut genährt.

Ich war das Gespött der Klasse, Fettfleck, Statistin, riefen sie beim Turnen und lachten, wenn ich nach dem fünften Anlauf auf dem Bock hängenblieb. Aus unscheinbaren, schlaksigen Kindern waren modebewußte junge Mädchen geworden, wie Knospen sprangen sie auf, hatten heimliche Rendezvous, litten an der ersten Liebe, wurden geküßt und zuckten die Achseln über schlechte Noten. Ich blieb matronenhaft, mit einem Haarknoten auf dem Hinterkopf, der mit dem Ballen ausgefallener Haare ständig wuchs, in Umstandsblusen und losen Röcken, der Fettfleck mit dem fliehenden Kinn, dem zu großen Mund, den abstehenden Ohren und der schwarzen Brille, die das düstere Gesicht noch mehr verfinsterte. Aber ich wurde plötzlich Klassenbeste, die Streberin, von der die anderen schnell vor acht die Hausaufgaben abschreiben konnten. Meine Mutter war glücklich, die Pubertätskrise war überwunden. Es gab keine Illustrierten mit angeschwärmten Schauspielern mehr zwischen den Heften, ich kam immer gleich nach der Schule nach Hause und hatte immer alle Hausaufgaben richtig, die Vierer verschwanden aus meinen Schularbeitenheften, die Sehr gut wurden wie früher in der Volksschule zur Selbstverständlichkeit. Sie hatte auch diese Runde gewonnen. Vera ißt brav, Vera lernt brav, Vera macht mir jetzt viel Freude, sagte sie zu ihren Schwestern. Mit vierzehn bekam ich auch die letzten Schläge. Ich hatte laut an meiner Existenz gezweifelt. Es ist nicht meine Schuld, daß ich auf der Welt bin, hatte ich gesagt. Das ist der Dank, schluchzte sie und holte aus zum letzten erfolglosen Versuch, Dankbarkeit und Lebenslust in mich hineinzuprügeln.

Sonst waren die Konflikte seltener geworden. Meine Hausübungshefte brauchten nicht mehr kontrolliert zu werden, die Hefte waren sauber, tadellos, und außerdem kamen meine Eltern sowieso im Lehrstoff nicht mehr mit. Sie hätten mir gar nicht helfen können, und für Nachhilfestunden wäre kein Geld dagewesen. Entweder du lernst, oder wir nehmen dich aus der Schule. Mit vierzehn gehen andere Kinder in die Lehre. Ich wußte, eigentlich gehörte ich zu den anderen Kindern, die mit vierzehn schon mitverdienen halfen. Ich war privilegiert. Nur wenige Eltern erlaubten ihren Kindern, ihnen bis achtzehn noch auf der Tasche zu liegen und zu studieren. Noch dazu war ich ein Mädchen. Ich mußte mich des Privilegs würdig erweisen, außerdem mußte ich es *ihnen* ja zeigen, allen, die überzeugt waren, ich würde es nicht schaffen, allen, die sagten, Arbeiterkinder werden nicht maturareif, es fehlt die kulturelle Atmosphäre des Elternhauses. Die Ausgaben wurden mir vorgerechnet, ich verging fast vor Schuld und Nichtgenug-dankbar-sein-können. Achtzig Schilling Schulgeld im Monat waren viel Geld bei einem Monatslohn von weniger als zweitausend Schilling, Kleider aus den teuersten Stoffen, Landschulwochen, bei denen ich aus Angst vor den schwarzen Bergen vor dem Fenster und vor Heimweh kein Auge zutat, Schikurse, eine komplette, neue Schiausrüstung. Die Ausgaben wuchsen zu gigantischen Zahlen, beim Nennen vierstelliger Zahlen senkte sich eine Wand des Entsetzens vor meine Vorstellungskraft und guillotinierte meine Denkfähigkeit. Dreistellige Zahlen bedeuteten Reichtum, vierstellige drohenden Ruin. Meine Noten in Mathematik besserten sich erst bei den imaginären Zahlen, bei Integral und Differential, die keinen Bezug zur Wirklichkeit mehr forderten. Erst dann fühlte ich mich sicher vor der Verantwortung, mit Zahlen zu hantieren. Die Schiausrüstung war wie alles andere auch vom Mund abgespart, die Schischuhe mit Innenschuhen, die Schi mit Plastikbelag, die Sicherheitsbindung, Pullover, Mütze und Schal waren selbstgestrickt, aus der besten Wolle natürlich, aber der Anorak und die Lastexhose wurden im teuersten Sportgeschäft gekauft. Dazu kam noch eine Reisetasche voll Verpflegung, Rollschinken, Salami, Graubrot, lauter Sachen, die es zu Hause nie gab. Ich lag im Stockbett und aß und aß und wog schon neunundsechzig Kilo. Der Fettfleck frißt schon wieder, spotteten die Mitschülerinnen, aber man konnte doch die teure Salami nicht verkommen lassen. Die hartgekochten Eier begannen schon zu stinken, pfui Teufel, schmeiß sie doch weg! Eine Gottesgabe schmeißt man nicht weg, Essen ist eine Gottesgabe. Auf dem Schihang stand ich in hilfloser Panik mit den teuren Schiern an den Füßen, helft mir doch, rief ich verzweifelt, helft mir, ich lass' euch ja auch immer die Aufgaben abschreiben, aber die anderen waren schon unten. Ich rutschte auf dem Hintern hinunter, ich schloß die Augen und schoß den Berg hinunter in den Tiefschnee hinein. Ich haßte die teuren Schi, die Sicherheitsbindung ging beim Sturz nicht auf. Aber ich kam heim mit sonnenverbranntem Gesicht und sagte, schön war's, und die Eltern freuten sich über das Opfer, das sich gelohnt hatte. Was das Kind alles erleben darf, wovon man selbst nie geträumt hätte.

*

Die vielen Ersatzhandlungen, die uns die Liebe vortäuschen sollen, die uns den Blick vernebeln und den Hunger mit Ersatznahrung stillen sollen. Ein ganzes Leben voll Liebesersatz und die Erkenntnis immer zu spät, weil die Liebe eine unbekannte Größe bleibt, in Annäherungswerten erlebt, ins Ungreifbare entrückt, zum Breitwandlächeln erstarrt, zum Hollywoodtraum vom Glück zu zweit. Liebe will verdient sein, nichts auf dieser Welt ist geschenkt. Wie hätte ich diese Prämisse anzweifeln können, wenn mein Selbstwert auf sie gegründet war. In eurem Weinberg liegt ein Schatz, sagte der Vater und starb, und die Söhne gruben sieben Jahre lang und wurden reich durch ihren Fleiß. Solange ich um ihre Liebe warb, lange, nachdem sie tot war, wurde ich für meinen Fleiß, meine Ausdauer, meine Leistung gelobt, kam voran und konnte stolz auf mich sein. Aber eines Tages richtete mein geschlagenes, übel zugerichtetes Ich trotzig den Kopf auf und sagte, an eurem Wohlgefallen liegt mir nichts, ich will da raus. Da ging es schnell bergab. Mamas gutes Kind versuchte, die Zügel an sich zu reißen und zu retten, was noch zu retten war, aber das trotzige Kind schrie, ich will leben, ich will nicht mehr brav sein, ich will heraus aus dem Gefängnis. Immer wieder fand ich einen sicheren Hafen, aber über Nacht war er ein Gefängnis, und mein anderes Ich, der rücksichtslose Zigeuner, der zähe kleine Teufel, der sich nicht totschlagen und nicht bändigen läßt, trägt den Sieg davon. Der kleine Teufel und meine Mutter schlagen sich um die Herrschaft, ich hab da nichts mitzureden, ich tue alles, nur um ein paar Krümel Liebe zu erhaschen. Ich bin noch nie satt geworden. Es gibt eine schreckliche Liebeshungersnot in der Welt, die ganze Menschheit ist noch nie satt geworden, wer bin ich, mich zu beklagen.

Zuerst aß ich um der Liebe willen, später fastete ich um der Liebe willen. Iß, Kind, damit du groß und stark wirst, sagte meine Mutter, damit die Liebe, die ich dir nicht geben kann, als Fett anschlägt. Und ich aß. Iß nicht soviel, ich brauche mehr als du, außerdem wirst du zu fett, sagte der Mann, der mir half, die Liebe zu verlernen. Da hörte ich auf zu essen. Er hatte recht. Hatte nicht schon meine Mutter gesagt, ich hätte sie rücksichtslos arm gefressen? Ich bin zu dick, ich muß abnehmen, sagte ich und nahm Abführmittel nach jeder Mahlzeit. Aber du bist ja nur mehr ein Skelett, riefen meine Freunde und schoben mir Butterbrote auf den Teller. Ich wurde böse. Ich esse kein Brot, ich esse keine Butter. Ich aß nur Karotten und hartgekochte Eier und wog fünfundvierzig Kilo. Die Haare gingen mir aus, ich schlief nie länger als sechs Stunden, die Regel blieb aus, ich hatte Migräne und Neuralgien, aber ich bestand darauf, ich bin zu dick und erbrach mich nach dem Essen. Ich betrachtete meine knabenhafte Figur im Spiegel, die Brüste weg, die Hüften weg, die Regel weg, das Ärgernis war fortgeschafft, jetzt konnte sie mich wieder lieben, mich auf ihrem Schoß sitzen lassen, ich war wieder ein Kind, sie brauchte sich nicht mehr bedroht zu fühlen. Sie hatte gewonnen, ich hatte mich unterworfen. Sollte sie alle Weiblichkeit haben gegen eine kleine Scheibe Liebe zum Verhungern.

Sieben Jahre lang wies ich die Zwangsernährung, die Ersatzliebe meiner Pubertät von mir, spülte sie aus meinem Körper mit Abführtee, spürte Übelkeit, wenn ich an den üppigen Körper meiner Mutter und an ihren Nahrungsterror, an ihre Verführung zum Eunuchentum dachte, und fastete unbeirrt weiter. Manchmal fraß ich heimlich um vier Uhr früh Kühlschränke, Einkaufstaschen voll Lebensmittel, ganze Speisekammern leer, in gieriger Hast schlang ich Unmengen in mich hinein, Süßes und Saures ohne Unterschied, ohne Zeugen, durchsuchte noch die Abfälle und versuchte, die Bauchschmerzen und das Schuldgefühl mit

Abführtabletten zu beruhigen. Ich hungerte nach Liebe und wies jede Nahrung empört von mir, wies sie zurück als Übergriff, als Zumutung, als Entzug meiner Freiheit zur Selbstzerstörung. Meine Gier nach der verbotenen Nahrung war ebenso stark wie mein Ekel. Ich träumte von üppigen Torten und erbrach sie, ich konnte mich nicht satt sehen an den glänzenden Farbtafeln der Kochbücher, aber ich schwor, alles mit Fett oder Butter Zubereitete erzeuge mir Brechreiz. Die Kalorientabellen konnte ich auswendig hersagen. Ich lebte von billigem Gemüse und Magertopfen. Ich hätte dem unausgesprochenen Befehl meiner Mutter gehorcht, ich hätte mich ausgelöscht, wenn nicht hie und da der kleine widerspenstige Teufel ausgebrochen wäre und mich gegen meinen Willen auf Nahrungssuche getrieben hätte.

In diesen Jahren berührte ich meinen ausgemergelten Körper nie, ich ignorierte ihn und seine Bedürfnisse, ich war auf der Jagd nach Liebe und vermochte nicht, sie zu erwecken. Mein Gott, bist du mager, sagten meine Liebhaber, meine Eintagsfliegen und flogen schnell weg, ein weiblicher Hungerkünstler, eine Liebesleiche. Ich hungerte ohne Publikum weiter, in verbissenem Selbsthaß, Reduktion war das Schlüsselwort meiner Existenz. Aber ich war zäh, ich überlebte gegen meinen Willen. Im täglichen Kampf um die Anerkennung meiner Mutter zerstörte ich meinen Körper und trieb meinen Geist zu Spitzenleistungen an. Sechzehn Stunden Arbeit ohne Unterbrechung, Hunderte von Büchern, bis mir die Buchstaben vor den Augen tanzten, bis mich das Sonnenlicht blendete, das ich mir manchmal schuldbewußt gönnte. Selbstzerstörung hieß mein Forschungsprojekt, Selbstmord in der Literatur, durch die Literatur, Regression, Ich-Verlust, Über- und Unterschreitungen der Ich-Grenzen. Da fand ich mich wieder in guter Gesellschaft, da war ich nicht allein, und die Verleger lobten mein Einfühlungsvermögen. Mein Verstand sprang gewandt über meinen schwindenden Körper hinweg, täglich ließ ich meinen Körper über seine Klinge springen, der perfekte Vollstrecker des Willens meiner allmächtigen Mutter. Sie lobte mich sehr. Sie brauchte sich um meinetwillen nicht im Grab umzudrehen, sie konnte ganz ruhig sein. Meine Vera lernt brav, sie züchtigt sich sogar schon selber, ich habe keine Arbeit mehr mit ihr. Ich hatte endlich verstanden, was sie meinte, wenn sie sagte, ein solches Kind habe ich nicht verdient: Ich war nicht wert, zu leben, ich hatte kein Recht auf Nahrung, auf Glück, auf Liebe, ich mußte mich unscheinbar machen, unsichtbar, ich mußte mich abtöten, so gut ich konnte, denn wenn sie mich nicht wollte, wie konnte ich mich selbst wollen dürfen?

Immer wieder habe ich mich ausgelöscht und Befehle an mir vollstreckt, ich bin ein gehorsames Opfer. Wer möchtest du, daß ich bin, frage ich meine Liebhaber und verschwinde in den Rollen, die sie am liebsten sehen. Ich bin Ophelia, Desdemona oder Lulu, je nach Bedarf. Ich lösche mich selbst aus im Kampf um die Liebe und falle vor Verzweiflung aus der Rolle, bleibe stecken, weiß nicht mehr weiter, werde von der Bühne gejagt, eine schlechte Schauspielerin. So willig, so folgsam ich auch bin, immer verliere ich den Wettkampf, denn ich verhungere hinter den Rollen und will Applaus für mich selbst, nicht für Lulu, Desdemona und Ophelia. Aber wenn ich herauskrieche aus der Verkleidung, ist nichts übrig als ein kleiner, ausgemergelter Körper und eine kleine, rachsüchtige Seele, mit denen es aussichtslos ist, Herzen zu brechen oder Liebe zu gewinnen. Dann schäme ich mich und schleiche hinter die Kulissen, um mich selbst zu züchtigen für meine Wertlosigkeit, und das Publikum ist empört über den Theaterskandal, eine Schauspielerin wollen wir sehen, keine Exhibitionistin.

Mein ganzes Leben eine fortgesetzte Selbstzüchtigung, und Helfershelfer gibt es so viele.

*

Im Leben meiner Mutter änderte sich wenig. Wenn das Kind aus dem Haus war, begann sie aufzuräumen, ging einkaufen, früh zwischen halb acht und neun, da traf sie noch keine Doktorsfrauen, keine Villenbesitzerinnern, die kamen später, schliefen länger, hatten größere und mehr Räume aufzuräumen. Dann kochte sie, machte viel aus wenig, eine sämige Sauce aus Mehl, Wasser und Rahm, einen Braten aus billigem Bauchfleisch, immer mit Vorspeise und Nachspeise, Suppe und Pudding. Ich haßte Suppe, dreißig Jahre lang haßte ich Suppe. Sie aß viel, kostete beim Kochen und aß alle Reste, sie wurde dick, wog achtzig Kilo, manchmal neunzig, aber es machte ihr nichts. Ihre Fettleibigkeit war sichtbares Zeichen, daß es uns gut ging. Was ich auf mir drauf hab, was ich in mir drin hab, sagte sie, kann mir keiner mehr wegnehmen. Stattlich, sagten die Leute, weil sie das Wort fett vermeiden wollten. Gut schaust aus, sagten die Schwestern. Mir geht auch nichts ab, ich laß es mir gut gehen, sagte sie selbstzufrieden.

Einmal in der Woche wusch sie die Wäsche. Die fertig gewaschene Wäsche aus der Waschmaschine nehmen war ein Luxus, an den sie sich nicht gewöhnen konnte. Kein Auskochen auf dem Herd mehr, keine verbrühten Finger, keine Waschrumpel. Die heiße, nasse Wäsche mit der Wäschezange aus der Waschmaschine holen und aufhängen, so einfach ging das. Die Wäsche hängte sie in den Garten, Winter und Sommer. Im Winter war die Wäsche am Abend steif gefroren, und ihre Finger waren blau, wenn sie im Wohnzimmer die Wäscheleine zog und es über Nacht in einen Wäschewald verwandelte. Ich liebte diese Wäschegänge, die das kleine Zimmer zwanzigmal unterteilten und das Licht verdunkelten. Hühner füttern, Hühnerstall ausmisten, im Sommer hielt sie auch Hasen, das erinnerte sie an zu Hause, da war sie in ihrem Element, da sang sie leise dazu, Vor der Kaserne, vor dem großen Tor, und, In die Heimat möcht ich wieder. Sie hatte eine schöne Altstimme, aber mich machte ihr Singen wütend, es verfolgte mich durchs Haus und ließ mir keinen Freiraum für meine Träume, in die ich mich soviel als möglich verkroch.

Leisten Sie sich doch für sich selbst auch etwas, sagten die wenigen, die einen ahnenden Blick hinter die Fassade werfen konnten, hinter die Sonntagskleider und Hüte auf die Drillichschürze, das fadenscheinige blaue Trägerkleid und das Kopftuch, das sie über der Stirn verknotete. Zweimal im Jahr ging sie zum Friseur, aber ihre rote, widerspenstige Haarflut wuchs schnell, die Tönung ließ das Rot durchscheinen, die Dauerwelle ging in der feuchten Waschküchenluft in Krause über. Sie verlor die Geduld, frisierte sich die Haare straff nach hinten und fing sie in einem kurzen Zopf, den sie auf dem Hinterkopf festklammerte, zusammen. Am Sonntag wurde daraus eine kunstvolle Aufsteckfrisur. Sie leistete sich auch etwas. Ein neues Frühjahrskostüm aus lindengrünem Leinen, dazu einen beigen Sommerhut, beige Sommerhandschuhe, eine beige Tasche, beige Schuhe. Im Sommer leistete sie sich ein dunkelblaues Halbseidenkleid mit eingewebten Blumen. Die Tochter wurde immer gleichzeitig ausstaffiert, ich bekam ein weißes Sommerkleid mit eingewebten Blumen, und irgendwo mußte immer eine Masche drauf, aufs Vorderteil, auf den Gürtel, auf den Rock. Ihre Kosmetik bestand aus zwei Tuben, eine fette Handcreme, eine fette Nachtcreme. Glatte Hände, denen man die Hausfrauenarbeit, die Sklavenarbeit nicht ansah, und eine glatte Gesichtshaut ohne

Falten, der man das nächtelange Weinen nicht ansah, das genügte ihrem Begriff von Schönheit. Früher hatte sie sich die Lippen geschminkt, für wen denn, sagte sie, schaut mich ja sowieso keiner an.

Am Sonntag nach dem Geschirrwaschen fuhren wir in die Stadt, in den Sonntagskleidern, Mutter und Tochter, beide übergewichtig, im Partnerlook, untergehakt, jede eine Handtasche über der Armbeuge, ernst, vorsichtig, nur ja nirgends mit den schönen teuren Kleidern anstreifen, ein schneller Blick auf den Sitz, mit der Hand unauffällig darübergewischt, keine Schmutzspritzer auf Schuhe und Strümpfe, vier parallele haargerade Strumpfnähte zu Hause auf ihre Geradheit überprüft, auf der Straße bückte man sich nicht mehr danach. Meine Mutter hatte trotz ihrer Fülle schöne schlanke Beine, meine waren dick, und die Verwandten sagten, die Mutter ist noch immer hübscher als die Tochter. Im Autobus und auf der Straßenbahn hatten wir Freifahrt, aber wir gingen zu Fuß, von der Haltestelle unter der Brücke die ganze Hauptstraße entlang. Bei jeder Auslage blieben wir stehen, sehnsüchtig, ohne viele Worte zu wechseln. Ich wußte nicht, was sie dachte, aber ich stellte mir vor, den schönsten Gegenstand in jeder Auslage wählen zu dürfen, und jeder Gegenstand, Granatohrringe, Seidentücher, Unterwäsche, konnte den Ausschlag geben und meine Häßlichkeit in denselben jugendlichen Schwung verwandeln, mit dem uns Gruppen junger Mädchen auf der Straße entgegenkamen, kichernd, aufgeregt, ohne Blick auf die Schaufenster, aber mit hurtigen Augen, die nach den anerkennenden Blicken junger Burschen spähten. Wir gingen langsam die Hauptstraße entlang, Arm in Arm, ich an der Innenseite, eng an die Schaufenster gedrückt, schau, so ein Frühlingsmantel würde dir gut stehen. Ich blieb bei Buchhandlungen stehen, Mama duldete es gelangweilt, für Bücher hatten wir kein Geld, die las man einmal, und dann standen sie herum, man konnte sie sich ja auch in der Dombücherei ausleihen.

Kosmetika sind in deinem Alter nicht notwendig, erklärte sie und verbot mir damit auch den flüchtigsten Blick in die Drogerie. Schließlich kaufte sie mir doch einen schwarzen Augenbrauenstift in einer schweren, vergoldeten Hülse, ich schaute finster und drohend unter schwarzen, buschigen Augenbrauen hervor. Der Lippenstift, den sie mir zum vierzehnten Geburtstag schenkte, war knallrot und mußte nach dem Auftragen sofort wieder abgewischt werden. Was konnte ich tun, um auch jung und hübsch zu sein wie die anderen? Die Haare machen den ganzen Unterschied, dachte ich. Mach dir doch eine andere Frisur, sagten meine Mitschülerinnen, wie konnten sie ahnen, daß mich meine Mutter frisierte. Ich wollte kurze Haare, die mir locker ins Gesicht fallen konnten. Im Friseurspiegel war ich nicht wiederzuerkennen, Mama saß neben mir und bestätigte den Erfolg, ich war um zwanzig Jahre älter. Der kupferrote, gewellte Pferdeschwanz wurde als Erinnerungsstück eingepackt. Aber zu Hause, schon am selben Tag fiel die Pracht zusammen, das hochtoupierte Haar mußte ausfrisiert werden, der Kamm klebte von Haarlack, Haarfestiger, Wasserwelle, und die Haarsträhnen hingen mir klebrig und schwer über die Ohren. Wie ein Sträfling, sagte meine Mutter, die immer den treffenden Ausdruck fand. Meine Häßlichkeit war unwiderruflich besiegelt, und die Haare wuchsen nur langsam nach. Als sie wieder schulterlang waren, befestigte meine Mutter eine schwarze Samtmasche an einer Spange und zog mir das Haar straff im Nacken zusammen. Das war der Mozartzopf, wie ihre schöne Schwester Fanni einen gehabt hatte, den trug ich noch, als sie schon tot war, ich brauchte zwei Jahre, bis ich es wagte, das Haar offen zu tragen. Haare, wenn sie einmal übers Ohr reichten, konnten nicht mehr offen getragen werden, wie sähe man denn aus, unfrisiert, wie eine Zigeunerin.

Auf der Kreuzung schwenkten wir rechts ein, in Richtung Dom, Sonntag für Sonntag, zur Abendmesse. Es war zwar die zweite Messe an ein und demselben Tag, aber wohin hätten wir sonst gehen sollen, was hätte sonst unseren wöchentlichen Stadtbummel gerechtfertigt? Da gingen wir auch beichten, da kannte uns niemand. Ich hatte nur mehr eine Sünde zu beichten, so fromm war ich geworden, ich hasse und beneide meine Mitmenschen. Das führte zu langen Gesprächen über die Unfähigkeit zu lieben, der Beichtvater verwies mich auf Franz von Assisi und eine endlose Reihe von heiligen Jungfrauen. Mit einer ungeheuren Willensanstrengung liebte ich bis zur Kommunion. Auch im Dom hatten wir unseren Stammplatz, aber hier kannte uns niemand, hier konnte man hemmungslos fromm sein, von der Wandlung bis zur Kommunion knien und Gott anflehen, einen doch durch ein Wunder glücklich zu machen. Diese Inbrunst des uneingestandenen Unglücks. Frömmigkeit macht die Züge von innen heraus schön, sagte meine Mutter, die über meine Berufung zum geistlichen Stand nicht mehr ganz so sicher war. Ich steigerte verbissen meine Frömmigkeit, damit einmal einer der Burschen im Autobus nach der Schule mich so ansähe, wie andere Mädchen angeschaut wurden. Nach geleisteter Frömmigkeit gingen wir um den Hochaltar herum und beim rückwärtigen Ausgang hinaus, in der Dunkelheit durch die Altstadt zum Autobus zurück vorbei am Kaffeehaus, in das wir später einmal nach der Kirche gehen würden, wenn ich Geld verdiente, vielleicht sogar ein Auto hatte und meine alte Mutter am Sonntag ausführte. Das war ihr Lieblingstraum, die Tochter mit angesehenem Beruf und Auto, die ihre Mutter in Liebe und Dankbarkeit ins Kaffeehaus mitnimmt. Die Sehnsucht und das Schuldgefühl, wenn ich an dem Kaffeehaus in der Altstadt vorbeigehe, sind mir bis heute geblieben.

Sie war vereinsamt im Lauf der Jahre. Sie hatte ihren Platz im Vorort, in dem wir seit zehn Jahren lebten, aber sie hatte so gut wie keine Bekannten. Distanziert dem gewöhnlichen Volk, den sozial Gleichgestellten gegenüber, hochmütig, kontaktlos, weil die Ärzte- und Architektenfamilien ihrer Tochter den Zutritt verweigerten, manchmal leutselig freundlich zu einigen alten Jungfern vom katholischen Frauenverein, aber nicht zu nah, sich nur nicht in die Karten schauen lassen. Eine kurze Zuneigung zu einer jungen Frau in der Nachbarschaft endete schnell, weil die Junge zu selbstbewußt war, zu frech, zu vorlaut und ihre Erziehungsarbeit zu kritisieren wagte. Wenn sich eine zeitweilige Freundlichkeit neuen Bekannten gegenüber als Irrtum erwies, die ehrerbietige Distanz nicht gewahrt blieb, eine kränkende Bemerkung fiel, zog sie sich mit schmalen Lippen und verächtlichem Blick zurück und haßte mit einer Intensität, mit einer verbissenen Wildheit, die in keinem Vergleich zur Kränkung stand. Im Geschäft entbrannte ein Streit mit einer Neuzugezogenen um zehn Schilling, die auf dem Wechseltisch lagen und die jede für sich beanspruchte. Meine Mutter war im Unrecht, die zehn Schilling gehörten der anderen, aber die Scham forderte Feindschaft, und die Feindschaft dauerte bis zu ihrem Tod. Das Einkaufen wurde ihr zur Qual. Es gab immer mehr Frau Hofräte und Frau Ingenieure, die ihre Lebensmittel telephonisch bestellten und die fertigen Einkaufskörbe im Auto abholten, immer mehr junge, respektlose Frauen, die ihr nicht die nötige Ehre erwiesen, immer mehr Mütter von Kindern, die angeblich besser, hübscher und gescheiter waren als ich. Die Feindschaften, die ohne Worte besiegelt wurden, vermehrten sich, Freundschaften kühlten sich an ihrem Mißtrauen, an ihrer argwöhnischen Distanz ab, blieben bei oberflächlichem Meinungsaustausch über Salatpflanzen und Einkochrezepte. Frau Kovacs war immer so verschlossen, sagten die Nachbarinnen später, ich hätte gern näheren Umgang mit ihr gepflegt, aber ich hab mich nicht getraut. Sie grüßte freundlich, ruhig, kaum lächelnd, in ihren Bewegungen lag eine gebändigte Vitalität, eine Kraft, der sie kein Schlupfloch ließ, die ihr als ein Knäuel aus Bitterkeit und Enttäuschung auf der Brust saß.

Sie hatte Atembeschwerden, besonders in heißen Sommernächten. Als sie zweiunddreißig war, hatte es angefangen, an einem heißen Augusttag im Zugabteil auf der Fahrt aufs Land. Schweißausbrüche und Atemnot, Erstickungsanfälle, Ringen nach Luft. Herzkropf, sagte der Hausarzt, muß einmal operiert werden. Es ist die Enge, sagte sie, die winzigen Zimmer, die niedrigen, schrägen Wände, die engen Verhältnisse. Auf dem Bauernhof hörten die Erstickungsanfälle auf, da waren die Räume hoch und viereckig, die Felder weit, die Luft atembar in tiefen Zügen. Aber wer nahm schon ihre Atemnot ernst, sie sah ja aus wie das Leben selbst, kräftig, rotwangig und wohlgenährt. Auf den Feldern arbeitete sie noch für zwei, und wehleidig war sie auch nicht. Aber zu Hause saß sie auf dem Bett, den Kopf vorgereckt, die Brust eingezogen, den Mund aufgerissen, die Luft geht nicht hinunter in die Lungen, aber sie wollte keine Zuschauer, schon gar nicht ihre Tochter mit den immerfort ratlos entsetzten Augen. Ist schon wieder vorbei. Krank war sie nie. Wer sollte denn kochen, wer sollte die Wäsche waschen, das Kind aus dem Haus bringen, die Hühner füttern, den Haushalt besorgen? Krank sein war ein Luxus für Faule. Einmal hatte sie Grippe und hohes Fieber. Ist es schon besser, Mama, fragte ich, auf ihrem Bett sitzend. Ihr Gesicht glühte, ihre Hand lag zittrig auf der Bettdecke. Ja, es ist schon besser, Kind, am späten Nachmittag steigt das Fieber immer. Soll ich den Doktor holen? Nein, es wird schon besser. Weißt du, Mama, was ich jetzt gern essen tät? Weihnachtswürstl. Sie stand auf, mit fast zweiundvierzig Grad Fieber, zog sich an und ging einkaufen, damit ich Weihnachtswürstl bekam, noch an diesem Abend. Wer sollte denn sonst das Kind versorgen? Sie war eine starke, kräftige Frau und erlaubte sich kein Selbstmitleid. Zehn Jahre lang hatte sie unausgesetzt Migräne, unerträgliche Kopfschmerzen zerschlugen ihr den Verstand. Ich glaube, es ist, weil mein Mann und ich, wissen Sie, wir haben eine sehr unglückliche Ehe, er liebt mich nicht, sagte sie zum Hausarzt, der meinen Vater, diesen ruhigen, bescheidenen Menschen, kannte. Der Doktor grinste. Sie stand auf, ohne auf die Diagnose zu warten, und kam nie wieder. Ausgelacht hat er mich, als ich von meinen unerträglichen Schmerzen redete, keinem Menschen darf man sich anvertrauen, sagte sie bitter. Sie ging zu anderen Ärzten, zwei Jahre lang war sie in Behandlung, bekam täglich eine Spritze gegen die wahnsinnigen Kopfschmerzen, aber sie sprach zu niemandem mehr über die Ursache, von ihrem unglücklichen Leben erfuhr von nun an kein Mensch mehr. Sie sprach auch über die Kopfschmerzen mit niemandem mehr. Kopfschmerzen, was ist das schon, eine eingebildete Krankheit, eine Gemütskrankheit, einfach was im Kopf, davon redete man nicht, es ist nicht der Rede wert, nichts Handfestes wie Ischias oder Rheuma. Nach zwei Jahren hatte sie die Spritzen satt, sie hatten nichts geholfen, man konnte mit allem leben, sogar mit Kopfschmerzen, die einen verrückt machten. Mir geht es gut, sagte sie zu den Verwandten, gottlob, wir können uns jetzt alles leisten. Mein Vater hatte Ischias und bekam Bestrahlungen, er hatte Grippe, und sie machte ihm Umschläge, er hatte Nierensteine, und sie besuchte ihn täglich im Spital. Er wurde oft krank, sie pflegte ihn, machte sich Sorgen um ihn. Wenn mit ihm was wär, sagte sie, das wär das Ärgste. Er war der Ernährer, von ihm hing unser Überleben ab, seine Gesundheit war das Fundament unserer Existenz. Sie zählte nicht, es scherte sich sowieso keiner.

Im Leben ihrer Schwestern gab es Turbulenzen, Marie war der unerschütterliche Fels, bei ihr ging alles wie am Schnürchen, das Geld reichte bis zum Monatsersten, und man konnte noch was aufs Sparbuch legen, das Kind lernte brav, der Mann trank nicht und ging nicht fremd, sie führten eine gute Ehe, Arm in Arm am Sonntag in die Kirche und zurück, was man nicht weiß, macht einen nicht heiß, am besten niemanden in die Karten schauen lassen, das Schlechte vergönnen einem die Leute, das Gute verneiden sie einem. Ander wuschen ihre Schmutzwäsche vor aller Augen, zumindest vor den Augen der Verwandten. Fanni hatte einen Kriegsversehrten geheiratet, weil ein Mann für den Hof gebraucht wurde, und nach dem Krieg waren die Männer rar. Man hörte die Prügeleien und das Geschrei durchs ganze Dorf, du Hur, das Kind ist eh nicht von mir, du steigst ja mit jedem ins Bett! Das Kind starb, während die Eltern sich prügelten, das zweite brachte sie durch, beim dritten wurde wieder über die Vaterschaft gemunkelt, denn der Mann war zur fraglichen Zeit auf Kur gewesen, um seine fortgeschrittene Knochentuberkulose zu kurieren, ein Andenken an die Kriegsgefangenschaft in Sibirien. Wer also war der Kindesvater? Da fragt ihr noch, sagte Marie und warf einen bedeutsamen Blick zum Auszughäusl hinunter, wo der alte Bauer seinen Rausch ausschlief, der beschläft doch eh alles, was länger als fünf Minuten stehenbleibt. Du versoffenes Schwein, sagte sie verächtlich, wenn er um acht Uhr früh beim Hoftor hereintorkelte und sich auf dem Misthaufen übergab, dunkle Flecken in der Hose. Da brachte er noch die Kraft auf, sie zu schlagen wie in alten Zeiten, seine fünfunddreißigjährige Tochter mit Holzschuhen und Fäusten zu bearbeiten und ihr einen Zahn wacklig zu schlagen, bevor er bewußtlos aufs Bett fiel. Schwein, sagte sie noch einmal und spuckte ihm das Blut ins Gesicht. Fanni wusch ihn und zog ihm die angeschissene Hose aus. Von ihm ist das Kind, sagte Marie und hatte sich endlich doch gerächt, schaut doch, sieht ihm ja jetzt schon ganz ähnlich. Schau, wie glatt meine Haut ist, kein Fältchen, sagte sie zu Fanni, kein Mensch würde es für möglich halten, daß wir gleich alt sind. Auch hier konnte sie triumphieren, Fanni alterte schnell, die Verantwortung der ganzen Wirtschaft lag auf ihr, der Vater meist im Alkoholdusel, der Mann gelähmt und auf Krücken, zwei kleine Kinder, und die Dienstboten blieben nie länger als ein paar Monate. So straft Gott den Hochmut, sagte Marie, Gott ist gerecht. Jetzt war es Marie, die auf dem Kirchplatz die Blikke auf sich zog. Fanni in schiefen Absätzen, altmodischen, abgewetzten Kleidern und runzliger, sonnenverbrannter Haut erregte kein Aufsehen mehr. Auch das Gerede um sie hörte auf, je verhärmter und abgerackerter sie wurde.

Rosi wurde ihr freies Leben und ihre sturmfreie Bude bald satt. Sie machte eine gute Partie, sie heiratete einen Lehrer, der Gedichte schrieb, einen Spinner mit einem herzigen Bubengesicht, und Rosi wurde Frau Oberlehrer und zog von gottverlassenem Nest zu gottverlassenem Nest die tschechische Grenze auf und ab, wohnte über den Klassenzimmern einklassiger Volksschulen mitten in Wäldern und Wiesen und nähte ein paar Bäuerinnen ihre Wochentagsschürzen für einen Striezel Butter und zwei Dutzend Eier. Meist saß sie im verdunkelten Wohnzimmer der Lehrerwohung und trauerte bei den alten Langspielplatten der sturmfreien Zeit nach, der alte Schloßteich mit den weißen Schwänen war nun endgültig ein Stück Vergangenheit. Marie kam sie besuchen wie eh und je, konnte den Plattenspieler nicht abschalten, der sich in Rosis Abwesenheit im »Stück Vergangenheit« verfangen hatte, und wurde mitten in der Nacht vom betrunkenen Oberlehrer, der gerade von seinem wöchentlichen Puffbesuch in der Stadt heimkehrte, aus dem Bett geschmissen. Sie wäre ja gleich gegangen, aber sie konnte, züchtig wie sie war, nicht aus dem Bett, vor dem der Schwager sich aufgepflanzt hatte und ihr sämtliche Strophen von »Ave Maria« als Ständchen darbrachte. Nach dreijähriger turbulenter Ehe, während der sie oft mit geschwollenen Augen und blauen Flecken am Körper bei uns Zuflucht suchte, verließ sie ihren Mann und reichte um Scheidung ein, tat das Unerhörte und löste als erste in der Familie das heilige Band der Ehe auf, schrie mitten in der Bauernstube vor versammelter Verwandtschaft, sie wolle mit diesem onanierenden, hurenden Schwein keine Stunde mehr zusammenleben, und wir Kinder wurden gepackt und schnell bei der Tür hinausbefördert, bevor sie hemmungslos weitere peinliche Details aus ihrem Eheleben hinausschrie. Halt doch den Mund, du hysterische Nudel, sagte meine Mutter verächtlich und betont ruhig, glaubst wohl, du bist die einzige, die sich in der Ehe was mitmacht? Aber Rosi hörte nicht auf zu toben, auch nicht, als entsetzte, empörte Stille eintrat. Ein hysterisches Weibsbild, ohne Beherrschung, die sich weigerte, das Los der Frauen zu tragen, wie es sich schickte, schweigend, fröhlich, hab ein Lied auf den Lippen. Rosi, aus der Bahn geworfen, von der Familie schief angesehen, ohne sturmfreie Bude, geschieden, vogelfrei, suchte bei Marie Zuflucht. Asyl wurde ihr gewährt, aber das Mitgefühl wurde ihr verweigert. Ich sah es an Mamas Gesicht, wenn ich bei der Tür hereinkam, Rosi ist da, verächtliche Mundwinkel, ungeduldige Handbewegungen. Wie konnte man sich so gehenlassen, so würdelos sein! Ohne Schirm, vom Regen bis auf die Haut durchnäßt, stand sie eines späten Abends vor der Tür und störte die mühsam errungene Hausruhe. Ich hab mich auf die Eisenbahnschienen gelegt, zwei Stunden bin ich auf den Schienen gelegen, und kein Zug ist dahergekommen. Niemand fand es besonders lustig, daß es der zum Selbstmord entschlossenen Rosi beim Warten auf den Schienen fad geworden war. Sie bekam ein trockenes Nachthemd, und meine Mutter bezog das Sofa für sie, auf dem sie dann drei Wochen lag, weil sie sich auf den Schienen verkühlt hatte. Wie sie ihren Vater im Spital besucht hatte, pünktlich, täglich, ein halbes Jahr lang, so nahm sie sich jetzt ihrer durchgedrehten Schwester an, gewissenhaft und ungerührt. Essen, frische Wäsche, Unterkunft konnte sie haben, da ließ sie sich nichts nachsagen. Mitleid, Verständnis auch noch? Das war denn doch zuviel verlangt. Verständnis wofür? Daß sie ihrem Mann davongelaufen war, daß sie sich gegen das ihr beschiedene Schicksal aufgelehnt hatte, daß sie Schande über die ganze Familie gebracht hatte? Schämen sollte sie sich. Bist halt auch eine unbeherrschte Hysterikerin wie die Rosi, sagte sie mit Verachtung in der Stimme zu mir, wenn ich wütend die Schultasche in die Ecke schmiß, wirst es schon noch sehen und auf meine Worte kommen, wirst auch einmal als Geschiedene enden. Als Geschiedene enden, das war fast so schlimm wie ein lediges Kind nach Hause bringen. Rosi mietete sich ein Zimmer in der Altstadt, die Fenster waren immer verhängt, denn sie gingen auf den Gang hinaus, auf dem auch das Klo und das Fließwasser waren. Aber sie hatte eine Kochplatte und ein Lavoir in der einen Ecke und die Sitzgarnitur aus der sturmfreien Zeit mit dem Plattenspieler in der anderen. Im Handumdrehen war wieder eine sturmfreie Bude daraus geworden, der Wildbach rauschte wieder dort im grünen Wald, sogar der alte Schloßteich mit den weißen Schwänen funktionierte wieder, und jederzeit konnte man ein Gläschen Cognac haben. Marie kam wieder gern auf Besuch und fühlte sich bei Rosis verjährten Heimwehschnulzen jung und unbeschwert. Zwei Jahre später heiratete Rose den um zwölf Jahre jüngeren Burschen, mit dem sie schon längst das schmale Bett in der Altstadt geteilt hatte. Marie war froh, jetzt nicht mehr Rosis Bettwäsche waschen zu müssen, aber zur Trauung ging sie nicht, denn es war ja nur eine standesamtliche und gegen den göttlichen Willen. Was sie betraf, lebte Rosi jetzt in wilder Ehe, und Gott würde sie schon noch strafen.

Von allen Schwestern ging es Marie am besten, gab es am wenigsten über sie zu tratschen, an ihr zu bemängeln oder zu bemitleiden. Angela hatte der Familie die größte Schande gemacht und ein lediges Kind zur Welt gebracht, das nun auch noch, hier ließ die Gerechtigkeit Gottes aus, hübsch, fröhlich und liebenswert war, viel hübscher und fröhlicher als die eigene Tochter, der es doch an nichts, aber schon an gar nichts fehlte. Aber der Pfarrer hatte im Beichtstuhl zu der schwangeren Angela gesagt, Sie werden die Sklavin des Mannes sein, und so kam es auch, es gab halt doch eine Gerechtigkeit. Als Monika vier Jahre alt war, fand die Hochzeit statt, nicht in Weiß, denn von Jungfrau konnte nicht mehr die Rede sein, sondern in einem lila Samtkleid mit schwarzem Kragen, und Monika wurde im Auszugsstüberl beim Großvater versteckt, bis die Trauung ihrer Eltern vorbei war. Dann zogen Mutter und Kind in den lange verbotenen Bauernhof ein, wo die entthronte Schwiegermutter sich schon darauf freute, die junge Flitsche mit dem Bankert tüchtig herzunehmen. Angela hatte nichts zu lachen als Bäuerin, Jahr für Jahr war sie schwanger, sechs Geburten in acht Jahren, und der Mann schlug sie, schwanger oder nicht, mit und ohne Grund, während die Schwiegermutter hinter der Hausstiege horchte und sich eins grinste. Die Dienstboten hielten es auch nie lange aus, weil nächtelang geflucht, gestritten und geprügelt wurde. Um der alten schwesterlichen Verbundenheit willen half Marie jedes Jahr bei der Entbindung aus, ging statt der Bäuerin aufs Feld und in den Stall und versorgte die größeren Kinder. Aber nach wenigen Wochen gab es Streit, im Schwager traf Marie auf einen ebenbürtigen Partner, sie spuckte vor ihm aus, er ohrfeigte sie, sagte zu Angela, fahr mir mit dem Stadtgesindel ab, sie sagte, auf Nimmerwiedersehen, zog sich nicht einmal um, ließ sich vom Nachbarn zum Bahnhof fahren, wie sie war, mit Kopftuch und Schürze. Es gab keine Versöhnung, nicht einmal Weihnachtsgrüße. Erst fünfzehn Jahre später lernte ich Monikas jüngere Geschwister kennen, den Hof betrat sie nie mehr wieder, ein Mann, ein Wort.

Was war aus den schönen, stolzen Bauerstöchtern geworden? Nichts war aus ihnen geworden. Der Großvater hatte recht gehabt, Bettelleut werdet's, alle werdet's einmal Bettelleut. Zwei geschundene, regelmäßig geprügelte Bäuerinnen, eine Geschiedene und zwei, die versuchten, aus den Mietwohnungen herauszukommen, sich was Eigenes zu schaffen, vom Mund abzusparen für die Kinder. Ausgerechnet die Jüngste, die nie viel beachtete, die ohne Mutter aufgewachsen war, wild und herrenlos auf den Nachkriegstanzböden herumflog mit viel zu kurzen Röcken und einem täglich neu aufgesteckten Lockenkopf, gerade die wurde Maries einzig ernst zu nehmende Konkurrentin. Sieben Jahre jünger, das war schon fast eine neue Generation. Eine Generation, in der man vor der Hochzeitsnacht mit einem Mann schlafen durfte, wenn nur nichts passierte, eine Generation, in der es neben der Pflicht und der Flucht von zu Hause noch genug Liebe gab, um die ersten Ehejahre durchzustehen, eine Generation, deren neues Leben nicht mit Lebensmittelkarten und Hunger begann, weil das Schlimmste schon vorüber war, als man aus der Fülle heraus in die Mietwohnung hineinheiratete. Heidi, die Jüngste, heiratete zwar auch einen Häuslerssohn, der noch dazu ein lediges Kind war, das vergaß man nie, aber er war zu jung, um kriegsgeschädigt zu sein, er hatte noch seine jugendlichen Kräfte und genug Verstand, nicht in den zerbombten Städten versuchen zu wollen, sich eine Existenz zu gründen. Er ging zur Zollwache, bekam freie Wohnung in den Zollhäusern entlang der tschechischen Grenze, wo ihm nur Hasen und Rehe in den Weg liefen. Er hatte ein leichtes, geruhsames Leben in den böhmischen Wäldern, und sein Gehalt reichte weiter, als es in der Stadt gereicht hätte. Heidi kannte keine Not, sie erinnerte sich an keine Demütigungen, weder zu Hause noch in der Wohnung, und das Kind nach zwei Jahren Ehe war geplant, erwünscht und geliebt. Wenn sie auf seinem Motorrad zu den Verwandten fuhren, setzten sie es in die warme Höhle zwischen seinem Rücken und ihrem Bauch. Mit Heidi ließ sich konkurrieren, sie kleidete sich wie eine Dame, sie mußte mit einem Monatslohn wirtschaften und eine Wohnung sauberhalten. Heidi und Marie hatten, zunächst ohne zu überlegen und später immer bewußter, den Schritt von der Erde, die einen einsog, fort getan, sie begannen herauszuklettern, krampfhaft, ehrgeizig, stur. Den Kindern brachten sie von klein auf Hochdeutsch bei, und daß man auf hübsche Kleider aufpaßte, vor dem Essen die Hände wusch, lieber nicht schmutzig wurde und die eigenen vier Wände makellos hielt. Der Einstieg ins Kleinbürgertum und von da weiter, so weit es eben ging, wurde nicht mehr gemessen an Kühen, Zuchtstieren und Joch Grund, sondern am Betrag im Sparbuch, bei Wüstenrot, am Bausparvertrag, an den Plänen für die Zukunft der Kinder und ihre Chancen zur Verwirklichung. Mit dieser Zukunft im Blick, dem eigenen Stück Grund, dem eigenen Zweifamilienhaus für sich und die Jungen, wurde am Essen gespart, wurde auf Urlaub und neue Kleider verzichtet, wurde gespart in einem Kopf-an-Kopf-Rennen: Wer von den beiden würde es zuerst schaffen? Wer schafft es schneller? Welche von uns beiden kann sich trotz des Sparens noch mehr leisten, den Kindern mehr bieten? Diese Konkurrenz verband sie zu einer Freundschaft, in der sie sich nicht aus den Augen verlieren konnten, sonst hätten die eigenen Anstrengungen nur halb soviel Wert gehabt. Marie lud Heidis Kinder ein, eine Woche bei uns zu verbringen, und als Sophie im Spital war, brachte sie ihr jeden Tag frischgebackene Schnitzel. Und ich war jeden Sommer eine Woche im Zollhaus an der Grenze und wurde bedient, jeden Tag gab es Fleisch und Nachspeise, Spaziergänge und das Gefühl, etwas Besonderes zu sein. Vor Heidi brauchte Marie kein Theater zu spielen, die wußte um die Enge und die Anstrengung des Sichherauswurstelns, auch das verband.

Rosi versuchte mitzuklettern, nachdem sie ein zweites Mal geheiratet hatte. Aber sie setzte sich in ein bereits gebautes Nest, das galt nicht. Und außerdem, nach solchen Eskapaden! Wie sollten die jemals vergessen oder verziehen werden? Glück hatte sie gehabt, da hatte die Gerechtigkeit Gottes wieder einmal nicht funktioniert, verwöhnt und verhätschelt von der Mutter, vom Schicksal, von ihrem um zwölf Jahre jüngeren Mann und, was am unverzeihlichsten war, von sich selbst. Ja, sie ließ es sich gutgehen und hatte doch noch nie einen schweren Handgriff getan, sie hielt nichts von der Selbstaufopferung! Sie hatte es leicht, sie setzte sich an die Nähmaschine und staffierte sich aus, schneiderte in ein paar Stunden Schwarzarbeit Haushaltsgeld und Taschengeld für sich zusammen und kannte keine Sparsamkeit, keinen Respekt vorm Geld und keine abgehärmte Demut, die aus schlaflosen Nächten wuchs, in denen man vom eigenen Grund träumte. Hie und da schneiderte sie ein Kostüm für die eigenen Schwestern, die bloß danke sagten und sonst nichts, aber mindestens ein Meter Stoff verschwand dabei, und es schaute halt gepfuscht aus, angestückelt, eingestückelt, zusammengehudelt, mit schlampig eingesetzten Reißverschlüssen, und dann noch das vorwurfsvolle Gesicht, für ein Dankeschön sitze ich nächtelang für euch an der Nähmaschine. Trotzdem besuchten wir sie auch im neuen Haus beim Kurbad oft, und es war jedesmal ein Fest und ein Abenteuer, obwohl es jetzt keinen Cognac mehr gab und aus der sturmfreien Bude endgültig ein bürgerliches Wohnzimmer geworden war. Die halbstündige Fahrt im Zug kostete eine Menge Geld, und wenn man Geld ausgab, mußte man es auch genießen, für Alltäglichkeiten gab man kein Geld aus, und wenn's Geld kostete, war es keine Alltäglichkeit. Dann der Weg durch den Kurpark, die gutgekleideten Kurgäste, ein Laufsteg ohne Eintrittsgeld, meist gingen wir gleich ins Freibad, denn Rosi kochte nicht gern für Gäste. Neue Badeanzüge in Rot und Lila hatten wir uns für dieses Abenteuer geleistet, und die Brusteinsätze aus Kautschuk waren dreimal so groß wie mein eigener Busen, sie glucksten, wenn sie sich mit Wasser füllten. Das Wasser im Nichtschwimmerbecken war so warm, daß man hinterher in der Augustsonne fror, deshalb blieben wir vier, fünf Stunden am Beckenrand im warmen Schwefelwasser stehen, tauchten den Oberkörper ein, hielten uns am Geländer fest, hielten die Füße waagrecht, schwammen drei Tempi und freuten uns und schoben unermüdlich den Schmutz von uns weg, der auf uns zutrieb, die Ausscheidungen Hunderter anderer Badegäste. Achtzig Prozent Urin, sagte Rosis Mann und weigerte sich, seine Zehen damit zu beschmutzen. Die Einheimischen gingen in den Fluß schwimmen, da konnte man die Kiesel am Grund sehen. Nach fünf Stunden im warmen Wasser in der sengenden Sonne verzehrten wir die mitgebrachten Wurstbrote und Tomaten, aber um auf einer Wiese zu liegen, hatten wir den Eintritt nicht gezahlt, also wieder hinein ins Nichtschwimmerbecken. Ich lern dir's Schwimmen, sagte mein Vater und hielt seine Frau waagrecht in den Armen, aber seine Blicke streiften über junge, schlanke Körper, braune Schultern, kaum verhüllte Bikinibusen, und ihr Kopf tauchte ins Wasser, sie kippte nach hinten, glaubte zu ertrinken, ertränkt vom eigenen Mann, der sich an fremdem Fleisch ergötzte. Dieses Vergehen gehörte zu den unverzeihlichsten, zu den Verbrechen, die wöchentlich einmal aufgefrischt, nacherzählt und ausgeschmückt wurden. Das war auch das letzte Mal, daß er zum Baden mitkam. Nach sieben Stunden war der Eintritt abgezahlt, wir saßen im Zug, vom Schwefelwasser und von der Sonne zu Tode erschöpft, mit krebsroten Schultern, schmerzenden Rücken, und der Kopf tobte zum Zerreißen. In dieser Stimmung gab es immer Streit, ich schämte mich für den Heißhunger, mit dem meine Mutter im Zugabteil die letzten Brote verschlang, sie schimpfte mich rücksichtslos und undankbar. In den Autobus stiegen wir schon von feindseligem Schweigen getrennt, aber so endeten die meisten gemeinsamen Unternehmungen.

Denn immer kamen wir heim, den kleinen Berg hinauf, und oben stand das Haus mit seinen schrägen Wänden, seinen fünfundzwanzig Quadratmetern, nun schon dreizehn Jahre lang *unser* Haus, unsere bescheidene Hütte, die Endstation unserer Abenteuer, und wenn sie die Tür aufsperrte, rang sie schon nach Luft, riß die Verandatür auf, riß sich die Kleider vom Leib, ich ersticke, hier ist es zum Ersticken! Ich verstand nicht, was sie daherredete, mir machten große Räume Angst. In der Mitte eines großen Raumes stehen war wie auf einer Bühne, auf einem großen Platz stehen, ich sehnte mich nach einer Ecke, einer Nische. Ich hatte Verschönerungsvorschläge für unser Haus, eine Wandvase, einen Schirmständer, einen neuen Lampenschirm. Aber sie wollte nichts davon wissen, das wäre Geldverschwendung gewesen. Wir sparten ja auf einen Grund und ein Haus mit geraden Wänden und großen Zimmern. Für mich war es trotzdem unser Haus.

*

Das Haus hielt meine Einfriedungen aufrecht. Ich durchbrach sie nach innen. Da gab es ungeahnte Freiräume, das Meer, das ich nie gesehen hatte, schimmerte unirdisch im Mondlicht, Brücken liefen in andere Länder, sogar in den Dschungel drang ich ein, in das lärmende Zwielicht. Sie glaubte, in einem Palast würde sie sich in eine Feenkönigin verwandeln, ich wußte damals schon, von meiner Balustrade aus, mit dem Blick ins weite Land, daß ihr Zauber immer Schwarze Magie bleiben würde. Hinter dem Vorhang wartete ich mit dem Messer in der Hand, aber es fehlte mir der Mut. Auch in einem siebenmal größeren Haus hätten sich die Türen nur von außen geöffnet, hätten mir die Spiegel mißgestaltete Zwitterwesen gezeigt. Ich habe sie ja versucht, die anderen Gehäuse, ich habe nichts unversucht gelassen. Das geflieste Bad, die Einbauküche, die Jugendstilmöbel im Wohnzimmer mit schweren Gardinen, der Luxuskäfig, und aus den Spiegeln sah sie mich an mit ihrem irren Blick und vom Weinen verwaschenen Zügen. Da blieb mir das Triumphgeschrei im Hals stecken, ich stürzte zur Tür, aber die Tür hatte keine Klinke, ich hätte es wissen können, nicht einmal ein Schlüsselloch zum Hinausspähen, und ich schlug meinen schlaflosen Kopf auf die schimmernden Fliesen. Auch die Tapetentüren zu den inneren Räumen fand ich nicht mehr. Warum hatte mir keiner gesagt, daß die Häuser der käuflichen Liebe keine Tapetentüren haben, keine Träume, von deren Ufern man ins mondverzauberte Meer hinausrudern konnte zu neuen Inseln und fernen, reineren Gipfeln? Indem ihr mich einsperrtet, habt ihr mich das Ausbrechen gelehrt. Wenn sie das Grab versiegelten, war es immer schon leer. Wie oft das Haus meiner Liebe schon unbewohnbar geworden ist und ich durch die Palisaden spähte, Eiszapfen, in denen das Mondlicht sich brach. Wenn ich bereit war, mußte ich immer erst sie besiegen und mich mit selbstmörderischem Mut in die Vorhölle stürzen, in der die Schwärze, von hundert Spiegeln gebrochen, über mich herfiel. Das ist die Hölle, sagte sie dann mit dem unbeirrbaren Wissen der Toten, wenn man den Abstand zum anderen nicht mehr ermessen kann, wenn man die Hand in die Finsternis hinausstreckt und ins Leere greift. Aber ich wußte, sie log, die Hölle war mit Leichen gefüllt, mit Vampiren, die sich von meinen Ängsten und an meinem Versagen nährten. Im Spiegelkabinett der Einsamkeit war eine Tür, die galt es zu finden, ein Druck mit der Hand genügte, und ich trat in die Freiheit. Sobald ich das begriffen hatte, konnte ich auch wieder zurückkehren in das erste Haus mit dem Bild der Heiligen Familie und dem winzigen Küchenfenster hinter dem gestreiften Storevorhang, und ich konnte sagen, hier bin ich vorläufig daheim, denn die Türen ließen sich jetzt von innen öffnen, und vor den Spiegeln konnte ich tanzen, ohne mich in ein häßliches Tier zu verwandeln. Wenn ich jetzt fortgehe, in immer kürzeren Abständen, tue ich es schon fast ohne Angst, denn es gibt jedesmal weniger zu verlieren und noch so viel zu gewinnen. Je kürzer die Tage werden, desto offener das Land, das noch zu durchqueren ist, und keiner lockt mich mehr in sein Haus. Mein Gepäck ist leicht, ich wische den Morgentau von meinem Spiegel, ich habe fast alles, was ich brauche. Fast alles. Mein Körper wirft einen Schatten, mein Wagen wirft einen Schatten, der Schatten sagt, du hast mich verraten, du machst mir Schande, und Schande wird dich überfallen auf offener Strecke. Aber ich habe ja nicht erwartet, sie loszuwerden, und wenn die Sonne ganz hoch über mir steht, fahre ich mit meinen Rädern über sie weg.

*

Immer hieß es, wenn das Kind einmal aus der Schule ist, wenn das Kind einmal selber verdient, denn das Kind wurde immer teurer. Schulgelderhöhung, Wienwoche und dann der Tanzkurs. Die Anzahlung des gesamten Kursbetrags bei der Anmeldung, die teuren Tanzkleider, meergrüne Reinseide, hellblauer Seidenbrokat, mindestens fünf neue Kleider, sonst redet einen der Tanzlehrer blöd an, und wenn möglich jedesmal vom Friseur gelockt und frisiert. Was war aus der Berufung zur Klosterschwester geworden? Ich hatte noch keinen Freund, ich träumte nur schon seit vier Jahren von einem kleinen Realschüler, blond und sanft, der bald maturierte, aber davon wußte meine Mutter nichts. Die Vera interessiert sich nicht für Burschen, die Vera ist nur fürs Lernen, sagte sie lobend. Wenn sie am Nachmittag in die Stadt fuhr, zeichnete ich mich selbst in Träumen aus Tüll und Seide, in Opernlogen, auf einem Schiffsdeck, von eleganten Männern umgeben. Aber diese Zeichnungen bekam niemand zu Gesicht. Modezeichnerin wollte ich werden und entwarf während der Pause meinen Mitschülerinnen Kleider, aber auch diesen Traum wagte ich nicht laut zu äußern. Von der Klosterlehrerin war nicht mehr die Rede, obwohl ich jeden Freitag um halb fünf Uhr aufstand und mit dem ersten Autobus in die Frühmesse im Dom fuhr, um meinen Neid auf die Klassenkameradinnen zu beichten und schöne, von der Frömmigkeit durchstrahlte Züge zu bekommen.

Daß ich in die Tanzschule mußte wie alle anderen in der Klasse, darüber bestand kein Zweifel, wie sollte ich denn sonst gesellschaftsfähig werden. Seit meinem vierten Lebensjahr hatte meine Mutter vergeblich versucht, mich in die Gesellschaft, die höhere, die einzige, die zählte, einzuführen, einzuschleusen, hineinzuboxen. Jetzt gab es wieder eine Möglichkeit, die Tanzschule, den Debütantenball. Aber bis zum Debütantenball schaffte ich es nicht. Ich trug das teuerste Kleid unter allen vierzig Mädchen, die Haare zu einem Knoten festgesteckt, ungeschminkt bis auf die geschwärzten Augenbrauen und den knallroten Mund, übergewichtig, und als ich mir im Wandspiegel des Festsaals entgegenschritt, setzte mein Herz aus, mein Gott, da kommt die Mama! Im Tanzstundensaal endeten alle Träume, die verschämt in meinen Zeichnungen blühten, da hörten die Bäume auf, in den Himmel der Liebe zu wachsen. Mein Vater brachte mich hin, mein Vater holte mich ab. Dazwischen lag der Ansturm der schwarzen Hosenbeine und der weißen Handschuhe, meine Herren, engagieren, und die ungezählte Wiederholung der Erfahrung, übrigzubleiben, sitzen zu bleiben, als einzige an der Spiegelwand zu sitzen neben vierzig leeren Stühlen. Meine Herren, promenieren, vierzig Paare Arm in Arm an mir vorbei, endlos im Kreis, Gesprächsfetzen, in welche Schule gehen Sie, machen Sie nächstes Jahr Matura . . ., ja, das tue ich auch gern . . . Nie gab es zu viele Burschen, immer gab es zu viele Mädchen. Wenn wir zwei zuviel waren oder vier, war ich schon fast getröstet, dann lernte ich wenigstens die Tanzschritte, das eins, zwei, vor, eins zwei, vor, der Herren natürlich, denn ich war groß und trug blaue Kleider, Blau, das Kennzeichen des männlichen Säuglings. Am Ende bei der Garderobe war ich das einzige Mädchen, das sich zwischen den Kavalieren um ihren Mantel balgte, das war die einzige Tuchfühlung mit den schwarzen Anzügen, Ellbogen in der Brust, Rippenstöße, wer überreicht seiner Dame als erster den Mantel und den Schal. Da waren die Herren unter sich, siebzehnjährige Gymnasiasten in der Turnhalle, he du, schleich dich, du Wanze. Arm in Arm schwebten sie hinaus in die Oktobernacht, nur eine wurde vom Vater abgeholt, eine kämpfte mit den Tränen, weinte zu Hause hemmungslos auf das Reinseidenkleid, paß doch auf das teure Kleid auf, die Flecken gehen ja nimmer heraus! Ich geh nicht mehr hin, nie mehr! Und die Anzahlung für zehn Stunden im voraus, keine Rückerstattung im Fall des Rücktritts? Ich geh trotzdem nicht mehr hin! Na ja, dann ersparen wir uns wenigstens das Ballkleid. Kann man nichts machen, reiß dich doch zusammen! Eine ärgerliche Episode für die Eltern, hinausgeschmissenes Geld, genauso wie das Klavier, na ja, hat auch was für sich, hat sie wenigstens keine Burschen im Kopf. Für mich das Ende der Hoffnung, so zu sein wie die anderen. Ja, ich weiß, ich bin häßlich, sagte ich in der Klasse, aber zur Entschädigung riß ich Witze, daß die anderen noch in der Stunde weiterkicherten. Vera, die Intelligenzbestie, Vera, der Klassenclown, Genies lassen bitten.

Warum war von der Klosterlehrerin keine Rede mehr, wenn sich die sechzehnjährige, gutentwickelte Tochter doch ohnehin nicht für Burschen interessierte und in der Tanzschule eine so peinliche Niederlage erlitten hatte? Wenn es doch keine Geheimnisse zwischen Mutter und Tochter gab? Wenn doch die Tochter so fleißig und begierig lernte, die besten Deutsch-, Englisch- und Lateinschularbeiten der Klasse schrieb und Klassenbeste geworden wäre, wenn sie nicht an den mehr als vierstelligen Zahlen gescheitert wäre? Wenn sie doch jeden Freitag in die Frühmesse ging, und das einzige Vergnügen von Mutter und Tochter die Abendmesse jeden Sonntagnachmittag war? Abgesehen von den gelegentlichen Kinobesuchen, wo sie bei Kußszenen geniert wegschaute – obwohl die Filme jugendfrei waren.

Ein Radio hatten wir schließlich auch bekommen und waren an das Zeitgeschehen angeschlossen durch das Hörspiel am Mittwochabend, den dramatisierten Sonntagsroman, das Wunschkonzert und Autofahrer unterwegs. Radiohören statt oder beim Aufgabenmachen kam strengstens nicht in Frage, wäre mir auch nie eingefallen, auch die Hitparade war tabu, aber am Sonntag nach der Abendmesse konnten amerikanische Country- und Westernsongs nicht allzu großen Schaden anrichten.

Meine Mutter lernte über die Marianische Frauenkongregation eine Frau kennen, deren Tochter gerade aus dem Kloster ausgetreten war, eine Klosterlehrerin, und jetzt verheiratet ein Kind erwartete und endlich glücklich war. Diese Schande wollte sie sich ersparen. Also abgeblasen der Traum, mit sechzehn ins Noviziat einzutreten? In das Noviziat eines Ordens, deren Nonnen zu einem Arbeiter am Elternsprechtag sagten, was wollen Sie, Arbeiterkinder schaffen es ja doch nicht? Die zur Tochter sagten, es gibt eine in der Klasse, die paßt nicht herein? In den Orden einer Kirche, die auf der Seite der Besitzenden stand, immer gestanden war, auf der Seite der Macht sogar im Dritten Reich? Auch Hochhuts *»Stellvertreter«* hatte sie in der Dombücherei gefunden und war nicht erbaut, aber auch nicht sonderlich überrascht gewesen. Wer oder was hatte die Vierzigjährige nach dreißig Jahren himmelwärts hoffender Gläubigkeit dazu gebracht, an der Gerechtigkeit zu zweifeln, die das Evangelium verkündete, über die Kirche zu lästern, an ihren Dienern und Dienerinnen ihre bissige Zunge zu wetzen und auch von Gott, dem alten, bestechlichen Patriarchen, der immer mehr die Züge ihres eigenen Vaters annahm, nicht mehr viel zu erwarten? Die letzten werden die ersten sein, sagte sie bitter und, ist dein Auge neidisch, weil ich gut bin, und diesen Scheißdreck von der neunten Stunde, Augenauswischerei, himmelschreiende

Ungerechtigkeit, Bauernfängerei! Was sie nicht hinderte, weiterhin in die Kirche zu gehen und dem Rosenkranzsühnekreuzzug beizutreten. Noch immer standen wir jeden Morgen der Heiligen Familie mit gefalteten Händen gegenüber, wurde ich mit Weihwasser bespritzt und mit einem Stoßgebet »in Gottes Namen« auf den Schulweg geschickt. Natürlich war sie eine fromme Katholikin, nur die ganze Scheinheiligkeit in der Kirche, an der sie selbst mit Inbrunst teilnahm, ging ihr auf die Nerven, die Vorbeter, Vorausrenner, Vorsänger. Zu Hause mokierte sie sich über die Betschwestern, die Gottes Segen in der Einkaufstasche trugen, wie die Nachbarinnen sich früher, vor zwanzig Jahren über sie mokiert hatten. Gott ist gerecht, gewiß, und warum hatte sie nach zwanzig Jahren Sparen und Wurschteln noch immer kein Fleckerl eigenen Grund, warum wartete sie immer noch auf das Glück, das sie nur vom Hörensagen kannte? Und der Kindersegen, na, wenn sie sich an die Enzykliken hielte, hätte sie jetzt zehn Kinder zum Verhungern.

Marie, wie hältst du's mit der Religion? Zum Frommsein braucht man keine Pfaffen, die Kirche kann mir gestohlen bleiben. Der ganze Tamtam um Papst und Klerus, urbi et orbi im Radio, und das Geld, das da hinausgeschmissen wird, und dann dem Papst noch die Zehen küssen. Katholisch, na ja, wenn's sein muß, aber wozu auch noch römisch? Geld, die ganze Kirche stinkt nach Geld, das man den armen Leuten aus der Tasche zieht, Kirchensteuer, Haussammlung, Opfer bringen. Ist ein ganzes, freudloses Leben voll Opferbringen nicht genug? Die sollen mir am Buckel runterrutschen. Von Edith Stein, die sie auch in der Dombücherei gefunden hatte, kam sie auf Husserl, und auf einmal war sie bei Engels und dachte, sagte es auch zur Tochter, aber nicht weitersagen, der Marx hat eigentlich recht. Bildung? Von Bildung konnte keine Rede sein. Sie ließ sich nur von mir erzählen, was wir in Philosophie gelernt hatten, und dann ging sie in die Stadtbücherei und las es nach. Sie hörte sich an, was der Religionslehrer über die Arbeiterklasse zu sagen hatte, und wie sich der Pfarrer am Wahlsonntag bei der Predigt ereiferte, von der Kanzel herunter, aber er war ja schon lange zu faul, auf die Kanzel zu steigen, hinter dem Speisgitter also, wer rot wählt, sündigt gegen Gott, der sollte von Rechts wegen exkommuniziert werden. Politik von der Kanzel herunter, weil Religion die Politik der Wohlhabenden ist, um das zu verstehen, brauchte man weder Theologie noch Politik studiert zu haben, dazu genügten acht Klassen Volksschule und lebenslanges Sichabstrampeln und Nichtherauswurschteln-Können. Sie wählte dann doch wieder schwarz, aus Angst vor der Strafe Gottes und weil man doch selbst auch nach Besitz trachtete und man sich auch nicht so ganz mit der Arbeiterklasse, dem vierten Stand, dem letzten Stand, dem letzten Dreck identifizieren wollte. Aber daß man der letzte Dreck war und es keine Sprossen zum Klettern mehr gab, das wußte sie damals schon, und nächstes Mal würde sie auch rot wählen, sie war nur in der Wahlzelle wieder schwach geworden.

Heidi und ihr Mann hatten sich ein großes, schönes Grundstück gekauft, am Waldrand, draußen auf dem Land, und der Grundriß des Hauses lag schon beim Baumeister. Im Herbst würde man mit dem Kellergraben anfangen, und Heidi ging jetzt ganztägig arbeiten und kaufte sich nichts, aber schon gar nichts mehr zum Anziehen. Das Geld für einen Grund hätten wir ja auch beisammen, sagte Marie zu ihrem Mann, der keine Meinung dazu hatte. Da gab es einen erschwinglichen Grund am Stadtrand auf der anderen Seite der Donau, ein weiter Weg zur Schule für das Kind, und das Grundstück eine steile Böschung, was da die

Planierarbeit verschlingen würde an Geld und Kraft, sagte er, und sie warf ihm Bequemlichkeit vor. An jedem freien Tag fuhren sie, Grund anschauen, in alle vier Richtungen an die Stadtränder, dort, wo die Buslinien aufhörten und das Land flach und trostlos wurde. Da heraußen möchte ich aber auch nicht wohnen, sagte sie, wenn sie an den Zäunen der eng zusammengebauten Siedlungshäuser vorbeigingen, von allen Seiten eingesehen, und die Staubstraße an den Küchenfenstern vorbei. Ja, was willst du denn eigentlich, einen zentral gelegenen Grund können wir uns nicht leisten, sagte der Mann. Da ging sie allein auf die Suche, ging Häuser anschauen statt Auslagen anschauen. Da gab es ein altes Haus, groß, geräumig, villenartig, ein wenig baufällig das Stiegenhaus, aber die Reparaturen überschaubar. Das Haus gehörte einer alten Frau, die sich einsam fühlte und ins Altersheim wollte. Ein zweistöckiges Haus, ganz allein im Wald mit weitem Blick über das Donautal, ein Traum bei Sonnenuntergang. Jeden Sonntag nach der Abendmesse gingen wir an dem Haus vorbei, als sei es schon unser Haus. Nur eine Million Schilling. Man müßte halt ein Darlehen aufnehmen und einen Stock vermieten, aber dafür blieb einem die Schinderei des Hausbauens erspart. Träume. Am Abend nach dem Aufgabenmachen gingen wir im Villenviertel spazieren, schauten durch die Spitzenvorhänge in die lüstererleuchteten Wohnzimmer, wo der Fernseher flimmerte, schmiedeeiserne Gartentore, Ziegelmauern, vielleicht ein offener Kamin. Träume. Nach dem Rundgang wieder zurück in unser Haus mit den schrägen Wänden, ohne warmes Wasser in der Küche. Träume, die sich in meinen Zeichnungen niederschlugen. Inzwischen hatte mein Vater ein Bad eingerichtet, eingebaute Badewanne, Fliesenimitation, Boiler, Handbrause. Mit der Handbrause spielte ich Telefon. Wir badeten noch immer im selben Badewasser, wozu Strom verschwenden.

Ich war sechzehn, und meine Mutter wusch mir die Haare, schrubbte mich von Kopf bis Fuß, frisierte mich, kein Anlaß, mich selbst zu berühren, kein Grund, in den Spiegel zu schauen. Meine Tochter braucht nichts vom Haushalt zu lernen, sie studiert. Geschirrwaschen, bügeln, das kann jeder Trottel, und überhaupt, was tät denn ich, wenn das Kind meine Arbeit tun müßte. So was von verwöhnt, sagten die Verwandten, sagten die Nachbarn. Aber sie war stolz darauf, meine Tochter braucht sich die Hände nicht schmutzig machen, Sklavenarbeit braucht man nicht zu lernen, zur Dreckarbeit ist es immer noch früh genug. Ich saß einstweilen in meinem Zimmer und träumte vom Märchenprinzen, vom Märchenschloß, das er mir schenken würde und in dem ich nichts zu tun brauchte, als auf ihn zu warten. Natürlich würde ich wie alle anderen mit zwanzig heiraten und mit einundzwanzig ein Kind haben. Vorher mußte das Wunder meiner Frauwerdung geschehen, denn ich war, so wie ich war, ein hoffnungsloser Fall, und es gab weit und breit keinen jungen Mann, keinen Märchenprinzen. Außerdem mußte ich es ja vorher noch *ihnen* zeigen und die Matura mit Auszeichnung bestehen.

*

Die Schauplätze ihres Lebens, alle im Umkreis von hundert Kilometern, darüber war sie nie hinausgekommen. Darüber hinauszukommen wäre ihr im Traum nicht eingefallen. Reisen, wozu? Beim Reisen kam die Atemnot, in den Lokalbahnen aufs Land, ins Elternhaus, in den Kurort zur Schwester. Einmal fuhr sie nach Maria Zell wallfahrten, ohne bestimmten Grund, saß in der Kirche, kaufte geweihte Medaillen, schlenderte durch Souvenirläden und freute sich aufs Heimfahren. Wenn mein Vater Urlaub hatte, fuhren wir in den Böhmerwald und wohnten acht Tage in

Großmutters Auszugshäusl, Großmutter war schon seit Jahren tot. Wir schliefen auf dem Dachboden, wo die Wespennester und die Fledermäuse hingen. Die Hälfte des Hauses war verfallen, Ziegel, morsches Holz und undurchdringliches, modriges Dunkel. Nur die Stube war noch bewohnbar, kühle, dicke Steinmauern, der Putz lag auf dem Boden, meine Mutter kehrte den Putz zusammen, von den Bänken herunter, die Spinnenweben aus den Ecken. Der Mief, nicht zum Aushalten, der Mief, Fenster aufreißen und den Mief hinauslassen. Wenn sie vor der Ofentür kniete und der Qualm die Stube vernebelte, fluchte sie noch immer auf ihre Schwiegermutter. Verdammte Hexe, geh nur her, brat dich nur, hat sie gesagt, und jetzt zog der Ofen nicht, als ob die alte Hexe, die alte Zigeunerin, ihr noch immer was auswischen wollte. Mein Vater und ich schauten trübselig und erinnerten uns daran, wie warm und heimelig die Stube einmal gewesen war, wie gut das Schwammerlgulasch gerochen hatte, als der verrostete Ofen noch zog. Das war unser Urlaub. Noch mehr Arbeit für sie, denn der Weg zum nächsten Dorf war steil, und in der kleinen Greißlerei dort bekam man nur Reis und Nudeln und Süßwaren, und dann in der Mittagshitze die Lebensmittel den steilen Berg hinaufschleppen in die Waldhäusl, die sie immer noch mit ungebrochenem Bauernstolz verachtete. In der Früh ungewaschen, unfrisiert vor dem Brunnen Zähneputzen, den Abort benutzen, und beide, Brunnen und Abort, standen im Morgenschatten des Hauses, das jetzt dem Schwager gehörte. Freundlich grinsen, wenn beim Zähneputzen die Schwägerin aus der Haustür kam, selber verlegen vor der Bauerstochter, der Städterin, braucht's ein wenig eine Milch und einen Butter? Immer Verlegenheit auf allen Seiten, die Marie mag uns nicht, warum denn, wir tun ihr doch nichts, sagte der Schwager. Friedl wußte schon warum, aber er schwieg. Immer herumbuckeln und danke schön sagen müssen zu den Bettelleuten, sagte sie giftig hinter verschlossener Tür, den Striezel Butter mit den Verzierungen in der Hand. Sie tun dir doch eh die Ehre an, warf ihr Mann ein und erinnerte sich voll Haß an die alte Bäuerin im Bett, als er auf Fronturlaub in der Bauernstube stand. Aber sie wollte zu dem Gesindel nicht freundlich sein müssen, freundlich sein und danke schön sagen demütigte sie, und was sie demütigte, erfüllte sie mit Haß. Was macht man den ganzen Tag acht Tage lang auf Sommerfrische im Wald? Das Kind und der Mann, die fühlten sich wohl, die fühlten sich zu Hause. Aber sie? Schwammerlsuchen, Schwammerlputzen, Beeren sammeln wie die armen Leute nach dem Krieg und so tun, als mache es auch noch Spaß. Sich die Füße auslatschen bei der sechsstündigen Wanderung immer der tschechischen Grenze entlang auf den Schwärzerpfaden, die der Mann noch von seiner Jugend her kannte, von unbewaldeten Felsen auf die Dörfer herunterschauen, auf die Hügelwellen bis zu den fernen Alpenketten und sich endlich niedersetzen können vor dem Abstieg. Dabei durften ihre Leute gar nichts davon wissen, daß sie da oben im Wald faulenzte und sich Blasen an die Fersen ging, statt ihnen bei der ehrlichen Feldarbeit zu helfen. Heimlich gab sie ihnen auch ganz recht, aber es war halt ein Opfer, das man der Familie bringen mußte. Heimlich hatte sie Heimweh, wenn sie auf die Dörfer hinunterschaute. Ein paar Mal hatte sie den Häuslern bei der Feldarbeit geholfen, aber da gab es nur Spannungen und Worte mit giftigen Widerhaken, jeden Halm streicheln, das gibt's bei den Bauern nicht, da muß es schnell, schnell, gehen, da geht's auf ein paar Halme nicht zusammen, und die Felder so klein und voller Steine, das ist ja kein Arbeiten, das bin ich nicht gewohnt. Alles kann man lernen, sagte der Schwager. Und sie warf ihm einen haßerfüllten Blick zu und legte den Rechen weg. Am nächsten Tag fuhren wir, ohne uns zu verabschieden, fort. Nur mein Vater schlich hinunter in die Stube und versuchte zu erklären, daß sie halt so sei und daß er ja selbst auch darunter litte, immer gelitten habe, unter ihrem Bauernstolz.

Sie zog sich immer mehr zurück, sie ließ sich immer mehr gehen, denn es kam sowieso niemand mehr zu uns den Berg herauf. Frau Kovacs, die Schweigsame, die Distanzierte, so wollte sie es haben, man respektierte die Distanz. Warum schaute sie trotzdem noch jeden Nachmittag sehnsüchtig und hoffnungsvoll den Weg hinunter, worauf wartete sie? Tagelang kam sie aus dem blauen, fadenscheinigen Trägerkleid nicht heraus, wochenlang wusch sie sich die Haare nicht mehr. Zu Hause band sie ein Kopftuch darüber, zum Stadtfahren stülpte sie einen Hut drauf, die Haare bekamen wieder ihr ursprüngliches Rot, unterm Hut, unterm Kopftuch sah es ja niemand. Sie verlor ihre Straffheit, ihre hoheitsvolle Haltung, ihre Stattlichkeit, sie floß in die Breite. Schaut einen sowieso niemand an, ist man ja sowieso ein Nichts, ein Niemand, überall, ganz gleich, wo.

Seit der Tanzschule war auch mir jede Hoffnung, jeder Glaube an die Erlösungskraft von Tuben, Döschen, Pinseln und modischen Kleidern vergangen. Ich lebte in einer anderen Welt als meine Mitschülerinnen, trat immer mehr heraus aus dem, was unter dem Sammelbegriff Wirklichkeit lief, eckte in dieser Realität auch nicht mehr an, weil ich keinen Platz in ihr haben wollte, tauchte manchmal auf mit weisen, altklugen Sprüchen, und die Mitschülerinnen sagten, woher hast du das, die Professoren horchten auf und sagten, eine vielversprechende Begabung, zu klug für ihr Alter. Blasiert und gelassen nahm ich meinen Platz als Sibylle ein, verbarg meine Träume, redete nicht von meiner Einsamkeit und meinem Lebensüberdruß, las Kafka, Trakl und Camus und fand mich wieder, lebensmüde, eine bleiche Jünglingin im nächtlichen Kahn. Todessüchtig wandelten wir am Rand des Abgrunds, es bedurfte nicht vieler Worte, wie liebten das Dunkel, die Sonnenuntergänge, wir waren einander ganz nah, sie war die einzige, die meine Gedanken verstand und nicht sagte, du bist morbid, sie sagte, ja, so ist es. In der Nacht wachten wir gleichzeitig aus unseren Träumen auf, saßen einander gegenüber und redeten in der Traumsprache miteinander. Sie las in meinem Gesicht, ich konnte nichts verbergen, ich brauchte nichts zu verbergen, Todesgedanken und Schwermut, der Abstieg erblindeter Zeiger nach Mitternacht, wir teilten den gemeinsamen Besitz, da gab es keine Geheimnisse. Auf sonntäglichen Spaziergängen zu dem Haus, das wir jedesmal in Gedanken bewohnten und schon lange nicht mehr zu kaufen gedachten, spannen wir uns ein in einem wohligen Kokon aus Wehmut, Schwermut, Hochmut und ungestillter unstillbarer Sehnsucht. Ich stand vor der Matura, und sie stand vor dem Tod. Sie bereitete sich auf ihn vor, lange bevor sie ihn ahnte, und ich folgte ihr, ich war folgsam, hatte in siebzehn Jahren das Folgen gelernt, durch Schläge auf Körper und Gewissen und zuletzt durch den sanften Sog, der uns von der Welt, vom Leben ablöste.

*

Ich will nicht mehr leben, sagt mein Kind und dreht den Kopf zur Wand. Sie stößt mich von sich, wenn ich sie berühre, sie sagt, laß mich, du verstehst mich nicht. Sie hat dunkle Schatten unter den Augen und einen vom Weinen zerronnenen Mund. Dein Essen kotzt mich an, sagt sie, deine Ideen kotzen mich an, dein Getue. Ich stehe in der Tür mit hängenden Armen. Einmal warst du ein glückliches Kind, vor einem Jahr noch warst du ein glückliches Kind, wo ist es hin? Ich bin kein Kind, schreit sie, ich war nie glücklich. Jetzt ist es kein Tagebuchgeheimnis mehr, sie war nie glücklich. Sie spricht nicht, sie ißt nicht, sie will ihr Zimmer nicht mehr verlassen, sie kauert im Bett, zerreibt Papier zwischen den Fingern und flüstert, geh weg, geh, schreit sie, aber sie rührt sich nicht, sie hält den Atem an, wenn ich die Hand nach ihr ausstrecke. Was habe ich getan, Kind, daß du so weit von mir weg mußtest? Nie werden unsere Wege ineinander münden. Sie ist mir weggelaufen und hat sich im Dickicht verirrt. Im Dickicht, das ich ihr gepflanzt habe, ohne es zu ahnen. Jetzt finde ich sie nicht mehr, und meinem Rufen antwortet sie mit Hohn. Du hast mich nie geliebt, schreit sie und wühlt das tränennasse Gesicht in die Polster. Wie kann ich mich wehren, wenn nicht die Absicht zählt, nur das Ergebnis. Du hast immer nur dich geliebt. Ja, sie hat recht, ich habe immer nur mich geliebt, auch in meiner Liebe zu ihr. Sie läßt sich nicht mehr an die Hand nehmen, sie reißt sich los und läuft mir davon und dreht sich auch an der Wegbiegung nicht nach mir um. Unser Gespräch ist verstummt, totenstill ist es zwischen unseren Wänden. Mein Echo kreischt mir in den Ohren, sie schüttelt den Sinn aus meinen Worten und wirft sie mir verächtlich hin. Ist es das, was du mir mitgeben wolltest ins Leben? Dann verstummt sie ganz. Hält sich umschlungen und wiegt sich sanft auf dem Bett, hin und her, weil ich vergessen habe, sie zu wiegen. Ich ziehe die Vorhänge auf, sie dreht sich zur Wand, ihr Blick geht ins Leere. Jetzt kann ich sie nicht einmal mehr rufen, sie hört auf andere Stimmen, antwortet ihnen wie von fern, aus verschütteter Tiefe. Wer hat mir mein Kind entführt? Wer hat ihm den Verstand verwirrt, wer hat ihm die Seele gestohlen? Wer war die böse Fee, die ich zum Kindsmahl zu laden vergaß? Sie besucht mich im Traum: Liebe wolltest du geben? Ja, weißt du denn, was das ist? Und während ich hinunterfalle in den Schacht der Zeit, steht da mein

Kind mit verlorenem Blick. Die Zerstörung, weitergereicht, ins Rollen gekommen wie eine Lawine hat mein Kind erfaßt, reißt es mir aus den Armen. Wer kann mir helfen, es zu bergen?

Todessüchtig ist sie geworden, und ich bange um ihr Leben. Ißt nicht und hortet Tabletten, die ich ihr heimlich entreiße. Das Leben geschenkt, lacht sie bitter. Sie brütet neue Todesarten aus und zuckt nur die Achseln, als mich der Schmerz überfällt. Zwölf Jahre habe ich gegeben und alle Kraft, die ich hatte, aber sie reichte nicht aus, Glück in ihr Leben zu tragen. Das Glück war zu leicht und zu hell, es blendete mich und flog mir davon. Und mein Kind saß im Dunkeln, in meinem brütenden Schatten, im Schatten meiner rächenden Mutter. Großmutter, Mutter und Kind in dunkler Stube beisammen sind ... Ging da der Todesengel vorbei? Wen wird er holen? Nein, es war kein Engel, es war die um ihr Geschenk geprellte dreizehnte Fee, sie holt den Verstand meines Kindes und befiehlt ihm zu schlafen. Hundert Jahre? Warte nicht auf den Prinzen, Kind, er wird dich verlassen, bevor er dich wachküßt. Und das Erwachen wird bitterer sein als der Schlaf! Ich klopfe an ihre Tür, ich klopfe an ihr Fenster, ich rufe leise die Namen, die ich ihr gab, alle die vielen zärtlichen Namen. Aber der, auf den sie jetzt hört, ist nicht darunter, sie antwortet nicht. Wenn sie mich einließe, in jede Tiefe würde ich sie begleiten, ich würde tauchen und ihre Seele bergen um jeden Preis. Ihr Schweigen zerschlägt mir das Herz. Die Einsamkeit, in die sie mich stößt, sprengt meinen Verstand, ich horche auf ihren Atem jenseits der Wand, die unsere Höllen trennt. Der Kreis, aus dem ich auszubrechen gehofft, hat sich unentrinnbar geschlossen, alle Beweise sind erbracht, alles war vorauszusehen, meine Mutter hat mich eingeholt, ich habe mich eingeholt, wir haben uns eingeholt und zurückgenommen. Ich knie vor dem Altar der Götter, an die ich nicht glaube, und bringe mich selbst als Opfer dar. Bitte, bitte, flehe ich, nur dieses eine Mal, und halte inne und werde irre und habe vergessen, zu wem ich bete, aber schon ducke ich mich vor den unausweichlichen Schlägen. Da geht die Tür auf, da steht sie hinter mir und sagt, Mama. Und die Strafe wurde gestundet, dieses eine Mal.

Es war eine fast schöne Zeit. Eine Zeit, in der die Erfüllung ohne Anstrengung kam, in der die Träume so nah heranrückten, daß man sie fast für wirklich halten konnte. Der Traum vom eigenen Grundstück, das Geld war zusammengespart, da stand eine billige Parzelle in der Zeitung, aber vielleicht kam noch etwas Günstigeres. Auf Heidis Parzelle am Waldrand stand schon die Grundfeste, einen ganzen Sommer hatte die ganze Familie Zement geschleppt. Der Traum vom Wochenendhaus auf dem Land, wenn der alte Bauer nur einen Teil dessen herausrückte, was er sich aufs Altenteil ausbedungen hatte, ein paar Bäume fällen ließe, die Waldwiese parzellierte, könnte man sich ein Wochenendhaus aufstellen, bräuchte man nicht mehr bei der Häuslerverwandtschaft buckeln und dienern für eine Kanne Milch zum Frühstück. Wenn sie sich zu Hause auf dem Bauernhof bloß daran erinnern wollten, daß man vor zwanzig Jahren ohne Erbe, ohne einen Schilling mit einer billigen Wohnungseinrichtung fortgeschickt worden war, bekäme man die Hofwiese und könnte das ersparte Geld schon zum Hausbauen verwenden. Wenn man es ihnen lang genug vorhielt, wie man abgefertigt worden war aus dem Elternhaus, auf dem man sich die ersten zwanzig Jahre seines Lebens geschunden hatte. Aber zu Haus, auf dem Bauernhof, waren sie taub. Das hinderte Marie nicht am Träumen. Sie wiegelte die Schwestern auf, einer jeden sind sie uns eine Parzelle oder den Gegenwert einer Parzelle als Erbteil schuldig. Je öfter sie es wiederholte, desto wirklicher wurde die Forderung, die Erfüllung schon zum Greifen nah.

Die Anstrengung von siebzehn Jahren begann Früchte zu tragen, das Kind war fast erwachsen, die einzige in der Verwandtschaft, die Matura haben würde. Die strenge Erziehung, das viele Geld, die viele Arbeit hatten sich gelohnt, das Kind hatte keine Burschen im Kopf, wagte es nicht einmal, die Hitparade im Radio anzuhören, interessierte sich nicht fürs Fortgehen, für Diskotheken, Beatles, verrückte Kleider, sie lernte und lernte, sie las und las. Sie brauchte nicht mehr den Umgang der Arzt- und Architektenkinder, um gesellschaftsfähig zu sein, sie hatte es ihnen gezeigt, mit Matura standen einem alle Türen offen. Die Uli Reisinger war schwanger, Hochmut kommt vor dem Fall, sie würde heiraten müssen, damit war sie aus dem Rennen. Wenn man diejenigen, die in dieser Gesellschaft zählten, zur Anerkennung zwang, brauchte man nicht darum zu betteln, so war es besser. Wir schwebten hocherhobenen Hauptes in die Kirche. Fast so, wie sie es sich vor achtzehn Jahren vorgestellt hatte, als sie schwanger war, das Kind würde sie herausheben, herausziehen aus der Arbeiterklasse, aus der Erniedrigung. Es war nur eine Tochter, aber heutzutage konnten es auch Mädchen schaffen, wenn man sie streng erzog und ihnen einen Herrn zeigte. Die Vera wird mit Auszeichnung maturieren – mein Kind, mein Lebenswerk. Die Verwandten verstummten vor Ehrfurcht, die junge Dame, makellos gekleidet, die Haare zu einem Zopf im Nacken frisiert, mit einer Samtspange zusammengehalten, nichts an dieser jungen Dame war zu beanstanden, keine Falten in Strümpfen und Kleidern, kein Haar, das aus der Frisur hing, der Gang gemessen, das Gesicht ernst und würdig. Nichts an dieser jungen Dame, das jung war.

Mutter und Tochter, fast gleich alt sahen sie aus, die

Mutter trotz des mißtrauischen Blicks und des schmalen Munds irgendwie beweglicher, trotz der Leibesfülle irgendwie jugendlicher als die Tochter, bei der Hochzeit der gleichaltrigen Monika, beide im Hintergrund, unter den pflichthalber geladenen Gästen. Monika, eine strahlende Siebzehnjährige, im fünften Monat schwanger. Marie im dunkelblauen Kostüm, die Haare getönt, ein bißchen zu dunkel diesmal, keinen hochaufgetürmten Schopf mehr wie früher, die schweren, aufgesteckten Flechten zogen die Haare nach hinten, das Gesicht groß und rund. So bleich war sie unter den kastanienbraunen Haaren und mit dem dunklen Kostüm, so müde das Gesicht, fast ein wenig teigig, trotz der Fettcreme für die Nacht zum Straffen der Haut, ein trauriges Lächeln um den bitteren Mund. Das Lächeln war für den Photographen und hätte nicht traurig sein sollen, ein wehmütiges Lächeln mit ein wenig Ironie in den Mundwinkeln, runde Schultern und ernste, resignierte Augen, die Augen lächelten nicht für den Photographen. Mama in der dritten Reihe des Gruppenbildes, Tante Rosi ließ den Ausschnitt vergrößern nach ihrem Tod, das letzte Foto, zehn Monate vor ihrem Tod. Am Nachmittag nach der Hochzeitstafel die Tanzerei, da lebte sie auf, sie tanzte gern, hatte immer gern getanzt, deine Mutter ist eine ausgezeichnete Tänzerin, sagten ihre Tanzpartner und holten sie zum nächsten Tanz, während ich saß, wieder einmal allein zwischen leeren Stühlen und zusah. Nur der Brautvater tanzte mit mir und ließ es bald sein, kein Schwung, kein Feuer, die Mutter dagegen, die hatte mit ihren vierzig Jahren noch eine Menge Feuer, beim Tanzen wurde sie jung, die ganze ungenutzte Jugend, ein ganzes ungelebtes Leben, für kurze Zeit daran erinnert, gelebt, genossen, wann, nie, jetzt war es zu spät, aber das ungenutzte Feuer war noch da, beim Walzer, beim Foxtrott, in den Armen fremder Männer. In ihrem Leben hatte es nur einen gegeben, der konnte nicht tanzen, der konnte in ihr kein Feuer entfachen, nur Haß. Ich konnte es nicht glauben, sogar meine Mutter besiegte mich im Konkurrenzkampf auf der Tanzfläche, sogar meine um sechsundzwanzig Jahre ältere Mutter schnappte mir die Männer weg.

Monika wurde Bäuerin, wurde Mutter, ich machte Matura und konnte alles werden, die Türen standen mir offen, die Streitfrage war nur, welche Türen. Als Buchhändlerin hätte sie mich gern gesehen und zog Erkundigungen ein, klopfte bei Verlagen an, ich liebte doch Bücher, ein ruhiger Beruf, nicht schlecht bezahlt, gesichert, angesehen. Aber ich wollte nicht Bücher verkaufen, ich wollte sie lesen, darüber reden, diskutieren, selber Bücher schreiben. Ich wollte studieren, wer sollte denn sonst studieren, wenn nicht ich, seit Jahren anerkanntes Sprachgenie in der Klasse, seit Jahren wurden meine Aufsätze von der sonorsten Stimme der Klasse vorgelesen. Alle anderen gingen auf die Universität, wie sollten höhere Töchter sonst die Zeit absitzen, bis der Mann fürs Leben kommt? Warum sollte ausgerechnet ich Buchhändlerlehrling werden? Psychologie wollte ich studieren. Nein, sagte die Studienberaterin, seelisch zu labil. Kunst wollte ich studieren, aber auf der Akademie fielen Studenten durch, die besser zeichneten als ich, sagte der Zeichenprofessor. Von Innenarchitektur träumte ich, aber da würde ich an der Geometrie scheitern und an meiner Schlamperei, sagte die Mathematikprofessorin. Mein heimlichster, mein ganz großer Traum, Journalistin, einmal nebenbei beim Abendessen erwähnt, um Gottes willen, mit dem Mikrofon bei jedem Unfall dabei, bei jedem Lokalaugenschein. Ich wagte nicht mehr, davon zu reden, zu sagen, ich möchte aber trotzdem, ich träumte nur davon, Nacht für Nacht, bis der Anmeldetermin vorbei war. Für die Zeitung schreiben? Das schon eher, Kulturspalte, Buchbesprechungen, Theaterkritiken, aber wie kam man da hinein aus der Arbeiterklasse ohne Beziehungen, vielleicht später einmal. Ja, aber irgendwas mußt du ja tun nach der Matura! Ich studiere. Ultimativ, kategorisch, provokant. Der Seufzer, noch mehr Geld, für weitere vier Jahre unversorgt, von zu Hause weg. Ja, muß das denn sein? Ich studiere, keine weitere Diskussion, keine anderen Vorschläge. Woher ich den Mut dazu nahm. Na ja, wenn es sein muß. Das Gymnasium hat sich ja auch sie eingebildet, warf mein Vater ein, hat es sich in den Kopf gesetzt und war dann doch keine so schlechte Idee gewesen. Mittelschulprofessorin, das wär ja schon was, das wär ja noch mehr als Lehrerin. Und Lehrerin wolltest du ja ohnehin immer werden. Wirklich? Ich sagte nichts, dachte, nur vorerst einmal weg. Und wo willst du studieren? Vorsichtig schlugen sie die Stadt vor, wappneten sich gegen meinen Widerstand mit Argumenten, weil es dort nicht so anonym ist wie in der Hauptstadt, weil es nicht so weit weg ist von zu Hause, nur knappe zwei Stunden Zugfahrt. Nur weg von zu Hause, wohin ist gleich, sollen sie diesen kleinen Triumph haben. Wenn du mir davongehst, Kind, das überlebe ich nicht, Mama mit zitterndem Kinn, halb abgewandt die Tränen abwischend, wie soll ich denn leben ohne dich, wenn ich nichts mehr hab, gar nichts, nur mehr ihn um mich herum, die ganze Zeit? Mit wem am Sonntag in die Stadt fahren, für wen das Essen kochen pünktlich um halb zwei, für wen sich von Tag zu Tag abmühen mit Einkaufen, Putzen, Bügeln, Waschen. Das Haus ganz leer und still, das Leben ganz leer und still, das Nest leer, und plötzlich wieder zurückgeworfen auf den Mann, mit dem sie seit sechzehn Jahren nicht mehr zusammenlebte, den sie nur neben sich herleben ließ wegen des monatlichen Gehalts.

Ich trat in die Erfüllung ein, ins ungetrübte Glück, Matura mit Auszeichnung, Maturareise in das Land, aus dem mein Urgroßvater ausgewandert war, Öffnung ins Leben, in die Zukunft, erste selbständige Schritte, eine Reise in die Stadt, in der ich allein leben würde, auf eigenen Füßen. Zwar unter der Aufsicht deutscher Nonnen, so wollten es die Eltern, aber ich war geübt im Anlächeln und Hinters-Licht-Führen von Nonnen, ein kleiner Preis für die Freiheit. Besichtigung der Universität an der Seite des Vaters, ganz allein konnte man das Kind ja auch nicht so weit wegfahren lassen. Träume. Am Flußufer entlanggehen, Hand in Hand mit dem Mann des Lebens, den ich in dieser Stadt kennenlernen würde, kennenlernen mußte, wo denn sonst. Nächtelang lesen, nicht mehr um sieben, spätestens um acht Uhr ins Bett gehen müssen, Freiheitsträume. Ganz leise begann ich die Fesseln zu spüren, aber es war ja bald vorbei, die Zeit zu Haus nur mehr ein kurzer Übergang, während alles schon jetzt in die Ferne rutschte. Mama neben mir in der Straßenbahn, warum schlugen in letzter Zeit manchmal ihre Zähne aufeinander, genieren mußte man sich. Was klapperst du denn mit den Zähnen, ist dir kalt? Wieso, ich klappere doch eh nicht mit den Zähnen, nervös bin ich halt, muß mir viel mitmachen mit dir in letzter Zeit, die Matura, die ganze Aufregung und daß du wegwillst von mir, daß du zu Haus nicht mehr zufrieden bist, das merk ich doch, das tut mir doch weh! Also ich war schuld, daß sie mit den Zähnen klapperte. Da machte ich Matura mit Auszeichnung, nur damit sie eine Freude hatte, und was war der Dank? Ich war schuld. Soll sie halt klappern mit den Zähnen. Ein kurzer Blick von der Seite, alt schaut sie aus, meine Mutter.

Zur Maturafeier kam sie in die Schule, das erste Mal seit sieben Jahren, stand neben ihrem Mann im Festsaal, weinte zweifellos vor Rührung, als ihre Tochter vor dem Direktor einen Knicks machte und einen Kunstband empfing für ausgezeichnete Leistung. Drängte sich nachher zum Klassenvorstand, zur Deutschprofessorin vor, die ein besonderes Interesse an der Tochter gezeigt, sie besonders gefördert hatte, fragte schüchtern, darf die Vera Ihnen schreiben, wenn sie auf der Universität ist und vielleicht Fragen beim Studium hat? Demütig stand sie da vor der gleichaltrigen Lehrerin, die für sie auf unerreichbarem Podest stand, promoviert, Frau aus besseren Kreisen, und die Professorin starrte auf das ungleiche Paar, vergaß fast die Antwort und die Liebenswürdigkeit. Das also war die Mutter der farblosen Musterschülerin, eine düstere Erdmutter, eine unterirdische, fast vulkanische Kraft lag in dieser Frau, eine Figur wie aus der germanischen Mythologie, eine Norne, strafend, gewaltig, und daneben der Vater, klein und schmächtig hing er an ihrem wuchtigen Arm, desinteressiert, mit dem Blick in eine unbestimmbare Ferne, ein Eigenbrötler, von der Walküre an die Wand gedrückt. Da brauchte man keine Hintergründe zu kennen, das sah man alles mit bloßem, ungeschultem Auge. Das also waren die Eltern, daher kamen also die Todesgedanken, die Einsamkeitswollust in den Schularbeiten der Tochter, die intime Kenntnis des Leidens, die permanente Trauer in diesem altklugen Kind. Weißt du, Vera, sagte sie später in einer ungarischen Csarda, du wirst noch zehn Jahre brauchen, bis du alles abgeschüttelt hast, bis du du selber geworden bist. Und Vera rauchte die erste Zigarette, trank den ersten Wein ihres Lebens und wollte auf der Stelle, ohne Aufschub zu sich selber finden, indem sie sich sinnlos und bewußtlos betrank. Statt dessen war ihr am nächsten Tag auf der ernüchternden Heimfahrt todübel. Aber sie hatte zum ersten Mal in ihrem Leben die Haare aufgelöst, sie hingen ihr ins Gesicht und über die Schultern im dünnen Nachthemd, der kurzsichtige Blick vom Wein verhangen, die schwarzrandige Brille nicht aufzufinden, die Musterschülerin nicht wiederzuerkennen, denn was da durchschimmerte hinter den offenen Haaren und den schwarzen Wimpern, das war der ungebändigte Rest, der dem achtzehnjährigen Musterdrill entglitten war.

Was war es denn, was auf diesem Höhepunkt, in diesem langen Sommer des Triumphs, der abgeernteten Lorbeeren und des Wartens auf die Freiheit ständig die Stimmung verdarb, ständig die Luft erzittern ließ vor unausgesprochener Bitterkeit, vor Gereiztheit, Enttäuschung und gegenseitiger Beschuldigung? Die gemeinsamen Spaziergänge, die Abendmessen im Dom, die Badeausflüge ins Schwefelbad, die achttägige Sommerfrische im Auszugshäuschen, alles wurde absolviert wie immer, aber etwas war zwischen uns getreten. Was ist denn schon wieder? Vorwurfsvoller Blick, undankbarer Fratz. Was hab ich denn getan? Rücksichtslos und egoistisch, dafür, daß man ihr das Leben opfert. Aber ich will ja nur Ruhe! Ja, genauso wie dein Vater, nur deine Ruhe, und sich hinten und vorn bedienen lassen! Sie fuhr sich mit dem breitzinkigen Kamm durch die Haare, sie blieben büschelweise hängen, kräuselten sich im Waschbecken und auf dem Boden. Schau, wie dir die Haare ausgehen, das ist doch nicht normal. Gott sei Dank, diese vielen roten Haare, weiß eh nicht, wohin damit, ist gut, wenn sie ausgehen, dann lassen sie sich leichter bändigen. Sie rührte in einem Tiegel die Haartönung an, immer mehr graue, sogar weiße Haare an den Schläfen. Vielleicht gehen sie von der Tönung aus, aber mit vierzig will ich noch lange nicht grau sein. Und immer dieses Zittern, das mich nervös machte, weil es angeblich meine Schuld war, von meiner Rücksichtslosigkeit und meiner Undankbarkeit herrührte.

Meine Freundin bekam eine vierzehntägige Italienreise als Maturageschenk, nur fünfhundert Schilling, Sonderangebot des Autotouringclubs. Fahr doch mit, bestürmte sie mich. Nur vierzehn Tage, nur fünfhundert Schilling, bat ich schüchtern, die Judith bekommt ein Auto als Maturageschenk, die Eva einen Badeurlaub in Jugoslawien, und ich sitz den ganzen Sommer zu Hause herum. Ich konnte mich selber entscheiden, was wichtiger war, vierzehn Tage Italien oder vierzehn Tage Spital. Und weil ich immer folgsam war und immer einsah, was zu meinem Vorteil und Heil gereichte, entschied ich mich fürs Spital. Denn Italien wäre der reinste Luxus gewesen, ohne Gewinn hinterher, aber der Spitalsaufenthalt, der war für die Zukunft, der konnte über mein Lebensglück entscheiden. Nicht, daß mir etwas fehlte, aber dieser übermäßige Haarwuchs, schon seit nahezu zwei Jahren war ihr das nicht geheuer, Haare, lange schwarze Haare auf den Beinen, auf den Armen, aber vor allem im Gesicht, am Kinn, an der Kinnlade entlang bis zum Haaransatz und an der Oberlippe. Das Kind bekommt einen Bart, schon seit sie sechzehn war, ungefähr seit der Tanzschule, plötzlich war es der besorgten Mutter aufgefallen. Am Anfang hatte sie nichts gesagt, immer nur besorgt beobachtet, ob dieser Haarwuchs dichter wurde, ob die Haare dicker würden, und einmal, als sie nebeneinander im Autobus saßen, hatte sie gesehen, wie eine andere Frau aufmerksam hingeschaut hatte, mit leicht zugekniffenen, faszinierten Augen, ein junges Mädchen mit einem Bart! Und die Haare wurden dichter und dunkler, bald mußte eine Frisur gefunden werden, die die Haare an den Wangen verdeckten, eine Schleiereulenfrisur, denn es durfte ja auch kein Kopfhaar lose hängen. Der Bart wurde zum Gesprächsthema bei Tisch, irgendwie war auch mein Vater daran schuld, schließlich waren seine Schwestern ja auch alle so behaart, rassig hatte es früher geheißen, aber diese Haare im Gesicht waren nicht mehr rassig, die waren nur mehr unheimlich. Jetzt wußte ich den besorgten, mißbilligenden Blick zu deuten, auch ich war irgendwie schuld, schon wieder machte ich ihr Sorgen, bereitete ihr Kummer, indem ich nicht sein konnte, wollte, wie andere Mädchen. Schau dir andere Mädchen an, die Haut glatt und zart und unbehaart. Ich brauchte nicht zu schauen, ich hatte den Vergleich ständig vor Augen, sogar im Schlaf. Ich war schuldig, und obendrein ging hier irgend etwas offensichtlich sehr schief. Man durfte nicht länger warten, alle Leute schauten ja schon hin, es war ein Blickfang, mitten im Gesicht, eine Schande, wohin man auch ging, aller Leute Blikke auf den widernatürlichen Haarwuchs gerichtet, der diskutiert wurde, breitgetreten bei den Verwandten, dem Arzt vorgeführt. Im Wartezimmer lauter kranke Leute, aber alle schauten sie, ganz bestimmt, wenn ich den Mut gehabt hätte, meine Augen zu heben, alle schauten sie wie gebannt auf meinen Bart, meinen Vollbart. Aber geh,das bißchen Flaum, haben ja viele, sagte eine wohlmeinende Lehrerin, die ich in meiner Panik ins Vertrauen zog. Haare im Gesicht, fragte meine Freundin, die ohne mich nach Italien fahren würde, wo denn, ach so, das hätt ich aber nicht gemerkt, wenn du nichts gesagt hättest. Sie wollten mich beruhigen, mir das Minderwertigkeitsgefühl nehmen, sie wollten bloß nett zu mir sein aus Mitleid. Vielleicht zu viele männliche, zu wenig weibliche Hormone, sagte der Hausarzt, man müßte eine Hormontestreihe machen lassen. Geschlechtswechsel, mein Gott, welche Schande, was ist die männliche Form von Vera? Willst du also vierzehn Tage nach Italien und mit der Schande leben oder die Testreihe im Spital machen lassen, für die die Krankenkasse nur zum geringen Teil aufkommt? Um den Preis, eine richtige Frau zu werden?

Alles hätte ich gegeben um den Preis, eine richtige Frau zu werden. Vierzehn Tage Krankenhaus waren kein zu hoher Einsatz, tägliche Untersuchungen, Pillen stündlich, bis ich halluzinierte, Einläufe, mit Luft aufgeblasen, täglich auf dem Röntgentisch, wieder Pillen, bis Mittag nüchtern bleiben, wer weiß, was jetzt wieder kommt, etwas Angenehmes bestimmt nicht. Vierzehn Tage Angst, vierzehn Tage

Erniedrigung, der Primar betritt das Krankenzimmer zweiter Klasse, für die Klasse mußte man draufzahlen und nicht wenig, die Opfer, die die Eltern bringen, hinter dem Primar der Oberarzt, der Stationsarzt, der Assistenzarzt, die Famulanten, lauter Männer, umstehen mein Bett, schauen auf meinen nackten Körper herunter, haben nichts zu diagnostizieren, kein Organleiden, nur die Frage Frau oder Nichtfrau oder Halbfrau zu beantworten, als Arzt oder als Mann? Preisgegeben nach so vielen Jahren Jungfräulichkeit. Mama besuchte mich täglich, aber wie konnte ich mich beklagen, wenn die vierzehn Tage Spital notwendig waren und soviel kosteten wie vierzehn Tage Urlaub in Italien? Sie sah, daß ich Angst hatte, sie hielt die Schüssel, wenn ich nach fünfundzwanzig Pillen alle zwei Stunden, Pillen, deren Namen und Wirksamkeit man uns verschwieg, mich erbrach, sie wartete mit mir auf den Korridoren und sah, wie ich immer schwächer wurde, schließlich Fieber bekam und krank aus dem Spital entlassen wurde. Warum stellte sie keine Fragen, warum bot sie, die mich auf Jungfräulichkeit gedrillt hatte, dem täglichen Begaffen meines Körpers keinen Einhalt? Sie schwieg und sagte, ich solle mich zusammenreißen, und zu Hause päppelte sie mich auf. Wochen vergingen und Monate, und es gab keinen Befund, es gab überhaupt nie einen Befund, die ganzen vierzehn Tage umsonst. Was hatten sie mit mir gemacht? Meine Eltern stellten keine Fragen, hatten mich als Versuchskaninchen zu einer Hormontestreihe freigegeben, krank nach Hause gebracht, ohne auch nur dem Hausarzt, der mich eingewiesen hatte, eine Frage zu stellen, von Vorwurf, von Beweisen, von geforderter Rechenschaft war ja gar nicht die Rede. Hatten sie Angst vor der Autorität eines Dr. med. oder Angst vor dem undurchsichtigen Spitalsapparat, der Spitalshierarchie, oder hatten sie ein so grenzenloses Vertrauen in die Machenschaften der Medizin? Hatte so die ganze Generation geschwiegen, als man von Tierversuchen zu Menschenversuchen überging? Weil die vierzehn Tage Spital nichts gebracht hatten, vom hinausgeschmissenen Geld ganz zu schweigen, entschied man sich, mich zu einer Hautärztin zu schicken zum Epilieren, noch mehr Geld, vier Sitzungen zu je fünfhundert Schilling und die Reisekosten in die Hauptstadt. Der Makel war entfernt, er war unsichtbar geworden, er hatte sich nach innen geschlagen, in die Überzeugung, keine richtige Frau zu sein, keiner anderen Betrachtung würdig als der kritischen von abschätzender, diagnostizierender Höhe herab.

*

War damit meine Erziehung abgeschlossen? Vorläufig. Das Werk vollendet, der letzte Stein im Mosaik, die Festung zugemauert, die Schießscharten besetzt. Ein stolzes Werk. Achtzehn Jahre an dem Turm gebaut, den formbaren Lehm erhärtet, Stein auf Stein gefügt. Jetzt konnte der Turm feststehen, als Blickfang in der Landschaft, und kein Ansturm würde ihn zum Wanken bringen. Der Baumeister kann sich zur Ruhe legen, er kann getrost sein Werkzeug aus der Hand legen, der Kerkermeister kann seinen langen Schlaf tun nach schwerer Arbeit. Der Turm stand Wache, wie ihm befohlen worden war. In seinem Innern die peinliche Ordnung der Bücher und Gedanken, hoch getürmt, Schicht auf Schicht bis zur Decke. Irgendwo ein Mensch unter der Wendeltreppe, das schwache Licht, das auf sein Pult fällt, erhellt nur Geschriebenes. Die ungeheure Trauer, die aus Büchern kommt und sich mit der abgestorbenen Luft von Ausgeatmetem mischt, kein Fenster, keine Ritze für Luftzüge und Licht. Keine Nahrung, keine Düfte. Doch nichts ist für die Ewigkeit gebaut. Rieseln im Gemäuer, Staub auf den Buchrücken, der in Schichten leise abwandert. Der

Mensch unter der Wendeltreppe hebt den Kopf, ein Riß in der Decke hoch über ihm, ein schwarzer Blitz, der durch die Steinwölbung fährt. Die Wände neigen sich, die Bücher stürzen so schnell, daß keine Zeit bleibt, mit dem Verstand zu erfassen, ob sich Beglückung in das atemlose Entsetzen gemischt hat, als das Sonnenlicht über die Zerstörung hereinbrach.

Das war der Anfang, die Geburt zwanzig Jahre zu spät. Gehen lernen, sehen lernen, sprechen lernen, auf den Krücken einer achtlos hingeworfenen Liebe, die zerbrach, bevor mich die Beine trugen. Das Wunder der Befreiung war ein trügerisches Märchen, aber der Turm war unbewohnbar geworden, ein wüster Trümmerhaufen. Was nutzte das Sprechen, wenn meine Worte nie meine Wirklichkeit berührten, nicht einmal die Richtung beibehielten zu den gedankenzerschmetternden Dingen, die ich erfuhr? Was nützte das Sehen, wenn mir Trauer und Zweifel das Sonnenlicht schwärzten? Kämpfe dich frei, rief mir einer zum Abschied zu und nahm mein Vertrauen als Wegzehrung mit. Jetzt war ich frei, vogelfrei. Da begann mein Leben, das große Roulette. Ich setzte auf alles, was mir der Wind in den Weg trug, und warf es am nächsten Morgen weinend und lachend zurück in den Wind. So erlebte ich viel, so zog ich durch die Länder und Jahreszeiten der Liebe. Im Winter erfror mir das Herz im Schnee, ich merkte es nicht einmal, in der Nacht höre ich es läuten wie eine ferne Glocke, was will es denn jetzt noch? Die Wüstensonne schmolz mir den Verstand, wer braucht Verstand in einem Narrenhaus? So sein wie die anderen, ich habe es fast schon geschafft. Eine richtige Frau sein um jeden Preis. Den Preis nicht einmal entrichtet, sondern täglich und stündlich. Ein Kind an der Hand, ein zwanzigmal gekittetes Herz, einen Verstand, der sich weigert, sich im Wirklichkeitssinn zu bewegen. Ich glaube, ich habe es geschafft. Kein Turm könnte mich mehr vor mir selber schützen.

*

Die Ferien gingen zu Ende. Zu dritt gingen wir Reisegepäck einkaufen, zu dritt gingen wir auf den Bahnhof, aber ich fuhr allein weg. Zu Hause, reisefertig, hatte mir Mama wie jeden Tag vor dem Fortgehen mit dem weihwassernassen Finger das Kreuz auf die Stirn gemalt, in Gottes Namen, und dann hatte sie sich abgewendet und erfolglos die Tränen verborgen. Wenn du fortgehst, das bringt mich um, sie wiederholte es nicht, sie brauchte es nicht zu wiederholen, ich fühlte mich auch so schuldig genug. Jetzt wird es leer werden, sagte sie auf dem Bahnsteig, und sei brav und iß ordentlich. Aber ich komme ja mindestens alle vierzehn Tage heim, beruhigte ich sie, sie wandte sich schon wieder weg, und der Zug fuhr ab. Und was geschah dann? Als sie einander gegenüberstanden als Paar, nach achtzehn Jahren wieder als Paar, obwohl sie Papa und Mama zueinander sagten? Gingen sie Arm in Arm nach Hause, gingen sie zusammen nach Hause, redeten sie miteinander, gab es noch irgend etwas, das sie sich hätten sagen können? Mein Bett neben dem ihren unter der schrägen Wand blieb leer, wartete frisch bezogen auf meinen Wochenendbesuch. Wie füllten sie das leerstehende Haus, das Leben? Was taten sie am Abend, was taten sie jedes zweite Wochenende? Was redeten sie beim Mittagessen? Entweder sie finden wieder zueinander, oder sie trennen sich endlich, sagte, ja wer sagte das, gab es denn Eingeweihte? War es vielleicht nur einer meiner altklugen Sätze? Sie fanden nicht zueinander, sie schwiegen aneinander vorbei, er gleichgültig, sie erbittert, haßerfüllt. Daß die Szenen häßlicher geworden waren, seit ich fort war, spürte ich an der unheilsschwangeren

Luft, wenn ich heimkam. Aus ihren Briefen, in schön gemalter Lateinschrift, die sie nie richtig gelernt hatte, ihren Schwestern schrieb sie Kurrent, schrie unbeholfen die Einsamkeit. Auch wenn zwischen Abreise und Ankunft nur elf Tage lagen, schickte sie mir zwei Lebensmittelpakete pro Woche, Guglhupf und Torte und Rollschinken, und ich aß mit der kühlschranklosen Verderbnis um die Wette.

Wie schlug sie die Zeit tot, die endlosen Nachmittage, wenn das Geschirr und die Wäsche gewaschen, die Betten gemacht, der Staub abgewischt war und man die Stille hörte und keine Notwendigkeit bestand, in die Stadt zu fahren bei jedem Wetter? Man konnte Briefe schreiben, man konnte Pakete herrichten, aber nicht jeden Tag. Man hätte Besuche machen, Besuche empfangen können, aber wohin denn, bei wem, von wem? Die Kovacs-Töchter waren inzwischen Großmütter und mit ihren Enkeln beschäftigt. Sie können schon kommen, sagte sie, aber ohne die Bankerter, da ist dann alles verklebt von den Kinderhänden, die Kinder rennen aus und ein, tragen Dreck ins Haus herein, bleibt mir ja mit den Kindern vom Hals, heutzutage werden Kinder ja nimmer erzogen, wie man selber das Kind erzogen hat, still sitzen und nicht dreinreden. Oma Franz, ihre alte Freundin, war schon mit einem Urenkel beschäftigt, vollbeschäftigt und zu glücklich, um sich an die einsame Frau Kovacs zu erinnern, die am anderen Ende der Stadt sehnsüchtig auf ihren Besuch wartete. Zu neuen Bekanntschaften, neuen Freundschaften hatte sie keine Lust mehr, die Leute wollen einen ja nur aushorchen, ausnutzen, ausspionieren, keiner tut etwas ohne Hintergedanken, und selber ist man die Dumme, die Angeführte. Sogar Rosi hatte reichlich spät in ihrem Leben ein Kind bekommen. Da kann man auch nicht mehr hinfahren, beklagte sie sich, da dreht sich alles nur ums Kind, keine zehn vernünftigen Worte kann man reden an einem ganzen Nachmittag.

Sie fuhr also öfter nach Hause, aufs Land, auf den Bauernhof, das erste Mal seit achtzehn Jahren allein. War da kein Gefühl der Erleichterung, der Leichtigkeit dabei, ein verspätetes Beschwingtsein wie von wiedergewonnener Jugend? Sie blieb zwei Tage, half Erdäpfel sammeln, ging Gras mähen, aber alles war schon so anstrengend, sie war halt auch nimmer jung, mußte sich nach der Arbeit ein wenig niederlegen, ein wenig verschnaufen, wurde gereizt, begann vom Erbe zu reden, auf das sie seit einundzwanzig Jahren wartete. Es kam zum Streit, ausgerechnet der Bauer, der Hingeheiratete, der Fremde wies ihr die Tür, im eigenen Elternhaus, wo sie sich dreißig Jahre geschunden hatte, bekam sie schließlich die Tür gewiesen von einem Fremden, der selber froh sein mußte, hier zu sein. Sie stand bei der Postautohaltestelle vor dem Wirtshaus, dem letzten Haus im Dorf, am unteren Ende des Dorfs, zehn Häuser von ihrem Elternhaus entfernt. Es war kühl, ein kühler Morgen Anfang Oktober, schon ein wenig Frost in der Luft, eine Spur Rauhreif auf den Wiesen, es war erst halb sechs in der Früh, das Postauto sollte um zehn nach sechs kommen, sie trug das lindengrüne, kurzärmelige Frühjahrskostüm mit einer ärmellosen Chiffonbluse, die Nachmittage waren noch sommerlich heiß, nur die Nächte waren schon kalt. Das Postauto hatte eine Stunde Verspätung, sie begann zu frieren, aber zum Hof ging sie um die Welt nicht mehr zurück, die konnten ihr ein für allemal am Buckel hinunterrutschen. Wie kalt es im Oktober schon sein konnte, die Zähne schlugen ihr aufeinander, die Füße in den Korksohlensandalen wie Eis. Endlich kam der Bus, erst im Zug wurde ihr langsam warm. Natürlich war sie zwei Tage später krank, den Tod könnte man sich holen, Fieber, Husten, vor allem dieser Husten, als ob alles innen drinnen verbaut, blockiert wäre, diese Atemnot.

Ich muß mich niederlegen, sagte sie nach dem Essen, ich

bin noch nicht ganz beinander. Sie wollte auch nicht reden, so erschöpft war sie. Mit geschlossenen Augen lag sie da, die Hand schlaff auf dem Bauch, ganz fertig bin ich. Sie hustete noch immer, jedes Wochenende, wenn ich heimkam, hustete sie und mußte sich schnell ein wenig hinlegen, so müd, so todmüde war sie, nach dem Kochen, nach dem Geschirrwaschen, manchmal sogar schon am Vormittag nach dem Bettenmachen. Das kommt davon, wenn man wohin fährt, das kommt davon, wenn man glaubt, irgendwo sei man doch willkommen. Es war nicht leicht, mit ihr auszukommen, sie war ungeduldig und gereizt. Hilf mir doch ein wenig, siehst du denn nicht, daß mich alles anstrengt? Aber ich hatte ja nie mitgeholfen, natürlich wollte ich mithelfen, aber gleich riß sie mir den Besen, das Geschirr, die Wäsche aus der Hand. Tu doch nicht so blöd, wie wenn du zwei linke Hände hättest, so gib doch her, ich mach mir's lieber selber, so was von unbeholfen. Ich hatte ein Buch von der Stadtbücherei ausgeliehen, aber an den Wochenenden war die Bücherei geschlossen, und ein anderes Buch brauchte ich dringend, eine Dramenanthologie für ein Seminar. Das konnte sie mir doch bis in zwei Wochen besorgen, das war doch nicht zuviel verlangt, wo sie doch alles für mich tat. Drei Tage später der erbitterte Brief, in das Buch war hineingeschrieben, am Rand mit Bleistift, es war Deine Schrift, ich wäre am liebsten in den Erdboden versunken, fünf Schilling Strafe hab ich zahlen müssen, und man hat mich angeschaut, so abfällig, weil ich doch die Mutter bin von so was, ich weiß noch nicht, ob man mir da, bei so einer Tochter, das wertvolle Buch Anthologie anvertraut, Deine enttäuschte Mama. Ja, ich hatte den *Steppenwolf* gelesen und mich selber hineingelesen, mit Bleistift, mit notabene und Ausrufezeichen, und nach dem Exzerpieren hatte ich vergessen, es auszuradieren. Solche Bücher hatte ich doch dauernd in der Hand, Randglossen von anderen, mehrere Handschriften übereinander, ärgerlich, sicher, aber war es die Aufregung wert? Am nächsten Sonntag gingen die Vorwürfe weiter, daß sie so etwas großgezogen hatte, das hätte sie sich doch nie gedacht, die Schande, wie kam sie, eine rechtschaffene Frau dazu, die Schande einer solchen Tochter tragen zu müssen, geradestehen zu müssen für die schandbaren Vergehen einer Tochter, die fremdes Eigentum mutwillig beschädigte, dastehen zu müssen, vor einer Bibliothekarin, mit Schande übergossen und sich anschauen lassen zu müssen wie so eine, weil sie doch die Mutter war, vor anderen Leuten, in aller Öffentlichkeit. Und dann mußte sie sich wieder niederlegen, ganz fertig war sie von dieser Aufregung, und am nächsten Morgen erbrach sie und nach dem Mittagessen wieder und rang nach Luft und konnte erst am Nachmittag die Betten machen, so sehr setzten wir ihr zu, mein Vater und ich, so ruinierten wir sie, so sogen wir ihr die letzte Kraft aus dem Körper, und ihr Kopf tobe und hämmere wie rasend. Du Schwein, schrie sie ihren Mann an, verrecken ließest du mich, mit lachendem Gesicht ließest du mich verrecken. Aber gleich mußte sie husten und nach Luft ringen, und dann stürzte sie aufs Klo, besonders am Vormittag, gegen Abend wurde es besser, nur war sie dann am Nachmittag immer so erschöpft.

Sagte denn niemand, geh zum Arzt? Sah denn niemand, wie rapid sie abnahm, jede Woche schlotterten die Kleider mehr an ihr, aber sie war froh, ein wenig abzunehmen, vielleicht legte sich dann die Atemnot. Aber der hartnäckige Husten, die Mattigkeit, das Erbrechen jeden Morgen? Geh halt zum Arzt, sagte der Mann schließlich, aber sie nagelte ihn fest mit einem haßerfüllten Blick, das täte dir so passen, die Schuld abschieben, du, du bringst mich soweit, du machst mir so zu schaffen, du sitzt auf mir wie ein Zentnergewicht, ich brauche keinen Arzt, ich brauche Liebe.

Lange dauerten ihre Ausbrüche nicht mehr, sie hatte keine Kraft mehr für nächtelange Beschimpfungen.

Aber nicht nur der Mann setzte ihr zu, verursachte ihr Übelkeit und Atemnot. Ich war zum Abendessen eingeladen, die erste Einladung meines Lebens, Abendessen im Haus meiner Deutschlehrerin, man trank Wein, man rauchte, man diskutierte, und als ich auf die Uhr sah, war es halb zwölf. Um Gottes willen, ich muß heim, ein Taxi wurde bestellt, die Hausfrau setzte mich hinein, gab dem Chauffeur die Adresse an. Mama stand in der Haustür, mit irrem Blick, die Schlüssel in der Hand, den Mantel über dem Nachthemd, gerade wollte sie zur Polizei, die Tochter suchen lassen, welche Schande. Und in einem Taxi kommt sie auch noch daher, so eine Verschwendung, so ein Raub an den Eltern, die das Geld fürs Studium mit ihrem Herzblut ausschwitzen, aber das Fräulein fährt im Taxi über die gemarterten Leiber ihrer Eltern hinweg, nein, da gab es keine Erklärung, da konnte ich mir die Entschuldigungen gefälligst sparen, zuerst nicht nach Hause kommen, die Mutter seit Stunden in Todesangst, in Todespein, nach Luft ringend, und dann im Taxi, da gab es keine Entschuldigung, das war der Gipfel, die Höhe, und so was hatte sie großgezogen.

Ich versuchte, sie mit Noten zu bestechen, stell dir vor, wieder ein Sehr gut auf den Test, auf der Uni, wo ich mit der Auslese konkurrieren muß, und schon wieder lauter Sehr gut. Das freut mich, sagte sie ohne Begeisterung, als hätte sie an all dem keinen Anteil mehr. Sie stellte keine Fragen mehr über meine neue Umgebung, die Uni, das Heim, die anderen Studenten, wenn ich erzählte, hörte sie zu, pflichtbewußt, ohne Interessse, oft mit geschlossenen Augen, red nur, ich hör dich ja, muß nur ein wenig rasten, ein wenig verschnaufen, bin gleich wieder ... Sie konnte nicht mehr auf dem Rücken schlafen, denn auf dem Rükken hatte sie eine schmerzhafte Beule. Hast dich irgendwo angestoßen? Nein, die Beule wurde ja immer größer statt kleiner, blau war sie auch nicht, nur ein wenig erhöht saß sie mitten auf dem Rücken zwischen den Schulterblättern, die immer deutlicher hervortraten. Der Büstenhalter wurde ihr zu groß, der Strumpfgürtel rutschte ihr über die Hüften, kein Wunder, sie erbrach ja fast alles. Die Novembernebel machten den Husten und die Atemnot noch schlimmer, der Husten brach von neuem aus, eine neue Verkühlung, wo die alte noch nicht abgeklungen war. Ganz zugewachsen ist es innen drin, klagte sie, der alte Herzkropf wahrscheinlich. Sie spuckte ins Taschentuch, und das Taschentuch war hellrot. Zuerst erschreckte es sie, daß sie Blut spuckte, dann fand sie die Erklärung, ist wahrscheinlich eine Ader geplatzt von dem vielen Husten. Mit dem Husten hatte sie leben gelernt, aber daß sie jeden Bissen erbrach, das ging doch nicht mit rechten Dingen zu.

Sie ging zum Arzt, zu demselben Betriebsarzt, der gegrinst hatte, als sie ihm die Ursache ihrer Kopfschmerzen erklärte, und dann begann das tagelange Sitzen in den Wartezimmern des Internisten, des Röntgenologen, des Lungenfacharztes. Tief atmen, Atem anhalten, fertig, nicht husten, ja zum Kuckuck, husten können Sie nachher noch genug, noch einmal tief atmen, Atem anhalten, nüchtern zur Untersuchung kommen, Kontrastmittel trinken, was, erbrochen haben Sie es, morgen wiederkommen, nüchtern wohlgemerkt, reißen Sie sich zusammen, erbrechen können Sie nachher nach Herzenslust. Der lange Marsch durch die Wartesäle, und kein Arzt zuckte mit einer Wimper, keiner erklärte, was mit ihr geschah, was in ihrem Körper geschah, sie wagte es nur, mit den Augen zu fragen, und schaute in undurchdringliche Gesichter, in gleichgültige Gesichter. Sie ging zum Primar, der vor zehn Jahren ihren Vater operiert hatte, der ihrem Vater das Leben gerettet hatte, der angesehenste Chirurg in der Stadt, der mußte helfen, der mußte es ja wissen, er nahm nur Privatpatienten, die Krankenkasse zahlte nicht. Ich hab mir eh mein ganzes Leben nichts geleistet, jetzt leiste ich mir einmal was, einen Chirurgen, der mich wieder gesund machen kann, er hat dem Vater das Leben gerettet, er wird auch mir das Leben retten. Der Primar schaute die Befunde an, hielt die Röntgenbilder gegen das Licht, Gallensteine, sagte er, taubeneigroße Gallensteine. Wird's zum Operieren, fragte sie schüchtern. Na ja, eine Lebensverlängerung könnte es unter Umständen sein, sagte er vage, der nächste, bitte. Was hat er gemeint mit Lebensverlängerung, fragte sie sich. Wenn die Gallensteine heraußen sind, bin ich doch wieder gesund, oder nicht? Die Ärzte sagen schnell was, beruhigte sie der Mann. Sie bekam einen Aufnahmetermin ins Spital, in dem der Primar operierte, am zweiten Jänner, nicht früher, denn da waren ja Weihnachtsferien, da war ja das Kind daheim, da mußte sie doch zur Verfügung stehen, das Kind konnte doch allein den Haushalt nicht führen, das Kind konnte doch überhaupt allein nichts anfangen, nein, vor Anfang Jänner ist es ganz unmöglich, sagte sie, und niemand sprach von Eile.

Liebe Schwester, schrieb sie in steiler Kurrentschrift, ich werde ins Spital müssen, ich habe taubeneigroße Gallensteine. Der Primar, der den Vater operiert hat, wird auch mich operieren. Gott sei Dank habe ich nichts im Magen, das ist, weil ich immer auf mich geschaut habe und nie eisgekühltes Bier getrunken habe. Ich habe mir immer was gegönnt. Der Arzt spricht von Lebensverlängerung, ich verstehe auch nicht, was er meint. Daß aber ja die Vera nichts davon erfährt, das mußt Du mir versprechen. Deine Schwester Marie. Eine Gallenoperation ist nicht schlimmer als eine Blinddarmoperation, wußten Bekannte und Verwandte zu berichten, die ihrerseits Bekannte und Verwandte mit Gallensteinen gehabt hatten.

Mama, du bist ja ganz gelb im Gesicht! Das ist die Galle, die ich jeden Morgen erbreche, das ist die Galle, die mir übergeht von vierzig Jahren Sorgen, Kummer, Ärger und Lieblosigkeit, das ist die Galle, die mir aufsteigt, wenn ich *ihn* nur sehe. *Er*, das war ihr Mann, im Mai hatten sie ihren zweiundzwanzigsten Hochzeitstag gehabt, er hatte glatt darauf vergessen, und sie hatte ihn mit bitteren, haßerfüllten Vorwürfen überhäuft, zu denen er schwieg. Wer stand ihr bei in diesem Dezember, in dem sie Blut spuckte und sich entkräftet von der Hausarbeit aufs Sofa fallen ließ, jedoch nie ins Bett, soweit war sie noch nicht, wenn man sich ins Bett legt, gibt man zu, daß man krank ist. Hatte sie Schmerzen? Die Beule am Rücken weckte sie auf, schweißgebadet, jedesmal, wenn sie im Schlaf in Rückenlage kam. Das Husten schmerzte, der ganze Körper schmerzte, wenn sie vor der Klomuschel kniete und es ihr die Galle hochriß. Der Kopf schmerzte, der wohlbekannte, pochende Schmerz. Schweißgebadet, sagst du, das Polster durchgeschwitzt, das Leintuch, das Nachthemd? Nachtschweiß, haben wir im Biologieunterricht gelernt, ist ein Symptom für Tbc. Waren wir wirklich so dumm, an das Gallenleiden zu glauben und zu meinen, das sei alles? Aber wer stand ihr bei in der Angst, daß das nicht alles sein könnte, daß es das Ende sein könnte? Sie erzählte niemandem davon. Schlecht schauen Sie aus, Frau Kovacs, sagte die Nachbarin. Ach, ich bin froh, daß ich ein paar Kilo abgenommen habe, sagte sie leichthin. Aber wer sagt einer verschlossenen, distanzierten Frau Kovacs schon ins Gesicht, daß sie aussieht wie eine Schwerkranke? Der Mann, mit dem sie zweiundzwanzig Jahre verheiratet gewesen war, hatte sich zurückgezogen, war unerreichbar, zuviel war gesagt worden, zuviel hatte er schweigend hinnehmen müssen, und jetzt sollte er an ihrer Krankheit schuld sein. Gallenleiden sind psychosomatisch, sagte die neunmalgescheite Tochter, und er war verantwortlich für die gestörte Psyche, er natürlich! Also schwieg er und sah weg und zuckte die Achseln, gleichgültig oder hilflos, vielleicht nur hilflos, weil auch sie nicht mehr zur erreichen war durch ihn, weil sie jede Geste, jedes Wort von ihm mit einem empörten Aufschrei beantwortete. Also kniete sie allein vor der Klomuschel, um fünf Uhr in der Früh, während Mann und Tochter noch schliefen, und wozu auch jeden Tag die Meldung, heut hab ich wieder ganz arg erbrochen, nur um das Entsetzen in den Augen des Kindes zu sehen? Wenn nur die Weihnachtsferien vorbei wären.

Der Heilige Abend sollte sein wie immer, zumindest ein Tag ohne Streit, bitte reißt euch zusammen und seid zumindest am Heiligen Abend friedlich! Silberlöffel hatte ich ihr gekauft, und eine Zeichnung von mir hatte ich rahmen lassen, die gefiel ihr, junges Mädchen im Halbprofil, sehnsüchtig zwischen Torbögen auf eine weite abendliche Landschaft blickend. Dabei war mir das Geld ausgegangen, ich hatte kein Geschenk für meinen Vater. Mit Krankenstubenbehutsamkeit ging ich mit ihr um, aber beim Haushalt ließ sie sich keinen Griff abnehmen, oder dachte ich gar nicht daran, ihr zu helfen? Ich ließ mich bedienen, schließlich hatte ich Ferien, war Studentin, cand. phil. Sie ließ sich nicht gehen, das Essen war so gut und reichlich wie immer, drei Gänge zu Mittag, nur sie aß nicht mehr mit, es hat ja sowieso keinen Sinn, ich erbreche ja wieder alles. Nur mehr Weißwurst vertrug sie, ein Viertelkilo, fünfundzwanzig Deka, das reichte zwei Tage. Lieber hungern als ständig teures Essen ins Klo entleeren müssen. Aber du mußt essen, damit du wieder zu Kräften kommst, es war nicht Besorgnis, es war Panik, wir wußten es beide, da geschah etwas vor unseren Augen, was wir nicht sehen wollten. Wir bestärkten einander gegenseitig in der Lüge, wenn erst die Galle wieder in Ordnung ist. Aber am Heiligen Abend mußt du schon ordentlich essen, Frankfurter Würstl mit Senf, Weihnachtsbock und Torte, man konnte doch diesen Tag nicht mit Weißwurst aus dem Papierl entehren! Sie aß und erbrach und mußte sich niederlegen. Aber sie hatten Wort gehalten und nicht gestritten. Dafür am Christtag, die Selbstbeherrschung hielt nicht unbegrenzt, dafür war noch zu viel zu begleichen und die Zeit zu kurz. Das Spital am Ende der Ferien wurde mit keinem Wort erwähnt. Oma Franz kam auf Besuch, und als sie fortging, klammerte sich meine Mutter an ihre Hand und weinte. Das hätte sie früher nie getan, dachte ich, so die Haltung zu verlieren, zu weinen, warum, bloß weil sich ein Besuch verabschiedete? Da wußte ich es, was immer zu wissen war, auch wenn sich der Verstand weigerte zu verstehen. Am Silvester beim Einkaufen, am Neujahrstag nach der Kirche wartete sie atemlos, würde ihr jemand gute Gesundheit wünschen fürs neue Jahr? Als könnte irgendein ahnungsloser, wohlmeinender Neujahrswunsch das Unheil abwenden. Die Lebensmittelverkäuferin wünschte es nebenher, während sie ihr fünfundzwanzig Deka Weißwurst abwog. Am nächsten Tag fuhr ich wieder weg, am nächsten Tag war für den Nachmittag die Rettung bestellt. Sie begann erst, Nachthemd, Wäsche, Toilettsachen in ihre Einkaufstasche zu packen, als ich weg war. Das zweite Mal in ihrem Leben, daß sie sich fürs Spital fertigmachte, aber diesmal war auf kein freudiges Ereignis zu hoffen.

Da lag sie in einem weißgetünchten Raum in einem weißen Spitalsbett und konnte endlich ihrer Schwäche nachgeben, brauchte nicht mehr so tun, als ob es gleich vorbei wäre, konnte endlich vor ihrem Körper kapitulieren. Die lange Sonde in die Atemwege, die Gewebeprobe, die Röntgenaufnahmen, die Bestrahlungen. Am Anfang, in den ersten paar Tagen, zeigte der Primar noch Interesse. Wann wird operiert, Herr Primar? Bald, bald, jetzt müssen wir Sie erst ein wenig aufpäppeln, ein wenig stärken für die Operation. Wieder stark sein müssen, denn der Primar kostete Geld, jeder Tag im Spital kostete Geld, das meiste zahlte zwar die Krankenkasse, aber ganz umsonst lag sie da auch nicht, sie lag ja zweiter Klasse. Und wann kommt endlich der Befund von der Gewebeprobe, die so schmerzhaft gewesen war, von der sie jedem erzählte, ganz ohne Betäubung haben sie das Gewebe aus der Lunge genommen! Der Befund kam nicht. Der Primar blieb nicht mehr an ihrem Bett stehen, warf nur mehr einen flüchtigen Blick auf sie, hielt ihrem hohläugigen, bittenden Blick nicht stand. Bald, Frau Kovacs, in diesem Zustand können wir doch nicht operieren!

Der Mann kam auf Besuch, täglich, gleich nach dem Dienst in der Dienstuniform, das irritierte sie. Er brachte ihr Weißwurst, die sie gleich aß, das einzige Nahrungsmittel seit Wochen. Dann saß er auf dem Besuchersessel neben dem Bett, schweigend. So red doch was, schrie sie ihn an, flehend, drohend, mit letzter Kraft. Ich muß jetzt gehen, sagte er und beugte sich über sie, sie stieß ihn zurück, stieß ihm die Faust vor die Brust, kein harter Schlag, dazu hatte sie nicht mehr die Kraft. Er ging, grußlos, suchte den Primar, fragte, die Dienstmütze in der Hand, demütig, Herr Primar, könnte es sein, daß es Krebs ist, wissen Sie, in ihrer Familie... Ausgeschlossen, sagte der Primar und drehte sich brüsk um. Oberarzt, Assistenzarzt und Oberschwester schlossen einen Ring um ihn, ließen den Schaffner stehen mit der Dienstmütze in der Hand.

Die Verwandten kamen auf Besuch, legten Biskotten auf den Tisch neben dem Bett, brachten Eisenwein und Blumen. Nehmt das wieder mit, sagte sie schwach. Sie redeten Belangloses, Krankenbettgespräche, peinlich berührt, leicht entsetzt. Wenn sie draußen waren auf dem Spitalsgang atmeten sie auf, schauten einander bedeutungsvoll an, die wird nimmer, hast gesehen, die Leichenfarb hat sie schon im Gesicht. Dann vertrug sie auch die Weißwurst nicht mehr. Als ich sie das erste Mal besuchte, stand schon der Behälter mit der Infusion neben ihr, lag der Arm neben ihr, als gehörte er nicht mehr zu ihrem Körper, die lange Nadel im Arm und das gleichmäßige Tropfen im Behälter, künstliche Ernährung. Wenigstens brauchst nicht mehr zu erbrechen, sagte ich tröstend, und sie lächelte schwach. Draußen schneite es, das regelmäßige Tropfen, das regelmäßige Fallen der Flocken, das weiße, eingefallene Gesicht auf dem Polster, die verfilzten roten Haare, die flehenden Augen, große, entsetzte Augen, was wollten diese Augen von mir, was verschwieg sie? Ich wußte nichts zu sagen, ich begann zu weinen, wollte tapfer sein, ich hatte ja nur mehr eine halbe Stunde bis zum Zug, noch etwas Wichtiges besprechen, etwas Tröstendes sagen, etwas, das Mut macht, statt dessen weinte ich. Die Schwester kam mit einer Wassserschüssel herein, hob den ausgemergelten Oberkörper aus den Kissen, streifte das Nachthemd von den Schultern, entblößte ein Skelett, die eingeschrumpften, schlaffen Brüste, die gelbliche Haut. Ich starrte entsetzt, das war doch nicht ihr Körper, diese schlaffen Häute übereinander. Ich sah den Blick, den sie der Schwester zuwarf, einen Blick zu gleichen Teilen aus Dankbarkeit und Scham gemischt, diesen brennenden Blick einer Sterbenden. Lieber jung sterben, als sich von anderen die Leibschüssel wegtragen lassen müssen, hatte sie immer gesagt. Die Angst vor der Abhängigkeit, die Angst, von anderen etwas annehmen zu müssen, die Angst vor dem Dankbarseinmüssen, diese Angst in den Augen, diese Scham, ich floh vor diesem Blick und saß weinend im Zug, neugierig von zwei Bundesheersoldaten beäugt, die konnten mich, ich weinte hemmungslos die ganze Fahrt.

Schaut ihn euch an, schrie sie und zeigte mit der freien Hand auf ihren betroffenen, schweigenden Mann, da sitzt er und schweigt, zwanzig Jahre hat er so geschwiegen, zwanzig Jahre lang hat er mich zugrunde gerichtet mit seinem Schweigen, kein liebes Wort, keine Liebe, zwanzig Jahre nicht, schaut alle her, schrie sie, da sitzt er, der Verbrecher, der Mörder, das Schwein! Es war Besuchszeit, die Besucher an den anderen Betten starrten sie an, die dreht durch, die schnappt über. Die Verwandten redeten beschwichtigend durcheinander, sei doch still, Marie, mußt dich ja schonen, mußt dich ja schämen, bist ja nicht allein! Er schwieg. Entmündigen werde ich ihn lassen, der hat kein Recht, Familienoberhaupt zu sein, der hat kein Recht, ein Mann zu sein, sobald ich da heraußen bin, wird er entmündigt. Die Krankenschwester kam herein, jetzt beruhigen Sie sich aber, Frau Kovacs, sonst gibt's wieder eine Spritze, es sind ja noch andere Kranke da! Nach zwanzig Jahren Schweigen, nach zwanzig Jahren Beteuerung, wir führen eine gute Ehe, wir sind eine Musterfamilie, nach zwanzig Jahren stürzte die Fassade ein. Nach einem ganzen Leben distanzierter, mißtrauischer Freundlichkeit waren ihr alle gleichgültig, konnten ihr alle am Buckel runterrutschen, konnten es ruhig alle hören. Sie hatte für ihr Leben genug gelogen, jetzt war die Wahrheit an der Reihe, ihre Wahrheit. Der Vater läßt grüßen, er läßt sich entschuldigen, sagte ihre Schwester am Krankenbett, dem Vater war die Reise zu beschwerlich. So, zu beschwerlich, schrie sie, ich hab ihn ein halbes Jahr lang täglich besucht, als er im Spital war, das war auch beschwerlich, und überhaupt, das kannst ihm ausrichten, verflucht soll er sein, dafür, daß er mich zwanzig Jahre lang geschlagen hat, keine Liebe, auch von der Mutter nicht, nie auch nur ein bißchen Liebe, verflucht soll sie sein ins Grab hinein, und aus dem Haus geworfen, ohne Erbteil, mit dem lumpigen bißchen Aussteuer, verhungern lassen habt ihr mich, und so was will ein Vater sein, so was ist ein Schwein, ein Ausbund an Grausamkeit, das soll ihm noch tausendfach zurückgezahlt werden, tausendfach, das wünsch ich ihm. Woher sie die Kraft nahm für diese Ausbrüche, nur mehr Haut und Knochen, gelbliche Haut, die sich über die Backenknochen spannte, brennende Augen, und der Arm mit der Infusion festgenagelt an der Bettdecke. Die Verwandten schlichen hinaus, vermieden die neugierigen, sensationslüsternen Blicke der anderen Patienten, die wußten, gleich würde die Schwester mit der Beruhigungsspritze kommen. Sie redete nicht mehr den gepflegten leichten Stadtdialekt, sie schrie und fluchte im breiten, gutturalen Bauerndialekt ihrer Jugend. Wer wollte sie noch besuchen, wenn sie jedesmal zu toben begann?

Die Krankenschwester fand keine Venen mehr in ihrem Arm, auch die Hände waren schon grün und blau gestochen. Was ist, wenn sie keine Venen mehr finden, fragte sie bang, muß ich dann verhungern? Seit drei Wochen künstlich ernährt, seit vier Wochen im Bett. Einmal, in der zweiten Woche, wollte sie aufstehen, der Demütigung der Leibschüssel entgehen, und wurde schon an der Tür ohnmächtig. Hatte sie Schmerzen? Nicht viel, man gab ihr Morphium, sie döste vor sich hin. Was dachte sie die ganze Zeit, konnte sie noch denken? Die Semesterferien begannen, ich besuchte sie jeden zweiten Tag, sah in das gelbliche Gesicht, die Augen mit den schwarzen Ringen, begann zu weinen, streichelte ihre gelb und grün zerstochenen Hände, schau, wie schön es heut draußen ist, fast schon Frühling, im Frühjahr, wenn du wieder zu Hause bist und die Sonne scheint . . . Red keinen Blödsinn, unterbrach sie mich, es ist noch so viel Wichtiges zu besprechen, und die Zeit so kurz. Wein nicht, dafür ist die Zeit zu kostbar, wir haben noch so viel zu besprechen. Aber wir besprachen nichts, ich weinte, sagte, daß ich gleich aufhören würde zu weinen und weinte noch lauter, sie schwieg. Ich erzählte ihr schnell von meinen Noten, meinen Erfolgen, ja, ja, sagte sie ungeduldig, sie heuchelte kein Interesse mehr. Der Primar bleibt nicht einmal mehr stehen an meinem Bett, beklagte sie sich, aber zahlen, ja, zahlen läßt er sich. Wartete sie noch immer auf die Operation, wußte sie, daß sie starb? Mit meinem Vater besprach sie die Trauerkleider, die er für mich kaufen sollte, eine schwarze Bluse und einen schwarzen Faltenrock, am besten aus Ripsstoff, und zu Hause, auf dem Gemeindefriedhof, wollte sie begraben werden und ein ordentliches Begräbnis, die ganze Verwandtschaft einladen. Ich hab keine ordentliche Hochzeit gehabt und kein schönes Leben, da bist du mir schon eine schöne Leich schuldig. Und da soll sie nichts geahnt haben? Red nicht so, sagte der Mann. Und daß du's nur weißt, in dieses Scheißhäusl, in dem ich mich achtzehn Jahre lang abgewurschtelt habe, in dieses Scheißhäusl zieh ich dir nimmer! Und wohin willst du sonst, wennst wieder herauskommst aus dem Spital? Sie schwieg. Sie ist nicht mehr richtig im Kopf, sagte er, die zehn Jahre Kopfweh, ich wette, sie hat einen Gehirntumor, sie gehört ins Irrenhaus. Er fürchtete die Besuche im Spital, die Ausbrüche, den Haß, den Anblick ihrer blindwütigen Marter, er war froh, wenn sie morphiumbetäubt vor sich hin döste. Sie sprachen von Scheidung, aber wie? Wie? Das interessierte sie nicht mehr, nur weg, weg von dem Haus am Berg, weg von ihm, weg vom Leben, warum dauerte es so lange?

Der erste Sonntag, an dem ich allein in die Abendmesse im Dom gehen würde, vorher noch schnell auf eine Stunde ins Spital. Mir wurde schon ganz übel in diesen Spitalsgängen. Es schneite, es war dunkel im Zimmer, obwohl es erst vier Uhr Nachmittag war. Sie lag reglos im Bett, die Haare brandrot, verschwitzt und verfilzt, sie bewegte kaum den

Mund, als sie mich begrüßte. Die Hände mit ihren gelben und grünen Flecken auf der Decke ausgestreckt, fleischlos, die Hände, die einmal so fest gewesen waren, zarte Hände hatte sie nie gehabt, derbe Bauernhände, jetzt waren sie zart, fast schon durchsichtig. Eine Krankenschwester kam herein, befestigte das neue Blutbild über dem Bett, ich riß es wieder herunter, ich wußte die Durchschnittszahlen noch vom Biologieunterricht. Sie hat ja Leukämie, schrie ich die Schwester an. Die Schwester war nicht zuständig, ich suchte den Primar, fand ihn auch, schrie ihm aufgeregt den Befund ins Gesicht. Mein liebes Kind, sagte er, überlassen Sie das mir, weiße Blutkörperchen bedeuten Abwehrstoffe. Aber wir haben doch gelernt ... Ich muß jetzt gehen, weg war er. Ich ging ins Krankenzimmer zurück, sie war eingeschlafen. Ich sah von der Tür aus noch einmal zurück, wie eine Tote, dachte ich und erschrak. Lieber Gott, betete ich kniend im Dom, alles kannst du von mir haben, alles, ein Leben ohne Glück kannst du mir geben, nur laß mir die Mama, laß sie nicht sterben. Ich schloß einen Pakt, entschlossen, ihn zu halten, überzeugt, auch Gott mußte ihn halten. Ich glaubte an Gerechtigkeit und daran, daß man sein Wort hält.

Ein herrlicher Februarmorgen. Ich saß an meiner neuen Schreibmaschine, Mama wird stolz auf mich sein. Eine fremde Frau stand vor der Tür, hat da die Frau Maria Kovacs gewohnt? Nein, die ist im Spital, soll ich was ausrichten? Es war ihr schrecklich peinlich, sie kannte uns ja gar nicht, sie hatte nur die nächste Hausnummer auf der geraden Seite. Das Spital hat gerade angerufen, die Frau Kovacs ist heute nacht gestorben. Nein, sagte ich, nein, das ist nicht wahr. Ich hatte doch einen Pakt geschlossen. Nein, nein, nein, das ist nicht wahr, sagte ich noch immer ganz ruhig, während mein Vater zu weinen begann, was soll denn jetzt werden, was sollen wir denn jetzt tun? Wir gingen ins Spital. Das Bett stand vor der Tür, leer. Wir wurden vom Primar empfangen, das erste Mal seit sechs Wochen. Er zählte uns die Metastasen auf, er bewarf uns mit Fachjargon, Todesursache Lungenembolie, nein wir konnten sie nicht sehen, es tat ihm leid, die Rechnung wird zugeschickt. Der Spitalsgeistliche hatte tröstende Worte auf Eis, versehen mit den heiligen Sterbesakramenten, Gottes Wille, er geschehe, wen Gott liebt, den ... und so weiter. Wir kauften die schwarze Bluse und den schwarzen Rock in dem von ihr genannten Geschäft, wir erledigten die Formalitäten, Totenschein, Bestattungsanstalt, sie bekam ihr eigenes Grab im Heimatdorf. Sie bekam ihre schöne Leich, drei Tage in der Dorfkapelle aufgebahrt, bis sie roch. Wir gingen sie jeden Tag in der Kapelle besuchen, weil wir sie im Spital zu wenig besucht hatten. Drei Abende kamen die Dorfweiber in der Stube zusammen und tranken bei Kerzenschein und endlosem Rosenkranzgemurmel Schnaps. Der Trauerzug vom Dorf zur Kirche, der Einzug der Trauergäste beim Bimmeln der Totenglocke, der Sarg wartete schon, der Pfarrer war in Verlegenheit, er hatte die Frau nicht gekannt, zwanzig Jahre von der Heimat fort, er rührte in der Heimaterde, rührte die Trauergäste zu Tränen, eine treue Gattin, eine aufopfernde Mutter, eine sorgende Hausfrau, was noch? Eine liebende Tochter, eine Gläubige, bestimmt schon eine Heilige, fromm, demütig und sanft, was wußte er denn von ihr, eine tapfere Frau, ein Vorbild, was sollte er denn noch sagen, die Trauernden schluchzten schon, der Zweck war erreicht, in Ewigkeit amen, näher mein Gott zu dir. Der Trauerzug von der Kirche zum Friedhof, die ganze Verwandtschaft war zum Fest gekommen, warf Erde ins offene Grab, freute sich mit knurrendem Magen auf den Leichenschmaus, wurde fröhlich beim Bier, die Männer gingen rülpsend zum Schnaps über, torkelten nach der Sperrstunde nach Hause. Eine schöne Leich, ein Fest der Überlebenden. Man diskutierte die Tote, nicht pietätlos, versteht sich, nur daß sie ein schwieriger Mensch gewesen sei und ein schweres Leben gehabt habe, daß sie und der Friedl nicht zusammengepaßt hätten, sie hätte halt einen gebraucht, der ihr den Herrn gezeigt hätte, einen, der sie ordentlich verdroschen hätte. Alles habe sie für die Tochter getan, hieß es, und ob ich es mir jetzt noch immer in den Kopf setzte, zu studieren. Nur leider hätte sie mir im Haushalt nichts beigebracht, und jetzt sei es zu spät, was würde das arme, verlassene Waisenkind nur tun, nicht einmal Geschirr waschen und Herrenhemden bügeln hatte sie gelernt. Die Tanten schüttelten bedenklich die Köpfe, als ich mir die Nase am Ärmel abwischte, ein rechtes Kind ist sie halt noch.

Dann fuhren wir heim, saßen beim Tisch, Papa kochte, wir schwiegen, zwei Fremde, wann hatten wir das letzte Mal ein Gespräch geführt, ich erinnerte mich nicht. Zaghaft redeten wir über sie, zaghaft kamen wir einander näher. Der Frühling kam, die Kränze auf dem Grab waren welk und wurden weggeschafft, wir pflanzten Blumen auf den aufgewühlten Hügel. Nacht für Nacht träumte ich von dem Körper darunter, sah ihn langsam verwesen, verlor mein Übergewicht, verlor büschelweise meine Haare. Ich trat ihr Erbe an, in den Trauerkleidern, die sie vom Spitalsbett aus für mich bestimmt hatte, mit der Frisur, die sie für richtig befunden hatte, kein Haar hing aus der Frisur. Ich wurde fromm, streng, unnahbar, mißtrauisch und ehrgeizig. Ich glänzte in den Seminaren und biß vor Einsamkeit schreiend in die Polster. Mein Vater heiratete übers Jahr und wurde glücklich. Er konnte sich endlich erlauben, seinen Haß auszusprechen, seine zwanzigjährige Demütigung abzugrenzen, sie war ein Abschnitt seiner Vergangenheit geworden. Ich liebte sie und wollte werden wie sie, bis ich ihr Gegenteil wurde und sie haßte.

Ich habe sie sechzehn Jahre lang immer von neuem begraben, sie ist immer wieder aufgestanden und ist mir nachgekommen. Sie hat mich schon lange eingeholt. Sie sieht mich mit den Augen meines Kindes an, sie betrachtet mich aus dem Spiegel, wenn ich mich unbeobachtet fühle, sie kommt mir in meinen Liebhabern entgegen, und ich jage sie mit ihren Argumenten fort. Dann straft sie mich mit Einsamkeit, und ich suche ihre Liebe wiederzugewinnen durch Leistung, Glanzleistung, Spitzenleistung. Nie gefalle ich ihr. Ich heiratete sie und ließ mich von ihr scheiden, da verwandelte sie sich und lauerte mir erneut auf. Ihre Umarmung, die sie so zögernd gewährt und nur gegen mustergültiges Betragen, wird immer zur Umklammerung, in der ich ersticke. Ich stoße sie weg und fühle mich weggestoßen. Ich bin sie und sage, du bist nichts wert, und versinke in Trauer um meinen Verlust, um meinen Ich-Verlust, um meinen Du-Verlust, um den Verlust der ganzen Liebe, die es auf der Welt gibt. Denn es gibt ja nur sie und mich. Alles, was draußen ist, ist sie, die Nacht und die Sonne, der Schlaf und der Regen, die Liebe und der Haß und alle Menschen, die mein Leben kreuzen und trüben, und vor allem ich. Sie hat sich in mich verwandelt, sie hat mich geschaffen und ist in mich hineingeschlüpft, als ich gestorben bin vor sechzehn Jahren, als sie mich totgeschlagen hat vor dreißig Jahren, hat sie meinen Körper genommen, hat sie meine Gedanken an sich gerissen, hat sie meine Gefühle usurpiert.
Sie herrscht, und ich diene, und wenn ich meinen ganzen Mut sammle und Widerstand leiste, gewinnt sie immer, im Namen des Gehorsams, der Vernunft und der Angst.

Anna Mitgutsch im dtv

»Hier ist eine Autorin am Werk, die in puncto psychologischer Kompetenz nicht so leicht ihresgleichen hat.«
Dietmar Grieser in der ›Welt‹

Die Züchtigung
Roman · dtv 10798
Eine Mutter, die als Kind geschlagen und ausgebeutet wurde, kann ihre eigene Tochter nur durch Schläge zu dem erziehen, was sie für ein »besseres Leben« hält. Ein literarisches Debüt, das fassungslos macht. »Dieses Buch muss gelesen werden ..., weil es eines der wenigen Bücher ist, die in ihren Leser/innen etwas bewirken, etwas bewegen, vielleicht auch etwas verändern.« (Ingrid Strobl in ›Emma‹)

Das andere Gesicht
Roman · dtv 10975
Sonja und Jana verbindet von Kindheit an eine fragile, sich auf einem schmalen Grat bewegende Freundschaft. Später gibt es Achim, den beide lieben, der beide begehrt, der sich – ein abenteuernder, egozentrischer Künstler – nicht einlassen will auf die Liebe ...

Ausgrenzung
Roman · dtv 12435
Die Geschichte einer Mutter und ihres autistischen Sohnes. Die Geschichte einer starken Frau und eines zarten Kindes, die sich selbst eine Welt erschaffen, weil sie in der Welt der anderen nicht zugelassen werden.

In fremden Städten
Roman · dtv 12588
Eine Amerikanerin in Europa – zwischen zwei Welten und keiner ganz zugehörig. Sie verlässt ihre Familie in Österreich, wo sie sich nie zu Hause gefühlt hat, und kehrt zurück nach Massachusetts. Dort versucht sie an ihr früheres Leben und ihre Herkunft anzuknüpfen. Doch ihre Erwartungen wollen sich auch hier nicht erfüllen ... »Mitgutsch schreibt aus dem Zentrum des Schmerzes, und sie schreibt, als ginge es um ihr Leben.« (Erich Hackl in der ›Zeit‹)

Penelope Lively im dtv

»Penelope Lively ist Expertin darin, Dinge von zeitloser Gültigkeit in Worte zu fassen.«
New York Times Book Review

Moon Tiger
Roman · dtv 12380
»Die Heldin ist eine Historikerin namens Claudia Hampton. Das eigentliche Zentrum des Romans aber ist die Geschichte selbst …«
Anne Tyler

Kleopatras Schwester
Roman · dtv 11918
Eine Gruppe von Reisenden gerät in die Gewalt eines größenwahnsinnigen Machthabers. Dabei entwickelt sich eine ganz besondere Liebesgeschichte …

London im Kopf
dtv 11981
Der Architekt Matthew Halland arbeitet an einem ehrgeizigen Bauprojekt in den Londoner Docklands, und dabei wird die Vergangenheit der Stadt für ihn lebendig.

Ein Schritt vom Wege
Roman · dtv 12156
Als Annes Vater langsam sein Gedächtnis verliert und sie seine Papiere ordnet, erfährt sie Dinge über sein Leben, die sie tief erschüttern. Dann lernt sie einen Mann kennen, dem sie sich ganz nah fühlt …

Der wilde Garten
Roman · dtv 12336
Helen und Edward leben in einem großen Haus mit wildem Garten. Nach dem Tod ihrer Mutter gerät das Leben der Geschwister – beide unverheiratet und Anfang Fünfzig – plötzlich in Bewegung.

Hinter dem Weizenfeld
Roman · dtv 12515
Ein Roman von Müttern und Töchtern, Untreue und Eifersucht, Selbstbetrug und Solidarität.

Die lange Nacht von Abu Simbel
Erzählungen · dtv 12568

Heckenrosen
Roman · dtv 24192
Stella Brentwood hat Forschungsreisen um die ganze Welt gemacht. Jetzt lässt sie sich von ihren Aufzeichnungen in die Vergangenheit zurückversetzen.

Marlen Haushofer im dtv

»Was das Werk der Österreicherin prägt und es so faszinierend macht, ist bei all seiner Klarheit sanfte Güte und menschliche Nachsicht für die ganz alltäglichen Dämonen in uns allen.«
Juliane Sattler in der ›Hessischen Allgemeinen‹

Die Frau mit den interessanten Träumen
Erzählungen · dtv 11206

Wir töten Stella und andere Erzählungen
dtv 11293
»Marlen Haushofer schreibt über die abgeschatteten Seiten unseres Ichs, aber sie tut es ohne Anklage, Schadenfreude und Moralisierung.« (Hessische Allgemeine)

Schreckliche Treue
Erzählungen
dtv 11294
»...Sie beschreibt nicht nur Frauenschicksale im Sinne des heutigen Feminismus, sie nimmt sich auch der oft übersehenen Emanzipation der Männer an ...« (Geno Hartlaub)

Die Tapetentür
Roman
dtv 11361
Eine berufstätige junge Frau lebt allein in der Großstadt. Die Distanz zur Umwelt wächst, begleitet von einem Gefühl der Leere und Verlorenheit. Als sie sich verliebt, scheint die Flucht in ein »normales« Leben gelungen ...

Eine Handvoll Leben
Roman
dtv 11474
Eine Frau stellt sich ihrer Vergangenheit.

Die Wand
Roman
dtv 12597
Marlen Haushofers Hauptwerk und eines der Bücher, »für deren Existenz man ein Leben lang dankbar ist«. (Eva Demski)

Die Mansarde
Roman
dtv 12598

Himmel, der nirgendwo endet
Roman
dtv 12599
Ein autobiographischer Kindheitsroman.

Eveline Hasler im dtv

»Eveline Haslers Figuren sind so prall voll Leben, so anschaulich und differenziert gezeichnet, als handle es sich samt und sonders um gute Bekannte.«
Klara Obermüller

Anna Göldin
Letzte Hexe
Roman · dtv 10457
Die erschütternde Geschichte des letzten Hexenprozesses in Europa im Jahre 1782.

Ibicaba
Das Paradies in den Köpfen
Roman · dtv 10891
Hunger und Elend führen im 19. Jahrhundert in der Schweiz zu einer riesigen Auswanderungswelle ins »gelobte Land« Brasilien. Doch das vermeintliche Paradies entpuppt sich für die meisten als finstere Hölle.

Der Riese im Baum
Roman · dtv 11555
Die Geschichte Melchior Thuts (1736–1784), des *größten* Schweizers aller Zeiten.

Die Wachsflügelfrau
Roman · dtv 12087
Das Leben der Emily Kempin-Spyri, der ersten Juristin im deutschsprachigen Raum, und ihr einzigartiger Aufstieg als Kämpferin für die Frauenrechte in der Schweiz und in New York.

Der Zeitreisende
Die Visionen des Henry Dunant
Roman · dtv 12556
Er widmete sein Leben der Überwindung von Gewalt und Krieg: der Begründer des Roten Kreuzes.

Der Jubiläums-Apfel und andere Notizen vom Tage
dtv 12557
Glossen aus Eveline Haslers Schriftstellerwerkstatt in der italienischen Schweiz.

Novemberinsel
Erzählung
dtv 12707 und
dtv großdruck 25138
Eine junge Frau zieht sich mit ihrem jüngsten Kind auf eine Mittelmeerinsel zurück in der Hoffnung, aus einer psychischen Krise herauszufinden.

Frances Fyfield im dtv

»Sie hat den Rang von P. D. James und Ruth Rendell.«
Daily Mail

Schatten im Spiegel
Kriminalroman
dtv 11371
Die Anwältin Sarah Fortune ist jung, schön, erfolgreich – und rothaarig. Was sie für einen ihrer Klienten ganz besonders interessant zu machen scheint …

Feuerfüchse
Kriminalroman
dtv 11451
Eine Leiche im Wald, und der Täter scheint schnell gefunden. Aber Helen West gibt sich nicht mit einfachen Lösungen zufrieden.

Im Kinderzimmer
Roman · dtv 20143
Katherines Leben in ihrem luxuriösen Zuhause hat seinen Preis: Sie versucht sich die Liebe ihres Mannes durch Anpassung und Unterwerfung zu erhalten, seine grausamen Spielchen stumm zu ertragen. Doch damit ist ihre kleine Tochter Jeanetta dem Sadismus des Vaters hilflos ausgeliefert …

Dieses kleine, tödliche Messer
Kriminalroman
dtv 11536
Der Täter ist geständig. Und er belastet die bis dato unbescholtene Antiquitätenhändlerin schwer. Die Staatsanwältin Helen West setzt alles daran, die wahre Schuldige vor Gericht zu bringen – aber deren krankhafte Rachsucht sucht bereits das nächste Opfer … Der psychologisch raffinierte, spannungsgeladene Roman einer mörderischen Obsession.

Tiefer Schlaf
Kriminalroman
dtv 20192
Niemand interessiert sich besonders dafür, was der ehrbare Apotheker in seinem Hinterzimmer treibt. Als seine Frau tot aufgefunden wird, will die Staatsanwältin Helen West als einzige die Version des »natürlichen Todes« nicht akzeptieren. Ein kriminalistisch-psychologisches Kabinettstück von tödlicher Intelligenz.

FRANKLIN & MARSHALL COLLEGE LIBRARY
0 11 15 0260137 5